KU-596-634

Rhetoriken des Verschwindens

Herausgegeben von
Tina-Karen Pusse

Königshausen & Neumann

Gefördert durch die Freunde der Universität zu Köln

Bibliografische Information der Deutschen Bibliothek

Die Deutsche Bibliothek verzeichnet diese Publikation in der Deutschen
Nationalbibliografie; detaillierte bibliografische Daten sind im Internet
über <http://dnb.ddb.de> abrufbar.

© Verlag Königshausen & Neumann GmbH, Würzburg 2008
Gedruckt auf säurefreiem, alterungsbeständigem Papier
Umschlag: Hummel / Lang, Würzburg
Umschlagabbildung: Steffen Neuburger (ohne Titel, 62 x 41 cm, Acryl auf Leinwand, 2005)
Bindung: Buchbinderei Diehl+Co. GmbH, Wiesbaden
Alle Rechte vorbehalten
Dieses Werk, einschließlich aller seiner Teile, ist urheberrechtlich geschützt.
Jede Verwertung außerhalb der engen Grenzen des Urheberrechtsgesetzes ist
ohne Zustimmung des Verlages unzulässig und strafbar. Das gilt insbesondere
für Vervielfältigungen, Übersetzungen, Mikroverfilmungen und die Einspeicherung
und Verarbeitung in elektronischen Systemen.
Printed in Germany
ISBN 978-3-8260-3822-8
www.koenigshausen-neumann.de
www.buchhandel.de
www.buchkatalog.de

Inhaltsverzeichnis

Einleitung

Un éclair ... puis la nuit! – Fugitive beauté
(Baudelaire, À une Passante)

Die sogenannte „Echtzeitserie" *24*, besonders deren zweite Staffel, führt paradigmatisch vor, welche Exzesse von Gewalt und Energie sich entziehende Objekte und Personen freisetzen können. Geheimagent Jack Bauer hinterlässt eine Spur der Verwüstung auf seiner Suche nach einem sich allmählich ins Nichts auflösenden Objekt: Glaubt er doch zunächst auf der Suche nach einer Atombombe zu sein, die sich später als Tonband entpuppt, das sich später als Mikrochip erweist, der jedoch nur der Speicher eines Wortes ist, das sich an der Asymptote zum Nullpunkt als Ziel seiner Suche herausstellt und Ende dieses Minimierungsprozesses zu sein scheint (würde die letzte Szene der Staffel nicht einen noch kleineren nächsten Gegner andeuten).

Doch nicht nur im Privatfernsehen, sondern auch in literaturwissenschaftlichen Kolloquien und Konferenzen liegt derzeit wieder Spannung in der Luft, wenn es ums Verschwinden geht. Die Diskussion um die in den Literatur- und Kulturwissenschaften seit den 60er Jahren virulente ‚Krise der Repräsentation', die im Grunde eher eine Krise des Konzeptes der Präsenz war und ist, ist in letzter Zeit unter anderem durch Hans Ulrich Gumbrechts Forderung nach der Etablierung eines ‚nichthermeneutischen Feldes' wieder in Bewegung geraten. Dieser hat den Begriff der Präsenz wieder offensiv in einen literaturwissenschaftlichen Diskurs eingeführt, dem die Rede vom Tod des Autors oder wahlweise des Subjekts oder der Dissémination inzwischen vielleicht zu locker von den Lippen geht. Gumbrecht schließt hier an Martin Seels *Ästhetik des Erscheinens* und Jean Luc Nancys *The Birth of Presence* an und will für die Kunstrezeption das Terrain unsemantisierbaren Anschauens, die bloße – wenn auch flüchtige – Erfahrung von Intensität zurückerobern.

Ziel dieses Sammelbandes, der die Beiträge einer im Dezember 2005 veranstalteten gleichnamigen Kölner Tagung dokumentiert, ist es, sich in die laufende Debatte einzumischen, der Verführung der Gumbrechtschen bisweilen etwas auratisch anmutenden Rhetorik jedoch nicht allzu schnell zu erliegen.

Ein entscheidender Bezugspunkt des Sammelbandes *Rhetoriken des Verschwindens* ist Paul de Mans 1969 erschienene Studie *The Rhetoric of Temporality*, in der dieser einen neuen Diskurs über Literatur begründet hat – zu dem vielleicht, das eben müsste sich noch zeigen, Gumbrechts *Production of Presence – What Meaning Cannot Convey* als Gegenentwurf fungiert. De Mans Text hat vor etwa 40 Jahren die Rhetorik als eine unkontrollierbare Defiguration des Lesens vorgeführt, als einen Prozess, der Figuren nicht interpretiert um „Meaning" zu *entbergen*, sondern es immer wieder zu *generieren*, die Spannung zwischen figurativem und referentiellem Sinn gerade nicht aufzulösen, sondern sie immer weiter zu entfalten. Und wo de Man gerade in der Komplexität dieser Bezugsebenen, dem Aushalten dieser Spannung, Literarizität verortet, da geht es Gumbrecht im Loslassen dieser Spannung um „Augenblicke der Intensität" um das Verlassen der Sinnkultur: „[A]nstatt immer und ohne Ende darüber nachzudenken, wie alles auch ganz anders sein könnte, stoßen wir manchmal auf eine Schicht unseres Daseins, wo wir die Dinge dieser Welt hautnah erleben möchten." [1]

In der oben zitierten Zeile Baudelaires konzentrieren und überkreuzen sich genau diese beiden Konzepte: ein Erleben der Präsenz und der Epiphanie mit einem Erleben des Entzugs und der Abwesenheit. Dass beides aufeinander bezogen ist, steht dabei außer Frage. Der Unterschied besteht in der konzeptuellen Besetzung von Prä- oder Absenz als vorgängig oder nachträglich. Handelt es sich um unmittelbare Wahrnehmung, ästhetisches Erleben, wie Gumbrecht sagt, das dann in eine Verlusterfahrung umschlägt[2] (wodurch die Zeitlichkeit und Limitation des Erlebens erst ins Bewusstsein tritt und ‚Präsenz' in ‚Sinn' transformiert wird), oder ist die Vorübergehende nur *als* Entschwindende in ihrer Schönheit überhaupt erst nachträglich feststellbar – ist also die Bedingung ihrer Absenz Voraussetzung für ihre Erscheinung, die dann eine nachträgliche Arretierung wäre.

Linda Simonis' Beitrag *Projekte und Umschriften der Abwesenheit. Ricardo Piglias „La ciudad ausente" im Horizont der Begriffstradition* breitet insofern den Horizont der Tagung aus, als sie drei historisch unterschiedliche Ausprägungen der asymmetrischen Opposition von An- und Abwesenheit vorstellt. Das Konzept des Verschwindens (als ein Übergang von einem Zustand der Präsenz zu einem Zustand der Absenz) wird jeweils unterschiedlich eingeführt, abhängig davon, ob gerade Präsenz oder Absenz als Grundzustand dieser Opposition angesehen wird, von dem der andere Zustand dann die Abweichung wäre.[3]

Dabei stellt sie für den alteuropäischen Kultur- und Literaturraum der *Odyssee* klar eine Semantik der Präsenz heraus, in der Epiphanien von Gottheiten unproblematisch und selbstverständlich sind, während jedwede Abwesenheit der markierte Fall ist und der Rechtfertigung bedarf. In Miltons *Paradise Lost* (schon der Titel verrät es) zeigt Simonis einen Übergang von Anwesenheit zu Abwesenheit als primärer Referenz auf, einen Übergang der spätestens, so Simonis, im 20. Jahrhundert vollständig vollzogen zu sein scheint, ist es doch nun Abwesenheit, die als fait accompli gegeben ist. Alles, was in der Sprache ist, referiert auf oder antipiziert ein Verschwinden (der ‚lebendigen Gegenwart').

---

1   Hans Ulrich Gumbrecht: Epiphanien. In: Joachim Küpper und Christoph Menke (Hrsg.): *Dimensionen ästhetischer Erfahrung.* Frankfurt a.M. 2003, S. 203–222. Derselbe: *Diesseits der Hermeneutik. Die Produktion von Präsenz.* Frankfurt a.M. 2004, S. 211.

2   Diese Position vertritt z.B. auch Karl Heinz Bohrer: *Der Abschied. Theorie der Trauer.* Frankfurt a.M. 1996, S. 160.

3   Vgl. Reinhart Koselleck: „Zur historisch-politischen Semantik asymmetrischer Gegenbegriffe". In: Ders.: *Vergangene Zukunft. Zur Semantik geschichtlicher Zeiten*, S. 211–259.

Es bleibt allerdings zu fragen, ob sich nun im 21. Jahrhundert mit Hans Ulrich Gumbrecht, Jean-Luc Nancy[4] und Martin Seel[5] tatsächlich eine Renaissance des Präsenzdenkens vollzieht, steht der Begriff der Präsenz doch zumindest bei Gumbrecht für eine ‚bloße' körperliche Erfahrung ein, eher für eine diffuse Affektion. Besonders deutlich wird die Unterscheidung zwischen einem Gumbrechtschen und beispielsweise einem Derridaschen Präsenzbegriff dort, wo das Konzept ‚Sinn' ins Spiel kommt, ist dieses doch für Derrida untrennbar mit einem Denken der Präsenz (als Essentialismus abendländischer Metaphysik) verbunden, während es für Gumbrecht gerade einen Gegenbegriff zur Präsenzerfahrung darstellt. Wenn Gumbrecht einräumt, dass die Präsenzeffekte, nach denen wir uns z.B. in der Kunstrezeption sehnten, immer schon von Absenzen durchdrungen seien, dass wir nur vergängliche Effekte von Präsenz erleben könnten, da wir ihnen in einer Kultur begegneten, die vornehmlich eine Bedeutungskultur sei,[6] kann man sich schon fragen, was diese These vom Derridaschen Apriori der Sprache und der Absenz unterscheidet.

Im Anschluss an die konzeptionelle Vorarbeit von Linda Simonis fragen Kay Gonzalez und Volker Struckmeier nach den sprachlichen Eigenschaften des Wortes Verschwinden. Hierzu legen sie das komplexe Innere des Ausdrucks mit linguistischen Methoden frei und betrachten die syntaktische ebenso wie die semantische Ausstattung des Wortes. Ihre Untersuchung zeigt, dass ‚verschwinden' zu einer besonderen Gruppe von Verben gehört, die aufgrund ihrer Eigenschaften stets einen außergewöhnlich variablen Interpretationsraum eröffnen (vor allem da sie beständig zwischen aktivischem und passivischem Gebrauch changieren), der dann im Wesentlichen durch den Kontext restringiert wird.

Neben diesen grundsätzlichen Überlegungen zur Dichotomie von An- und Abwesenheit und der medialen Struktur des Wortes „verschwinden" befasste sich die Tagung auch mit Texten, Bildern und Filmen, die sich einer Metaphorik des Verschwindens (der différance, der Spur, des Mangels, des Entzugs, oder der Inszenierung von Abwesenheit als Flucht oder Tarnung) bedienen und sie erbrachte nicht zuletzt den Nachweis, dass die Rede vom Verschwinden als wirkmächtiges kulturelles Paradigma fungiert, das geeignet ist, im Rahmen einer *poetic of culture* philologisch argumentierende Diskurse mit medientheoretisch organisierten zusammenzuschließen. Paradigmatisch zeigen das z.B. die Beiträge von Stefan Rieger, Hanjo Berressem und Gereon Blaseio.

Stefan Riegers Beitrag *Körperschwund. Der Organismus als Zone der Ökonomie* geht zunächst einmal von einem der Kernsätze der Physik (und in dessen Adaption der anthropologischen Kybernetik) aus, der da lapidar lautet „Nichts verschwindet." um daraufhin zu zeigen, welcher unglaubliche Aufwand betrieben werden muss um eben dies zu beweisen – und wie umgekehrt Konzepte der Energieerhaltung große Popularität erlangen, gerade weil sie dem Phantasma, des

---

4   Jean-Luc Nancy: *The Birth to Presence*. Stanford 1993.
5   Martin Seel: *Ästhetik des Erscheinens*. Frankfurt a.M. 2003.
6   Gumbrecht, Epiphanien, 211.

dauernden Verschwindens, der Angst vor Verlust von Substanz und Energie, Rechnung tragen. Dazu werden Versuchsanordnungen vom 17. Jahrhundert bis in die Moderne in den Blick genommen, die vor allem dem Stoffwechsel und dessen Dokumentation dienen. Dabei stellt Stefan Rieger sich die Frage nach den Folgen dieser Untersuchungen für die Rede von der Identität und deren Bedrohung durch Prozesse der physiologischen Transformation.

Hanjo Berressems Beitrag *Unwahrnehmbar werden. Die Mathematik des Verschwindens bei Gilles Deleuze* beschäftigt sich mit der Funktion des Unsichtbar-Werdens (Unwahrnehmbar-Werdens) bei Gilles Deleuze. Die Interpretationsfolie bildet der Roman *The Shrinking Man* von Richard Matheson sowie dessen Verfilmung *The Incredible Shrinking Man*. Weitere theoretische Referenzen sind der Dedekindsche Schnitt sowie Michel Serres Konzept eines materiellen Unbewussten. Den Ausgangspunkt seiner Untersuchung bildet jedoch einer der großen kanonischen Texte des Englischen Sprachraumes: Lewis Carrolls *Alice's Adventures in Wonderland*. Das für Alice in der Geschwindigkeit verlangsamte Verschwinden der Cheshire Cat zeigt, so Berressem , dass jedes plötzliche „now you see it, now you don't" in Wahrheit ein allmählicher Prozess ist, der die Frage danach aufwirft, was in dem Intervall dazwischen geschieht, im Übergang vom Sehen zum Nicht-Sehen. Ausgehend vom Verschwinden in slow motion, das
Alice von der Katze einfordert, schaut Berressem auf die Intervallogik des Mediums Film und im Durchgang durch die Leibnizsche Integralrechnung zurück auf die Literatur. Hier wie dort geht es um die Frage nach dem mathematischen Zwischenraum zwischen zwei eng beieinander liegenden Positionen d_1[elta]1 und $d2$.

Gereon Blaseio schließlich beschäftigt sich in seinem Beitrag *Die Aporie des Director's Cut: Präsenz und Verschwinden des Auteurs im Zeitalter der DVD* mit einem zunächst unauffälligen Medienwechsel und dessen Dezentrierungseffekten für die Position des Regisseurs: Dem Wechsel von der VHS zur DVD. Diese unterliegt zunächst denselben Vermarktungsstrategien, in denen der Regisseur schon als Genreversprechen und Verkaufsargument eine zentrale Position besetzt, und scheint diese auf den ersten Blick durch Zusatzmaterial wie den Director's Cut oder Director's Commentary noch zu zementieren. Blaseios Analyse erweist aber gerade das Gegenteil: Weil die DVD (die inzwischen von ökonomisch größerer Bedeutung als die Kinofassung ist) für eine Vervielfachung der Fassungen sorgt und damit den Status der „Originals" als Fiktion decouvriert und die Validität der einzelnen Fassung in Frage stellt, weil sie außerdem durch den großen Umfang an Bonusmaterial aufzeigt, wie gering der Bereich ist, den der einzelne Regisseur überblicken kann, verschafft sie zwar einerseits dem Regisseur eine prominente Rolle in der Filmvermarktung – zugleich bringen alternative Filmfassungen in letzter Konsequenz aber das Konzept eines allein verantwortlichen Filmschöpfers, der seine Intention in den Film einbringt, endgültig zum Verschwinden.

Um Tarntechniken und Spuren im polizeilichen Sinne geht es in den Beiträgen von Torsten Hahn, Detlef Haberland und Barbara Thums. Torsten Hahn (*Großstadt und Menschenmenge. Zur Verarbeitung gouvernementaler Data in Schillers „Die Polizey"*) untersucht anhand von Schillers Dramenentwurf *Die Polizey* und den zeitgenössischen Staatstheorien die Kopplung aus (polizeilichem) Verdacht und dem Verschwinden beziehungsweise Sich-Unsichtbar-Machen von Personen. Er stellt mit Foucault die Frage nach der Machtformation der Zeit und argumentiert, dass es unter anderem biopolitische Vorgaben sind, die ein Verschwinden der Bevölkerung als permanente Bedrohung des Staates erscheinen lassen.

Detlef Haberlands Beitrag *Zwischen Eifel und Providence – Rhetorik(en) des Verschwindens bei Alfred Andersch als Stationen literarischer Sinnfindung* beschreibt Verschwinden oder Verschwindenmachen einerseits als Erzähltechnik, andererseits als politische Strategie. Was Andersch thematisiert, so Haberland, ist ein von den Akteuren selbst inszeniertes gezieltes Auslöschen ihrer Identität, ein Verschwinden ihrer staatlich festgestellten Personen durch Weitergabe ihrer Ausweise an unbekannte Tote. Nicht nur ihre Identitäten sind für die Gesellschaft, mit deren Vertretern sie hin und wieder zusammentreffen, ausgelöscht, sondern für sie selbst ist das Leben in der Hocheifel ein Leben, das nicht mehr durch soziale und geographische Konventionen gedeckt ist.

Kracauers Roman *Ginster*, so die These von Barbara Thums (*„... am liebsten zerrieselte ich". Zum Verschwinden des Subjekts in Siegfried Kracauers Roman „Ginster"*), nimmt in mehrfacher Hinsicht auf Tarntechniken und Strategien zur Auflösung eines angstbesetzten dreidimensionalen Raumes Bezug, der im Zuge des modernen Abstraktionsdrangs in zweidimensionale, ornamentale Oberflächen transformierend bewältigt und zum Verschwinden gebracht wird: Das Erzählverfahren bildet dabei die von Kracauer auch in anderen Texten vertretene Auffassung nach, dass solche Strategien und Rhetoriken des Verschwindens an den ornamentalen Mustern der Oberflächensignaturen ablesbar sind. Diese über die Figur Ginster vermittelten Entzifferungs- und Enttarnungsprozesse werden sodann an die Perspektive des detektivischen Blicks sowie an die detektivische Haltung der Distanz zur herrschenden Gesellschaft gebunden. Dieser detektivische Blick nutzt die Möglichkeiten des Kamerablicks und ist damit an die moderne Photographie, mithin an ein zweidimensionales Oberflächenmedium gebunden. Schließlich schlägt der die Oberflächensignaturen erforschende Ginster die Kriegstechnologie mit ihren eigenen Waffen. Er agiert im Verborgenen, bringt sich also selbst zum Verschwinden und macht gerade dadurch Unsichtbares sichtbar. Anders formuliert, er negiert die Tarntechniken der Kriegstechnologie im Modus der Mimikry, die zum einen ja ihrerseits eine Form der Tarnung ist und zum anderen gerade dadurch die Subversion jener militärischen Semiotik ermöglicht, die eine Zeichenwelt der Zweidimensionalität erstellt, deren Oberflächenerscheinungen einzig dazu dienen, die grausame Realität der dritten Dimension auszublenden, zu verstellen und zu kaschieren.

Ein weiterer größerer Komplex der Tagung stand unter dem Zeichen des Begehrens und des Entzugs des geliebten Objektes. Im Zentrum von Lutz Ellrichs Überlegungen steht Roland Barthes' Begriff des „Fading", dem in *Fragmente einer Sprache der Liebe* ein Abschnitt gewidmet ist. Barthes meint damit die grausamste Form des Liebesentzugs. Ellrich grenzt das „Fading" dabei von Lacans Begriff der „Aphanisis" und von Virilios Thesen zur „Ästhetik des Verschwindens" ab und versucht eine Neubestimmung unter Rückgriff auf Maurice Blanchot. *Fading* sei dabei, so Ellrich, eine Art des Entzugs, in der ein spezielles Objekt sich konstituiere bzw. in Erscheinung trete, und spiele mit dem klassischen Schema von Verschwinden und Auftauchen. Doch was im Fading auftaucht, ist keine Dialektik, kein Fort-Da-Spiel, kein Wechsel von Präsenz und Abwesenheit, es ist vielmehr das pure unabschließbare und unübersehbare Geschehen des Verschwindens. Die Beobachtung dieses Vorgangs konzentriert sich auf ein Objekt, einen Gegen-Stand, der alles ‚Standhafte' eingebüßt hat und an dem auch der situierende und richtungsgebende Anteil – das ‚Gegen' – seine Konturen verliere.

Im Gegensatz dazu behandeln Matei Chihaias Beitrag *Techniken des Verschwindens in „Albertine disparue"* und Tina-Karen Pusses Beitrag *Im Reich der Neige. Schwindsucht in den „Sonetten an Orpheus"* ein Verschwindenmachen, das sich zugleich durch Vivifizierungsstrategien widerlegt. Wo Ellrich die ständige Bewegung und Unarretierbarkeit des Fading betont, betreiben die *Sonette an Orpheus* das Verschwinden als Kippbewegung zwischen Mortifikation und Vivifizierung, als bisweilen makabres Fort-/Da-Spiel. Diese Spielkonfiguration, besetzt durch die beiden großen Figurae absentiae des Textes (Orpheus und Wera Ouckama Knoop), ist allerdings genderbezogen zu diskutieren, besteht die Mortifikation der Tänzerin doch darin, dass sie zum Erstarren gebracht wird, während Orpheus im Gegenteil und ganz buchstäblich im Text „aufgelöst" wird.

Die verschwundene Albertine hingegen, ist Trägerin einer dramatischen Nebenhandlung in Marcel Prousts *À la recherche du temps perdu*. Gefangenschaft, Flucht und Tod der Geliebten des krankhaft eifersüchtigen Marcel lenken die Albertinehandlung von dem ursprünglichen Thema der *Recherche*, der ‚literarischen Sendung' und dem gesellschaftlichen Werdegang des Protagonisten, ab. Doch auch auf der Ebene der Edition ist die Erzählung von Albertines Verschwinden auch eine Geschichte von Streichungen, Ersetzungen und Zusätzen, deren *im Manuskript* sichtbare Formen *im Druck* unsichtbar werden bzw. wiedererscheinen. Dies lässt sich durch die Poetik des Verschwindens in *Albertine disparue* selbst begründen. Das Verschwinden zu erzählen, gelingt in diesem Roman nur durch die Figur des Wiedererscheinens. So finden sich in *Albertine disparue* verschiedene Techniken, in deren Bild das Verschwinden erzählbar wird. Das von Albertine geliebte mechanische Klavier, das Pianola, das Telegramm, in dem er eine Botschaft der Totgeglaubten zu erkennen meint und schließlich die Form der Handschrift arbeiten daran, Albertine narrativ verschwinden – und

Partialobjekte, das Subjekt oder andere Figuren vor dem Bild der Geliebten erscheinen zu lassen.

Franziska Schößlers Beitrag *Rahmen, Hüllen, Kleider und das Phantasma der Durchsichtigkeit. Verschwindende Medien in Stifters „Nachsommer"* „enthüllt" die Simulation von Tiefe durch Oberfläche und verschränkt erotische und hermeneutische Obsession. Stifters Roman ruft zahlreiche Hypotexte auf, um sich in eine klassizistische Genealogie einzuschreiben. Diese Referenzen bleiben vielfach unmarkiert, so dass ihre historische Signatur verschwindet, und sie transportieren unkontrollierbares Wissen über Begehren, Körperlichkeit und Leidenschaft. Stifters Roman, der einem rigiden Domestikationsprogamm folgt, vermag sich, wie Schößler zeigt, nicht vollständig gegen diese erotischen Phantasien zu immunisieren, die sich an den Rändern, verschoben in polysemische Signifikate und auch buchstäblich am Rand erschriebener Bilder, in den Roman hineindrängen. Ein zweiter Abschnitt geht dem von den Stifterschen Figuren betriebenen Projekt nach, Kunstwerke unterschiedlichster Gattungen und Materialität in Anlehnung an Hegels *geistiges Wort* zum reinen Ausdruck zu erheben, zu einem Ausdruck, der sich (scheinbar) jenseits der Medien artikuliert und so zum reinen Wesen deklariert werden kann. Doch um das Kunstwerk als Geist zu behaupten, müssen auf obsessive Weise Hüllen, Überzüge und Rahmen geschaffen werden. Der Roman legt mithin das Paradox jeglicher hermeneutischer Lektürepraxis offen, dass allein das Materielle den Eindruck von Tiefe, von Wesenhaftigkeit und Wahrheit produziert und dass das Ringen um den Geist Materialität entstehen lässt.

Hier konfrontiert sich der Sammelband implizit mit Martin Seels Thesen zur *Ästhetik des Erscheinens* und seinem Postulat vom „Hier und Jetzt" der ästhetischen Aufmerksamkeit, eine Gegenwärtigkeit in der Kunstrezeption, die sich in Schößlers Lektüre als nicht erreichbar darstellt, und auf die auch Steffen Neuburger im Kommentar zu seiner Ausstellung *Zwischen Substanzverlust und Fragmententfaltung* kritisch Bezug nimmt. Seine Bilder stellen gerade die Frage nach der Erkenntnisarbeit des Rezipienten, ohne dessen Mitwirken sie nicht sichtbar würden. Wahrnehmungsanstrengung ist aber gerade durch Sehgewohnheiten und Traditionsbewusstsein determiniert, ist immer antizipierend, ergänzend und vergleichend; ist also nie präsentisch. Die exzeptionelle Form der Bilder zeichnet sich durch das kalkulierte Verschwindenlassen bildüblicher Parameter aus. Letztlich sind auf den Gemälden einzig noch schwarze Flächen auf weißem Grund sichtbar, die in ihrem Zusammenwirken die Bildfiguren konstituieren. Selbst diese letzte verbleibende Substanz der Bilder wird zum Teil aber zur Auflösung gebracht. Dem Betrachter wird so das ungebrochene Erlebnis seiner individuellen Erkenntnistätigkeit (und ihrer Grenzen) nachvollziehbar, das „aufgelöste" Bild „sieht" er nur noch qua seiner Erinnerungsleistung.

Christina Walds Aufsatz *Zurückgekehrt, um dramatischer zu verschwinden? Hysterikerinnen im englischsprachigen Gegenwartsdrama* bildet nicht bloß wegen der schönen Schlussfigur das Ende des Sammelbandes, sondern auch weil er das

Verschwinden noch einmal neu, nämlich als (wiederholten) Abgang von der Bühne, perspektiviert. Wald setzt sich exemplarisch anhand dreier Theaterstücke des zeitgenössischen englischsprachigen „Drama of Hysteria", einer Gruppe von englischsprachigen Theaterstücken, die seit den späten 1980er Jahren in London erstaufgeführt wurden und hysterische Fallstudien neu verhandeln, auseinander. In einem ersten Schritt thematisiert sie die „Rückkehr" der Hysterikerinnen , die sich sowohl als feministisches *Rewriting* von psychiatrischen und psychoanalytischen Fallstudien fassen lässt, als auch als Wiederbelebung des dramatischen Genres *Drama of Hysteria*. In einem zweiten Schritt untersucht sie die Rhetoriken des Verschwindens in drei ausgewählten Dramen und argumentiert, dass der Modus des Verschwindens der Hysterikerinnen kennzeichnend für den jeweiligen Zugriff der Dramen auf das Phänomen der Hysterie ist. In Anna Furses *Augustine (Big Hysteria)* erproben die zwei Abgänge der Hysterikerin den Ausstieg aus kulturellen Mustern, die die Wahrnehmung von Hysterie und Weiblichkeit prägen, während Kim Morrisseys *Dora* sowohl die Fallgeschichte Freuds als auch Ibsens Emanzipationspathos des Ausstiegs parodiert. In Terry Johnsons *Hysteria* ist der Auftritt der missbrauchten Hysterikerin die Rückkehr des Verdrängten in Freuds Theorie und in seinem Bewusstsein. Jessica wird als Schuldfantasie Freuds inszeniert, die Freud zyklisch heimsucht. Sie kehrt nicht nur zurück, um zu verschwinden, sondern sie verschwindet immer nur, um umso dramatischer zurückzukehren.

Am Schluss dieser kurzen Einführung bleibt mir noch, denen zu danken, ohne die die Publikation dieses Sammelbandes nicht möglich gewesen wäre. Allen voran gilt mein Dank den Autorinnen und Autoren, deren Diskussionsleidenschaft mich nachhaltig von der Notwendigkeit zur Publikation ihrer Tagungsbeiträge überzeugt hat. Ich danke den „Freunden und Förderern der Universität zu Köln", die nicht bloß die Tagung, sondern auch diesen Sammelband großzügig gefördert haben, sowie Dr. Thomas Neumann, den ich nicht lange von diesem Publikationsprojekt überzeugen musste, und der es von Anfang an mit Interesse begleitet hat.

Köln, im Januar 2008   Tina-Karen Pusse

Projekte und Umschriften der Abwesenheit. Ricardo Piglias *La ciudad ausente* im Horizont der Begriffstradition

Linda Simonis

Das Wortpaar Anwesenheit/Abwesenheit ist eine Form mit zwei Seiten, eine Unterscheidung von zwei Begriffen, die einander entgegengesetzt und zugleich aufeinander bezogen sind. Es gehört zu den Eigentümlichkeiten solcher oppositiven Begriffspaare, dass sie asymmetrisch gebraucht werden, d.h. dass jeweils eine Seite vorgezogen, stärker gewichtet oder als grundlegender angesetzt wird.[1] Die Entscheidung, welche der beiden Seiten des Paars Anwesenheit/Abwesenheit den Vorrang erhält, verändert sich im Laufe der Begriffsgeschichte. Eine Variante der Rede über An- und Abwesenheit, die historisch ältere, alteuropäische Ausprägung, möchte ich an einer Textstelle aus dem 10. Gesang von Homers Odyssee erläutern. Hintergrund der Stelle ist folgender: Odysseus hat mit seinen Gefährten ein Jahr auf der Insel des Windgottes Aiolos verbracht, der ihn nun in dem Vorhaben, nach Ithaka zurückzufahren, unterstützt:[2]

> Als ich nun weiter verlangte und ihn um sichre Geleitung
> Bat, versagt' er mir nichts und rüstete mich zu der Abfahrt.
> Und er gab mir, verschlossen im dichtgenäheten Schlauche
> [...] das Wehn lautbrausender Winde.
> Und er knüpfte den Schlauch mit glänzendem silbernem Seile
> Fest in dem hohlen Schiffe, daß auch kein Lüftchen entwehte.
> Vor mir ließ er den Hauch des freundlichen Westes einherwehn,
> Daß sie die Schiff' und uns selbst heimführeten. Aber dies sollte
> Nicht geschehn; denn wir sanken durch eigene Torheit in Unglück.
> Schon durchsegelten wir neun Tag' und Nächte die Wogen;
> Und in der zehnten Nacht erschien uns das heimische Ufer,
> Daß wir schon in der Nähe die Feuerwachen erblickten.
> Jetzo schlummert ich ein, ermüdet von langer Arbeit;
> Denn ich lenkte beständig das Steuer und ließ der Gefährten
> Keinen dazu, um geschwinder das Vaterland zu erreichen,
> Und die Genossen besprachen sich heimlich untereinander,
> Wähnend, ich führte mit mir viel Gold und Silber zur Heimat,

---

[1] Vgl. Reinhart Koselleck, Zur historisch-politischen Semantik asymmetrischer Gegenbegriffe, in: ders., Vergangene Zukunft. Zur Semantik geschichtlicher Zeiten, Frankfurt/M. 1979, S. 211–259, besonders S. 211–218.

[2] Homer, Odyssee, übers. Johann Heinrich Voß. Abdruck der ersten Ausgabe von 1781, mit einer Einleitung von Michael Bernays, Stuttgart 1881, S. 171–174.

Aiolos' Ehrengeschenke [...].
Und man wendete sich zu seinem Nachbar und sagte:
Wunderbar! Dieser Mann gewinnt die Achtung und Liebe
Aller Menschen, wohin er auch kommt, in Städten und Ländern!
Aus der troischen Beute wie manches unschätzbare Kleinod
Bringet er mit. Und wir, die alle Gefahren geteilt,
Kehren am Ende doch mit leeren Händen zur Heimat!
Also sprach man. Es siegte der böse Rat der Genossen,
Und sie lösten den Schlauch, und mit einmal entsausten die Winde.
Plötzlich ergriff sie der Sturm und schleuderte weit in das Weltmeer
Hin die Weinenden, ferne vom Vaterlande. Da fuhr ich
Schnell aus dem Schlaf [...] und es warf der Orkan lautbrausend die Schiffe
Nach der aiolischen Insel zurück; es seufzten die Männer.
[Da] eilt ich, von unserem Herold und einem Gefährten begleitet,
Zu der herrlichen Burg des Aiolos. Diesen erblick ich
Sitzend mit seinem Weib und seinen Kindern beim Schmause.
Und wir gingen ins Haus und setzten uns neben den Pfosten
Auf die Schwelle dahin; sie erschraken im Herzen und fragten:
Siehe, woher, Odysseus? Welch böser Dämon verfolgt dich?
Haben wir doch die Fahrt so sorgsam gefördert, damit du
Heim in dein Vaterland, und wohin dir's beliebte, gelangtest?
Hebe dich eilig hinweg von der Insel, du ärgster der Menschen!
Denn es geziemet mir nicht zu bewirten noch weiter zu senden
Einen Mann, den die Rache der seligen Götter verfolget!
Hebe dich weg, denn Du kommst mit dem Zorne der Götter beladen!
Also sprach er und trieb mich Seufzenden aus dem Palaste,
und wir steuerten jetzo mit trauriger Seele von dannen.

In der genannten Episode ist von beidem, Anwesenheit und Abwesenheit, und am Ende sogar vom Erfordernis eines Verschwindens die Rede. Doch das, was die Grundlage und den gedanklichen Rahmen der Episode ausmacht, ist eine Semantik der Anwesenheit und Präsenz. Anwesenheit erscheint als der geläufige, verbreitete Fall, als das, was als gegeben vorausgesetzt werden kann. Dieser Vorrang der Anwesenheit äußert sich im Text im gleichsam selbstverständlichen Verkehr des Odysseus mit Gottheiten wie Aiolos, in seiner Aufnahme und längeren Gegenwart im Hause des Windgottes. Markantestes Zeichen der vorgezogenen und begründenden Stellung der Anwesenheit in Homers Epos ist die, im Blick auf die dargestellte antike Welt, universale Gültigkeit des Gastrechts,[3] das dem Umherirrenden nur Barbaren oder Ungeheuer wie der Zyklop Polyphem verweigern. Demgegenüber erscheint, in dem zitierten Beispiel, die Abwesenheit, das Verschwinden als markierter Fall, als radikale Ausnahme. Dies zeigt sich schon darin, dass das Verschwinden, das am Ende der Episode ausgeführt wird, Odysseus' Abreise aus dem Bereich des Gottes, im Text eigens erläutert und begründet wird. Der Entzug des Gastrechts, der Entzug von Anwesenheit,

---

3   Vgl. Philippe Gauthier, Notes sur l'étranger et l'hospitalité en Grèce et à Rome, Ancient
     society, Bd. 4, 1973, S. 1–21, besonders S. 3–7.

bedarf der Rechtfertigung. Die Negation von Präsenz, die hier vollzogen wird, ist Antwort auf den Dämon, auf den Fluch der Götter, von dem, wie Aiolos annimmt, Odysseus verfolgt wird. Die Hervorhebung des Verschwindens als seltener, markierter Fall, als Stigma erschöpft sich indessen nicht in diesen Zuschreibungen. Das Motiv des Verschwindens erhält spezifischen Nachdruck durch die (zweimal verwendete) Imperativform „Hebe dich eilig hinweg von der Insel", „Hebe dich hinweg". Die Ausnahmeform des Verschwindens stellt sich, wie sich hier zeigt, nicht von selbst ein, sondern es bedarf eines besonderen Sprechakts, hier: des Befehls, der den Zustand der Abwesenheit künstlich herbeiführt, ihn sozusagen per Dekret installiert.

Steht somit die Episode aus der Odyssee für einen Diskurs, der die Seite der Anwesenheit präferiert und als grundlegend ansetzt, tut sich, zugleich gegenläufig und komplementär zu diesem, eine zweite mögliche Fassung der Anwesenheitssemantik auf, die die Akzente genau verkehrt. Diese zweite Variante ist der historisch spätere und, wenn man so will, moderne Diskurstyp. Im weiteren Verlauf der Begriffsgeschichte, so die hier vorgeschlagene These, im Übergang zur Moderne, ergibt sich eine Verschiebung der Semantik von Anwesenheit, in der Weise, dass nun Abwesenheit als das primäre, grundlegende Element erscheint, vor dessen Hintergrund die Vorstellung und Erfahrung von Anwesenheit nun erst künstlich hergestellt, konstruiert, gesucht werden muss. Der damit angedeutete Wechsel von einem Diskurs der Anwesenheit in der Antike und Vormoderne zu einem Diskurs der Abwesenheit in der Moderne ist sicher im Zusammenhang mit weiterreichenden kultur- und mediengeschichtlichen Umstellungen in der Frühen Neuzeit zu sehen. Von Bedeutung ist hier etwa die Tendenz zu einer zunehmenden Verknappung von Anwesenheit in der Kommunikation, die mit der Einführung und wachsenden Verbreitung des Mediums der Schrift einhergeht.[4]

In der hier angesprochenen Periode der Frühen Neuzeit, also einem Zeitraum von etwa 1500 bis 1800, ist – unter dem Vorbehalt dass historische Schwellen immer schwierige Konstruktionen sind – auch der zeitlichen Rahmen des hier skizzierten semantischen Wandels anzusetzen. Sicher findet man im Bereich dieser Übergangsphase eine Vielzahl von Beispielen, an denen sich die genannten begriffsgeschichtlichen Veränderungen beobachten lassen. Hier sei, ohne Anspruch auf repräsentativen Stellenwert, ein Beispiel angeführt, das die erörterten konzeptgeschichtlichen Umstellung auf besonders eingängige und prägnante Weise veranschaulicht. Der genannte Übergang von Anwesenheit zu Abwesenheit als primärer Referenz wird dort gewissermaßen in seinem Vollzug greifbar. Die Vorstellung der Anwesenheit als umfassender, jegliche Erfahrung und Rede ermöglichender Grundlage klingt noch an, jedoch steht sie bereits unter dem Vorzeichen von Distanz und Verlust. Bei dem angesprochenen Beispiel handelt es sich um eine Stelle aus dem dritten Buch von Miltons *Paradise Lost*, in der

---

[4] Vgl. Jack Goody, Die Logik der Schrift und die Organisation von Gesellschaft, Frankfurt 1990, S. 40–59, und Henri-Jean Martin, Histoire et pouvoirs de l'écrit, Paris 1988, S. 82–91.

Satan, auf einer seiner Reisen durch das Weltall zu den Pforten des Paradieses gelangt:[5]

> All this dark globe the Fiend found as he passed,
> And long he wandered till at last a gleam
> Of dawning light turned thitherward in haste
> His travelled steps. Far distant he descries,
> Ascending by degrees magnificent,
> Up to the wall of heaven, a structure high
> At top whereof, but far more rich, appeared,
> The work as of a kingly palace-gate
> With frontispiece of diamond and gold
> Embellished
> The stairs were such as whereon Jacob saw
> Angels ascending and descending, bands
> Of guardians bright, when he from Esau fled
> Dreaming by night under the open sky
> And waking cried: *This is the gate of Heaven.*

Die zitierte Stelle erscheint auf den ersten Blick als eindrucksvolle Evokation von Gegenwart, von emphatischer Präsenz. Zunächst wird hier, indem die Beschreibung die Perspektive des herankommenden Wanderers annimmt und schrittweise immer mehr architektonische Details und Kostbarkeiten des Gebäudes und des Portals enthüllt, eine Perspektive der fortschreitenden Annäherung eröffnet, die den angestrebten Gegenstand schließlich zum Greifen nah erscheinen lässt. Auch die Treppe, die unmittelbar zu der Schwelle hinaufführt, zeichnet eine Linie vor, die die Bewegung des Aufstiegs und Eingangs vorweg nimmt und so den Ankömmling geradezu aufzufordern scheint, durch die Pforte hindurch einzutreten. Dieser Eindruck erhält zusätzlichen Nachdruck durch die biblische Anspielung auf Jakobs Traum von der Himmelsleiter (Gen 28, 11–17), der hier als literarischer Vergleichspunkt und Parallelfigur zur Situation des Teufels eingebracht wird. Auch die biblische Referenz steht zunächst ganz im Zeichen der Inszenierung von Anwesenheit und Gegenwart. An der betreffenden Genesis-Stelle dient das Traumbild der herabgelassenen Himmelsleiter ja vor allem als Emblem der Nähe und ungebrochenen Präsenz des Herrn. Im biblischen Text knüpft sich an die Traumvision eine in direkter Rede wiedergegebene Äußerung Gottes, die als Versprechen fortwährender Anwesenheit zu lesen ist: „Ich bin mit dir, ich behüte dich, wohin du auch gehst, ich verlasse dich nicht" (Gen 28, 15). In entsprechender Weise verbindet sich die Jakob-Anspielung auch in Miltons Text mit Suggestionen mythischer bzw. göttlicher Anwesenheit und Präsenz. Die Treppe erscheint dynamisch und belebt, Engel wandeln auf ihr umher. Ein weiteres Mittel der Vergegenwärtigung ist der deiktische Einsatz des Ausrufs am Schluss des zitierten Textabschnitts: „This is the gate of Heaven." Die deiktische Form, die der Gebärde des Zeigens entspricht, bekräftigt das Hier

---

[5] John Milton, Paradise Lost, London: 1967, S. 76.

und Jetzt einer Wahrnehmungs- und Sprechsituation, in der sich der Beobachter bzw. Sprecher gewissermaßen im gleichen Aktionsradius mit dem von ihm anvisierten Objekt befindet. Die spezifische Wirkung dieser Stelle beruht dabei vor allem darauf, dass Milton hier die beiden Ebenen, die metaphorische Ebene der Bibelstelle und die Ebene der Luzifer-Handlung einander überblendet und zusammenfallen lässt. Satan nimmt die Himmelstreppe gleichsam mit den Augen Jakobs wahr. Doch die Gleichheit der Perspektiven, die Parallele Jakob/ Luzifer, die hier suggeriert wird, wird – und dies ist entscheidend für die Funktion der Stelle in ihrem weiteren Kontext – in der Folge sogleich relativiert und ironisch unterlaufen. Wenige Zeilen später heißt es:

> The stairs were then let down, whether to dare
> The Fiend by easy ascent, or aggravate
> His sad exclusion from the doors of bliss.[6]

Hier wird klar, dass die bei Milton beschriebene Situation nicht aus der Ähnlichkeit, sondern aus dem diametralen Gegensatz zu der zitierten Bibelstelle zu begreifen ist. Die Idee der freien Zugänglichkeit und leichten Erreichbarkeit des Paradieses, die durch die Treppe geweckt wird, erweist sich als Illusion. Für den Teufel hat der Raum hinter dem Portal, der ihm vorgespiegelt wird, im Grunde keine Realität. Statt Angebot göttlicher Präsenz ist das Emblem der Treppe hier dessen genaue Negation, nämlich sichtbares Zeichen der Exklusion und des endgültigen Entzugs von Anwesenheit.[7]

Somit zeichnet sich schon bei Milton eine Disposition der Begriffssemantik ab, in der die Abwesenheit ein schärferes Profil gewinnt und tendenziell bereits die Anwesenheit aus ihrer Stellung als fundierender Kategorie zu verdrängen beginnt.

Zur Grundfigur der modernen Semantik von An- und Abwesenheit gehört es, dass Abwesenheit immer schon als Tatbestand, als fait accompli gegeben ist, dass das Verschwinden und Verschwundensein von Personen und Dingen bereits vollzogen ist. In den fortgeschritteneren Ausläufern der Moderne und Gegenwart rückt diese Konstellation, ob man sie als Diskurs oder Existenzial begreift, in eine radikale Stellung ein. Alles – und sei es das Grundlegendste und Selbstverständlichste – ist von der Möglichkeit des Verschwindens betroffen.

Dennoch bedeutet diese Radikalisierung und Pointierung der Begrifflichkeit in Richtung der Abwesenheit nicht, dass der Gegenbegriff der Anwesenheit völlig verloren ginge. Die nun vorherrschende Semantik der Abwesenheit erschöpft sich nicht darin, bloße Leere, gleichsam reines Vakuum zu sein. Was sich nun erkennen lässt, ist die Tendenz oder der Versuch, in einer paradoxen Bewegung, die Abwesenheit umzuschreiben, sie wenn nicht als positiven Begriff, so doch als

---

[6]   Paradise Lost, S. 77.
[7]   Zu der für *Paradise Lost* grundlegenden Bewegung der Exklusion des Teufels aus der Sphäre des Göttlichen vgl. John Stachniewski, The Persecutory Imagination. English Puritanism and the Literature of religious Despair, Oxford 1991, S. 332–384, besonders S. 354–364.

ein Prinzip zu begreifen, aus dem sich Bedeutung generieren lässt. Parallel dazu lässt sich in Moderne und Gegenwart eine weitere Verschiebung des Vorstellungskreises der An- und Abwesenheit beobachten. Hatte man noch in der Frühen Neuzeit unter Anwesenheit vorwiegend die physische, raumzeitliche Präsenz von Personen, anderen Lebewesen und Gegenständen verstanden, richtet sich der entscheidende Blickpunkt des Konzepts nun auf die Frage des Vorhandenseins oder Fehlens von Zeichen und medialen Äußerungen. Dabei ist es insbesondere die Frage der An- oder Abwesenheit von Information und, damit verbunden, die Möglichkeit verdeckter Nachrichten und Wissensgehalte, die ins Zentrum der modernen Auffassung der Abwesenheit rückt. Die moderne Adaption der alten Präsenzidee erweist sich so nicht zuletzt als Versuch, verborgene Bedeutungen und verdeckte Informationen aufzufinden oder, im Extremfall des völligen Verschwindens, die Zeichen und Spuren des Verschwundenen zu lesen.

Diese spezifisch moderne Form der Rede über Abwesenheit, die das Verschwinden zum Angelpunkt ihrer Beobachtungen macht, möchte ich im Folgenden an einem Text der Gegenwartsliteratur veranschaulichen, der mir als ein besonders eingängiges Beispiel erscheint – Ricardo Piglias Roman *La ciudad ausente (Die abwesende Stadt)*.[8] In diesem Roman rückt, so will ich zeigen, die Vorstellung der Abwesenheit und des Verschwundenseins in die Stellung einer fundamentalen Kategorie, die als Leitfigur den Handlungs- und Redezusammenhang des Romans steuert. Der bereits im Titel hervorgehobene Modus der Abwesenheit erhält dabei in diesem Text auf verschiedenen Ebenen eine konstitutive, bedeutungsgebende Funktion. Ist es doch bezeichnend für die Anlage und Kompositionsweise des Romans, dass sich in ihm drei verschiedene Ebenen bzw. Perspektiven miteinander verschränken: da ist zunächst die (äußere) Wahrnehmung der Stadt durch den Reisenden und Neuankömmling Junior, der als Journalist für die Zeitung *El mundo* arbeitet und eine Art Identifikationsfigur für den Leser bietet; da ist zudem die private Ebene persönlicher Erfahrung, die sich in der Romanfiktion vor allem an die Biographie des Schriftstellers und Ingenieurs Macedonio Fernández knüpft, der Züge des gleichnamigen realen argentinischen Romanciers und Philosophen M. Fernández (1874–1952) trägt,[9] und schließlich eine Ebene der öffentlichen, politischen Handlung, die im Roman in Form eines teils unterschwelligen, teils explizit benannten Konflikts zwischen einem totalitären Regime und einem aus dem Untergrund operierenden politischen Widerstand erscheint. Gebündelt und zusammengehalten werden die erwähnten Ebe-

---

[8]   Ich zitiere nach der argentinischen Erstausgabe des Romans: Ricardo Piglia, La ciudad ausente, Buenos Aires: editorial sudamericana 1992. Deutsche Übersetzung: Ricardo Piglia, Die abwesende Stadt, aus dem Spanischen von Leopold Federmair und María Alejandra Alberdi, Köln: Bruckner und Thünker 1994. Zitate aus der *Ciuadad ausente* sind diesen Ausgaben entnommen. Die Nachweise bzw. Seitenzahlen werden im Folgenden in Anschluss an das jeweilige Zitat in Klammern im Text angegeben.

[9]   Zu Fernández Romanwerk vgl. auch Ricardo Piglia/ Beatriz M. Guerra (Hg.), Diccionario de la novela de Macedonio Fernández, Buenos Aires: Fondo de Cultura Económica de Argentina 2000.

nen durch das Modell der ‚ciudad ausente', die Stadt, deren Status im Roman auf eigentümliche Weise changiert, insofern sie zwischen realhistorischer Referenz – Buenos Aires während der Militärdiktatur – und imaginärem Phantasiegebilde in der Schwebe gehalten wird. Zudem ist die Stadt hier ebenso ein konkreter Ort, der Schauplatz des Romangeschehens, wie ein gedankliches Konstrukt, eine Idee, die von (mindestens) zwei Seiten, dem offiziellen Regime und dessen Gegnern, in Anspruch genommen und umkämpft wird. In allen drei genannten Hinsichten, der der Wahrnehmung und Beobachtung der Stadt, der des politischen Felds und der der privaten, persönlichen Biographie, erweist sich unterdessen, wie der Gang der Erzählung nach und nach zu erkennen gibt, gerade die Dimension des Abwesenden und Unsichtbaren als eine produktive Instanz, als ein Medium, das neue Bedeutungen, Sinngehalte sowie, im Blick auf die politische Konstellation, Ressourcen der Macht hervorbringt.

Diese erzeugende Kraft des Abwesenden lässt sich bereits an der Geschichte Macedonio Fernández' beobachten, die innerhalb des Ensembles der verschiedenen in den Roman verwobenen Erzählstränge den wohl prominentesten und aufschlussreichsten Geschehensverlauf darstellt. Das Ereignis, das den Einsatz für diese Ebene der Romanhandlung gibt, ist ein Verschwinden, nämlich der Tod von Macedonios junger Frau, Elena Obdieta. Der unerklärliche Tod Elenas gibt den Anstoß zu einem Projekt, das sich im weiteren Verlauf des Romangeschehens in mehrfacher Hinsicht als entscheidend erweisen wird. In dem Versuch, die Leere zu überwinden, die der Tod seiner Frau hinterlassen hat, widmet sich Macedonio einer Bastelarbeit, dem Versuch, eine besondere Maschine zu erfinden und herzustellen, die in der Lage ist, selbständig Texte zu übersetzen. Jenes Projekt der Maschine, das gleichsam gegen das Verschwinden, gegen den Tod Einspruch erhebt, vergleicht der Erzähler der *Ciudad ausente* mit dem Danteschen Projekt der *Commedia*. Macedonio wie Dante erscheinen unter diesem Blickpunkt als Konstrukteure, die aus der Abwesenheit neue Bedeutung erzeugen, die versuchen, an die Stelle ihrer verlorenen Geliebten ein selbstentworfenes, in sich vollendetes Sinngefüge zu setzen: „todo lo que Macedonio hizo desde entonces (y ante todo la máquina) estuvo destinado a hacerla presente. [...] Nunca aceptó que la había perdido. En eso fue como Dante y como Dante construyó un mundo para vivir con ella. La máquina fue ese mundo y fue su obra maestra. La sacó de la nada." („Alles, was Macedonio nach ihrem Tod in Angriff nahm, vor allem die Maschine, hatte den Zweck, sie wieder ins Leben zu rufen. Er hat ihren Verlust nie akzeptiert. In dieser Hinsicht war er wie Dante, und so wie Dante hat er sich eine Welt konstruiert: Die Maschine war diese Welt und sein Meisterwerk. Er hatte sie aus dem Nichts hervorgezogen.", S. 48–49/ S. 64)

Die hier eröffnete Parallele zur *Commedia* ist zweifellos mehr als ein literarischer Kunstgriff des Romans, sich durch das Zitat einer weltliterarischen Vorlage, den Rekurs auf die Autorität Dantes, gewissermaßen selbst zu empfehlen und zu nobilitieren. Der genannte Vergleich ist vielmehr für die Unterscheidung von Anwesenheit und Abwesenheit und für die spezifische Ausformung, die jene in Piglias Roman erfährt, von zentraler Bedeutung. Will man die Implikationen der Dante-Anspielungen verstehen, ist es nützlich, sich kurz die eigentümliche Doppelheit von Abwesenheit und Präsenz in Erinnerung zu rufen, die die Gestalt der Beatrice in der *Commedia* charakterisiert.

Die Figur der Beatrice verweist, etwas vereinfacht gesagt, auf ein Paradox von Anwesenheit und Abwesenheit.[10] In ihr verbinden sich jene beiden Modi zu einer in sich widersprüchlichen Einheit, insofern die Abwesenheit, d.h. der Tod Beatrices, zur Voraussetzung und Bedingung einer neuen Form der poetischen und übernatürlichen Vergegenwärtigung wird. Mittel der Erzeugung dieser neuen Art von Präsenz ist das Licht bzw. das Medium des Sichtbaren, das hier nicht nur als Emblem des Göttlichen firmiert, sondern überdies auch als ein Wahrnehmungsmedium, das die Erkundung der jenseitigen Sphäre durch den Ich-Erzähler und die erneute Gegenwart Beatrices erst ermöglicht. Als Medium des Sehens und der Vergegenwärtigung fungiert das Licht zudem als ein Medium der Kommunikation, in dem sich, auf dem Wege des wechselseitigen Austauschs der Blicke ein Kontakt zwischen Ich-Erzähler und Geliebter herstellt und eine Verständigung in Gang setzt.[11] Bereits in der Darstellung der ersten Wiederbegegnung des erzählenden Ich mit Beatrice im 28. Gesang des *Purgatorio* lassen sich die genannten Momente der poetischen bzw. wahrnehmungsästhetischen Erzeugung von Präsenz beobachten. In den betreffenden Strophen werden der Vorgang des Sehens und Sich-Anblickens sowie der helle Glanz des Lichts, die den Effekt von Nähe und Gegenwart hervorrufen, in einem Maße herausgestellt, das die eigentlichen Akteure des Geschehens, Dante und Beatrice, hinter den Vorgängen der visuellen Vergegenwärtigung zurücktreten lässt:

> Volsesi in su i vermigli ed in su i gialli
> Fioretti verso me, non altrimenti
> Che vergine che gli occhi onesti avvalli;
> [...]
> Tosto che fu là dove l'erbe sono
> Bagnate già dall'onde del bel fiume,
> Di levar li occhi suoi mi fece dono.
>
> Non credo che splendesse tanto lume
> Sotto le ciglia a Venere, trafitta
> Dal figlio fuor di tutto suo costume.[12]

---

[10] Die ontologischen und kosmologischen Voraussetzungen dieser Opposition und ihrer Entfaltung in Dantes Werk können hier nicht näher erörtert werden. Vgl. dazu Andreas Kablitz, Poesie der Wissenschaft. Dantes Kosmologie, in: Herbert Jaumann (Hg.), Domänen der Literaturwissenschaft, Tübingen 2001, S. 233–252.

[11] Vgl. Simon A. Gilson, Light reflection, mirror metaphors and optical framing in Dante's ‚Comedy‘, Neophilologus, Bd. 83, 1999, S. 241–252.

[12] Dante Alighieri, Die göttliche Komödie. Italienisch und deutsch, übers. und kommentiert von Hermann Gmelin, 6 Bde, Stuttgart 1949–1957, Neuauflage München 1988. Zitat: Bd. 2: Purgatorio, S. 334–335 (Canto 28, Z. 55–57 und 61–66). Übers.: „So trat sie auf den

Dem gesenkten Blick Beatrices („gli occhi [...] avvali"), den die erste der zitierten Strophen herausstellt, entspricht in der darauf folgenden Strophe, in gegenläufiger Komplementarität, die Bewegung des Hebens des Blicks („levar li occhi suoi"), die zu einem wechselseitigen Sich-Ansehen der Liebenden führt, das in seinem Stellenwert durch die Bezeichnung als Gabe („dono") eigens unterstrichen wird. Die folgende Strophe, in der die Beschreibung des Austauschs der Blicke kulminiert, profiliert schließlich in den Begriffen *splendere* und *lume* das Licht als Medium, in dem der skizzierte Vorgang der Wahrnehmung und Verständigung im Zeichen von Präsenz sich vollzieht. Der sich hier abzeichnende Effekt des Besonderen wird dabei durch den mythologischen Vergleich zu der parallelen Begegnung von Venus und Amor noch verstärkt: Lässt er doch Dante und Beatrice als Steigerung und Überbietung ihrer mythischen Vorlage erscheinen.

In ähnlicher Weise wie an der erörterten Stelle aus dem Purgatorio tritt auch gegen Ende des Epos, im 31. Gesang, der Raum des Sichtbaren als Vehikel der Vergegenwärtigung des Abwesenden bzw. Übersinnlichen hervor. Wiederum ist es das Medium des Lichts, das Präsenz erzeugt und dabei die Geliebte im Modus des visionären Sehens in einer paradoxen Koinzidenz von greifbarer Nähe und äußerster Distanz erscheinen lässt. Im innersten Kreis der göttlichen Sphäre erblickt der Ich-Erzähler Beatrice in einer Aureole von Lichtstrahlen:

> Sanza risponder, gli occhi su levai,
> E vidi lei che si facea corona
> Riflettendo da sè gli eterni rai.
>
> Da quella region che più su tuona
> Occhio mortale alcun tanto non dista,
> Qualunque in mare più giù s'abbandona,
>
> Quanto lì da Beatrice la mia vista;
> Ma nulla mi facea, ché sua effige
> Non discendea a me per mezzo mista. [13]

---

roten und den gelben/ Blümlein zu mir herüber, und sie senkte/ Ehrbar wie eine Jungfrau ihre Augen./ [...] Sobald sie an der Stelle angekommen,/ Wo schon das Gras die schönen Wellen baden/ Beschenkt sie mich mit einem Blick der Augen./ Ich glaube nicht, daß solches Licht erstrahlte/ Aus Venus' Brauen, als sie einst getroffen/ Vom eignen Sohne, gegen ihre Sitte" (ebd.).

[13] Dante Alighieri, Die göttliche Komödie. Italienisch und deutsch, übers. und kommentiert v. Hermann Gmelin, Bd. 3: Paradiso, S. 370–373. Übers.: „Ich hob die Augen ohne mehr zu sagen,/ Und ich sah sie, die eine Krone formte/ Vom Widerschein der ewigen Lichterstrahlen./ Von jener Sphäre, die am höchsten tönt,/ Entfernt sich nie soweit ein menschlich Auge/ Und wär es auf dem tiefsten Meeresgrunde/ Wie dort mein Auge fern war von Beatrice;/ Doch dies verschlug mir nichts, es kam ihr Bildnis/ Zu mir hernieder ohne jede Trübung" (ebd.)

Das widersprüchliche Zugleich von Anwesenheit und Abwesenheit, das die Erscheinung Beatrices in der *Commedia* kennzeichnet, wird an der zitierten Stelle nochmals in aller Schärfe pointiert. Diese eigentümliche Doppelheit in der Wahrnehmung Beatrices äußert sich dabei insbesondere in dem Paradox einer simultanen Nähe und Distanz. Stellt sich die Entfernung zwischen dem epischen Ich und Beatrice hier zunächst als maximale, nurmehr in kosmischen Dimensionen erfassbare Distanz dar (als eine solche, die dem Abstand des höchsten Punkts der Himmelssphäre vom tiefsten Grund des Meeres gleichkommt), erzeugen demgegenüber die beiden abschließenden Zeilen des zitierten Passus den genau entgegengesetzten Eindruck von Gegenwärtigkeit und Unmittelbarkeit. Das Bildnis Beatrices („sua effige") steht dem Betrachter in unverminderter Klarheit und unmittelbarer Sichtbarkeit vor Augen. Insgesamt lässt sich somit erkennen, dass die Gestalt Beatrices in der *Commedia* zum Ansatzpunkt einer paradoxen Bewegung wird, die, auf der Grundlage einer gegebenen Abwesenheit, die Vorstellung der Unmittelbarkeit und Präsenz hervorruft und poetisch in Szene setzt.

Wenngleich Macedonios Projekt des Maschinenbaus mit dem sublimen Aufstieg und Himmelsflug des Danteschen Subjekts auf den ersten Blick wenig gemein zu haben und in seiner profanen Mechanik und nüchternen Konstruktivität allenfalls ein zutiefst häretisches Gegenstück zur *Commedia* zu bieten scheint (Beatrice als Automat), kommt dieses Vorhaben doch in einer entscheidenden Hinsicht mit dem Impuls der Danteschen Suchbewegung überein. Denn nicht anders als die Reise des Danteschen Ich bzw. deren Entwurf in der epischen Imagination entsteht die Maschine als Antwort auf das Verschwinden, als ein Erinnerungs- und Sinnprojekt, das darauf zielt, aus der Abwesenheit neue Bedeutung zu erzeugen, eine Umschrift zu erstellen, die die Abwesenheit in einen Modus der Präsenz übersetzt. Allerdings steht das Maschinenprojekt – in diametralem Gegensatz zu Dantes Weltentwurf – von Anfang an im Zeichen radikaler Kontingenz. Nicht göttliche Gesetzmäßigkeit, sondern der Zufall ist es, der hier als treibende Kraft und als sinnerzeugendes Prinzip wirksam wird. Diese grundlegende Stellung und Wirkungskraft des Zufalls manifestiert sich auch darin, dass Macedonios Plan nicht ganz aufgeht und aus dem Vorhaben der Übersetzungsmaschine, gleichsam unter der Hand und gegen die Intention des Erfinders, eine Erzählmaschine hervorgeht: „Primero habían intentado una máquina de traducir. El sistema era bastante sencillo, parecía un fonógrafo metido en una caja de vidrio, lleno de cables y de magnetos. Una tarde incorporaron *William Wilson* de Poe para que lo tradujera. A las tres horas empezaron a salir las cintas de teletipo con la versíon final. El relato se expandió y se modificó hasta ser irreconocible. Se llamaba *Stephen Stevensen*." („Zuerst hatten sie versucht, eine Übersetzungsmaschine zu konstruieren. Das System war ziemlich einfach, es sah aus, wie ein Grammophon, das in einem Glaskasten steckte, voller Kabel und Magnetspulen. Eines nachmittags gaben sie der Maschine *William Wilson* von Poe zum Übersetzen ein. Drei Stunden später kamen die ersten Telexbänder mit der Endfassung heraus. Die Erzählung wurde länger und länger und veränderte sich so stark, dass man sie nicht wiedererkannte. Der Titel lautete jetzt *Stephen Stevenson*.") (S. 43/ S. 55–56) Die zitierte Beschreibung lässt das Prinzip der Maschine deutlich werden. Offensichtlich geht bei dem Vorgang der technischen Umschrift, der hier abläuft, etwas verloren: insbesondere der Poesche Titelheld bzw. sein Name William Wilson verschwindet. Allerdings verschwindet er nicht spurlos, sondern an seine Stelle tritt ein anderes Zeichen, der Name Stephen Stevenson, in dessen morphologischer Struktur die Form des ursprünglichen Namens als abstraktes Schema erhalten ist. Es handelt sich, mit anderen Worten, um eine Transformationsmaschine, die nicht einfach nur Wortmaterial streicht oder löscht, sondern darauf ausgerichtet ist, aus dem Verlust von Information neue Information zu generieren: „Lo que parece perdido lo hace volver transformado en otra cosa." („Was verloren scheint, läßt sie in anderer Gestalt wiederkehren.", S. 44/ S. 56)

Der produktive, erzeugende Impuls der Maschine erschöpft sich unterdessen nicht in dem hier umschriebenen Verfahren der Ersetzung von verlorenem Material durch eigene, neue Elemente. Die Maschine verfügt vielmehr darüber hinaus über ein Verfahren der Kombinatorik, das es ihr ermöglicht, aus einem vorgegebenen Ensemble von narrativen Bausteinen neue Erzählungen hervorzubringen bzw. zu erfinden: „La máquina había captado la forma de la narración de Poe y le había cambiado la anécdota, por lo tanto era cuestión de programarla con un conjunto variable de núcleos narrativos y dejarla trabajar." („Da die Maschine die Form der Erzählung Poes erfaßt und gleichzeitig deren Fabel verändert hatte, ging es nun darum, sie mit einem variablen Komplex von Erzählkernen zu programmieren und sie dann arbeiten zu lassen.", S. 44/S. 57) Entscheidende Voraussetzung der poetischen bzw. erzählerischen *inventio* der Maschine ist indessen, dass letztere nicht nur ein Vehikel der Verwandlung bezeichnet, sondern zugleich auch ein Speichermedium, d.h. eine künstliche Form der *memoria*, darstellt bzw. enthält. Diese Speicher- und Gedächtnisfunktion bildet zudem die Grundlage einer weiteren wichtigen Eigenschaft der Maschine, ihrer Fähigkeit zu lernen:

> La clave, dijo Macedonio, es que aprende a medida que narra. Aprender
> quiere decir que recuerda lo que ya ha hecho y tiene cada vez más experiencia. No hará necesariamente historias cada vez más lindas, pero sabrá las
> historias que ha hecho y quizás termine por construirles una trama común.
> (Der Schlüssel, sagte Macedonio, besteht darin, daß sie lernt, während sie
> erzählt. Lernen heißt, daß sie im Gedächtnis behält was sie bereits gemacht
> hat, und auf diese Weise immer mehr Erfahrung sammelt. Ihre Geschichten werden nicht zwangsläufig immer schöner werden, aber sie wird sich
> an die vorhergehenden Geschichten erinnern und am Ende vielleicht dazu
> gelangen, ein gemeinsames Raster für sie zu konstruieren., S. 44/ 57)

Obgleich sich somit das Prinzip der Maschine seinem Ursprung nach dem Zufall bzw. dem Verlust von Bedeutung verdankt, erweist sich ihr Verfahrensmodus, der auf einer Verbindung von Variation und Rekombination beruht, in der Folge als ein in hohem Maße produktives generatives Modell, das dazu disponiert ist, Geschichten umzuschreiben, zu verwandeln und zu vervielfältigen.

Die Erzählmaschine ist noch in einer weiteren, medialen Hinsicht aufschlussreich. Die Art der Präsenz, die sie in Gestalt narrativer Zeichen erzeugt, kann offenbar, so jedenfalls lassen die entsprechenden Abschnitte des Romans vermuten, zwei unterschiedliche mediale Formen annehmen: mündliche bzw. hörbare Erzählung und Schrift. Es ist bezeichnend für die Darstellungsweise von Piglias Roman, dass sie in diesem Punkt, was die Frage der medialen Beschaffenheit des Outputs der Maschine betrifft, mehrdeutig bleibt. An einigen Stellen scheint der Roman die Auffassung der mechanisch hergestellten Geschichten als Text bzw. Schrift nahezulegen, an anderen hingegen deren Deutung als gesprochenes Wort zu suggerieren. Während die „cintas de teletipo" (Telexbänder), die als Träger bzw. Aufzeichnungsmedium des Ergebnisses des Übertragungsvorgangs der Poeschen Novelle genannt werden, die Vorstellung eines Fließtextes suggerieren, also eine Operation im Medium der Schrift vermuten lassen, trägt demgegenüber die Beschreibung der äußeren Apparatur der Maschine, die der Roman an anderer Stelle anbietet, Züge eines Plattenspielers oder Tonbandgeräts und verweist mithin auf ein akustisches Gerät. Diese Assoziation der Erzählmaschine mit dem Bereich mündlicher Rede findet noch in einem anderen Aspekt von Macedonios Vorhaben eine bemerkenswerte Bestätigung und Vertiefung. Die unvermutete erzählerische Begabung der Maschine regt ihren Erfinder dazu an, sie in den Dienst der Rekonstruktion und Wiederaufnahme vergangener oder vergessener mündlicher Erzähltraditionen zu stellen:[14] „Le parecía un invento muy útil porque los viejos que a la noche, en el campo, contaban historias de aparecidos se iban muriendo." („Er hielt sie für eine äußerst nützliche Erfindung, da die alten Männer, die nachts auf dem Land Gespenstergeschichten erzählten, im Aussterben begriffen waren.", S. 44/S. 57) Auch unter dem hier anklingenden Gesichtspunkt einer sekundären bzw. künstlich wiederherzustellenden Mündlichkeit erweist sich die Maschine als ein Projekt, das darauf zielt, etwas Verschwundenes, in Vergessenheit Geratenes zu restituieren, es in die Gegenwart zurück zu holen. In diesem Zusammenhang ist es kein Zufall, dass sich jenes Bestreben, Präsenz zu erzeugen, in Piglias Roman vorwiegend im Modus des Erzählens artikuliert und dabei, zumindest in einigen zentralen Passagen des Romans, das mündliche Erzählen favorisiert, gegenüber der schriftlichen Narration privilegiert wird. Jene alte Form des mündlichen Erzählens, die sich vor allem in den Legenden, Sagen und Epen der argentinischen Gauchos und volkstümlichen Traditionen manifestiert, birgt, so Piglias Deutung, ein besonderes Potential erzählerischer Vergegenwärtigung in sich. Sie steht gewissermaßen für ein idealtypisches Modell epischer Anwesenheit, das der moderne Schriftsteller

---

[14] Zu diesem Aspekt der Bewahrung bzw. Fortsetzung älterer Kulturtraditionen vgl. Maria Antonieta Pereira, Ricardo Piglia y la máquina de la ficción, Estudios Filológicos, Bd. 34, 1999 (Valdivia), S. 27–34.

und Konstrukteur nurmehr auf artifizielle, mechanische Weise, gewissermaßen im Durchgang durch die Maschine, zu erreichen vermag.

Es gibt, in der *Ciudad ausente*, neben der hier angedeuteten, auf den poetischen Ingenieur Macedonio und sein Projekt konzentrierten Ebene des Romans, noch einen weiteren Bereich, für den die Unterscheidung von Abwesenheit und Anwesenheit bestimmend ist: ich meine die politische Ebene des totalitären Regimes, das einen konstitutiven Bestandteil von Piglias imaginärer Stadt markiert. Dabei kommt hier die Leitvorstellung des Verschwindens in doppelter Weise zur Geltung: Zum einen ist es das politische System selbst, das als schwer greifbare, gespensterhafte, jedoch zugleich omnipräsente Hintergrundsfigur des Romangeschehens dem Paradox einer anwesenden Abwesenheit entspricht. Hier ist die Unsichtbarkeit politische Strategie, Technik des eigenen Machterhalts. Zum anderen ist die Abwesenheit bzw. das Verschwinden, als Form des Verbergens von Wissen und Information, aber auch der Feind des Regimes. Denn das, was sich im Einzugsbereich der politischen Macht der Sichtbarkeit und damit der Kontrolle entzieht, ist potentiell gefährlich. Insofern bedeutet, aus der Sicht des von Piglia imaginierten politischen Systems, jede Form des Verschwindens, des Untertauchens von Personen, Ereignissen oder Informationen immer schon eine äußerste Provokation. Oberstes Prinzip dieser Kontrollmacht ist: es darf nichts verschwinden. Oder anders formuliert: alles was verschwunden ist oder sich im Modus der (zeitweiligen) Abwesenheit verbirgt, muss sichtbar gemacht werden.

Auch die damit angedeutete zweite, gegenläufige Spielart der Abwesenheit kommt auf der Handlungsebene des Romans vor, nämlich in Form einer Gruppe von Rebellen, die von ihrem Zufluchtsort, einer Insel am Rande der Stadt aus, unter der Losung der ‚ausencia', der Abwesenheit, eine Art Gegenkampagne zum Transparenzprojekt des Staates in Gang setzen. Die Abwesenheit dient dabei für die Regimegegner, wie ich zeigen will, nicht nur als Schutz, als Mittel der Tarnung, sondern gewinnt darüber hinaus noch eine weitere Bedeutung und diskursive Funktion. Auch ist die Macht des Regimes, gegen das die Vertreter des Widerstands opponieren, von etwas anderer Art als das, was man sich herkömmlich als Praktiken einer Militärdiktatur (Unterdrückung, physische Gewalt) vorstellt. Was Piglias fiktiven Staat auszeichnet, ist dessen Wirklichkeitsmonopol. Das politische System reklamiert für sich das Privileg zu entscheiden, was als wahr und wirklich zu gelten hat und was im Gegenzug in den Zustand des Nicht-Seins bzw. des Irrealen verbannt wird. Dieser exklusive Anspruch, über Sein und Nicht-Sein der Dinge zu verfügen, äußert sich etwa in der Bemerkung eines Kommissars, der als Werkzeug und Vertreter des Regimes firmiert: La policía – dijo – está completamente alejada de las fantasías, nosotros somos la realidad y obtenemos todo el tiempo confesiones y revelaciones verdaderas. Sólo estamos atentas a los hechos. Somos servidores de la verdad." („Die Polizei, sagte er, hält sich vollkommen fern von den Phantasien, wir sind die Wirklichkeit und erhalten ständig Geständnisse und wahrhafte Enthüllungen. Wir sind allein aufmerksam auf die Tatsachen. Wir sind Diener der Wahrheit.", S. 100/ S. 140). Die

Frage, auf welche Weise es dem Staat gelingt, das beanspruchte Monopol der Wirklichkeitsauffassung durchzusetzen, wird im Roman nicht eindeutig beantwortet. Unterdessen gibt es, vor allem in der Figurenrede des Romans, Hinweise auf weitreichende Macht- und Kontrolltechniken, die im Rahmen der Romanfiktion mögliche Erklärungen für die tatsächliche oder imaginäre Macht des Staates anbieten. So zeichnet der dem Kreis der Rebellen nahestehende Fuyita im Gespräch mit dem Ich-Erzähler das Bild des Staates als Organ einer umfassenden Beobachtung und Überwachung, das nicht nur die Rede der Menschen erfasse, sondern auf dem Wege einer geheimnisvollen Telepathie mit den Subjekten auch in deren Gedanken einzudringen vermöge: „El Estado argentino es telépata, sus servicios de inteligencia captan la mente ajena. Se infiltran en el pensamiento de las bases" („Der argentinische Staat ist ein gigantischer Telepath, dessen Geheimdienste fremde Geistesströme empfangen. Sie schleichen sich in das Denken der Bevölkerung ein", S. 66/ S. 91). Allerdings lässt der Roman es offen, ob die zitierte Vision der totalitären Gedankenherrschaft eine angemessene Beschreibung der tatsächlich gegebenen Strategie des fiktiven Staates der *Ciudad ausente* bildet, oder ob diese Vorstellung lediglich der übersteigerten Phantasie Fuyitas entspringt. Unzweifelhaft aber ist, dass das seitens des Staates betriebene Projekt der Beobachtung und Kontrolle keineswegs ein vollständig in sich geschlossenes, abgesichertes Gefüge darstellt, das gegenüber jeglicher Verletzung oder Einwirkung äußerer Kräfte immun wäre. Im Gegenteil: Jenes System erweist sich vielmehr aufgrund seiner erhöhten Sensibilität als in hohem Grade störungsanfällig und irritierbar:

> Pero la facultad telepática tiene un inconveniente grave. No puede seleccionar, recibe cualquier información, es demasiado sensible a los pensamientos marginales de las personas (Doch die telepathische Begabung hat einen großen Nachteil. Sie kann nicht auswählen, nimmt jede beliebige Information auf, ist viel zu empfänglich für die marginalen Gedanken der Leute, S.66/ S. 91).

Die hier angesprochene ausgeprägte Irritierbarkeit der staatlichen Beobachtung bietet auch den Angriffspunkt, an dem das seitens der Rebellen lancierte Gegenprojekt ansetzt. Ihre Strategie richtet sich darauf, das Unterscheidungsvermögen der staatlichen Beobachtung zu schwächen und zu verunsichern, indem sie letztere mit einem Überschuss an Daten, einer Flut von (wahren und falschen) Informationen konfrontieren. Es liegt auf der Hand, dass bei diesem Verfahren der Vervielfachung von Information insbesondere dem nur hypothetischen und mehr noch: dem fingierten, erfundenen Wissen eine besondere Rolle zukommt. Als wichtigste Agentur, die solche fiktionalen Varianten des Gegebenen produziert und verbreitet, fungiert im Roman die Erzählmaschine.

Dabei kann sich das Projekt der Irritation, das hier ins Werk gesetzt wird, neben der Fähigkeit zur Herstellung von Geschichten, zur poiesis, eine weitere Eigenschaft der Maschine zunutze machen, die für deren Funktionsweise charakteristisch ist. Einmal in Gang gesetzt, lässt sich die von der Maschine ausgehende

Bewegung so leicht nicht wieder anhalten oder still stellen. Denn obgleich die Behörden die Maschine längst beschlagnahmt, in einem Museum sicher gestellt und, wie sie glauben, funktionsunfähig gemacht haben, ist deren Programm damit nicht außer Kraft gesetzt: „Ahora dicen que la han desactivado, pero yo sé que es imposible." („Jetzt behaupten sie, sie hätten sie desaktiviert, aber ich weiß, daß das unmöglich ist.", S. 163/ S. 235). Einmal in die verzweigten Diskurskanäle der Stadt eingeschleust, pflanzen sich die Berichte und Erzählungen von selbst weiter fort, und bilden einen von der Maschine als materiellem Generator abgelösten Redezusammenhang, der dadurch charakterisiert ist, dass er, ähnlich wie die alte Redeform des Gerüchts, [15] Wahres und Falsches, Echtes und Unechtes, Wirkliches und Erfundenes miteinander vermischt enthält. Der wohl einschlägigste Effekt dieses medial initiierten Diskurses besteht darin, dass, im Zuge der unablässigen Vervielfältigung der Gerüchte, die Differenz von Original und Kopie, von Fakten und Fiktion, verwischt, ja ununterscheidbar wird. Diese Verunsicherung der Kriterien hat, zumindest nach Auskunft einer der Romanfiguren, auch die Verständigung der Institutionen und der Agenten des Regimes bereits affiziert: „La máquina ha logrado infiltrarse en sus redes, ya no distinguen la historia cierta de las versiones falsas." („Der Maschine ist es gelungen, in ihre Netze einzudringen, so daß sie die wahre Geschichte nicht mehr von den falschen Versionen unterscheiden können.", S. 66/ S. 91)

Die hier erörterte Kommunikationstechnik, die auf der Pluralisierung und Fiktionalisierung von Berichten und Beobachtungen beruht, berührt auch, in entscheidender Hinsicht, die Unterscheidung des Wirklichen und Möglichen. Der Modus der sich vervielfältigenden, Irritationen ausstreuenden Kommunikation, der das Projekt des Widerstands ausmacht, tendiert dazu, die Grenze von Wirklichem und Möglichem zu verwischen und ununterscheidbar werden zu lassen. Die skizzierte Diskurstechnik wird insofern auch als eine Strategie wirksam, die die von Seiten des Regimes installierte monolithische, einheitliche und eindeutige Gestalt des Realen unterläuft. Beharrt die offizielle ‚Weltsicht' auf der Eindeutigkeit des Wirklichkeitskriteriums, profiliert demgegenüber die Rede des Untergrunds die Dimension des Möglichen und Virtuellen. Die von der Maschine hervorgerufene Rede des unendlichen Erzählens produziert eine Vielzahl an möglichen und imaginären Bildern des Wirklichen, in deren Flut sich die *eine* Version der Realität, die das Regime als die wahre und ausschließlich gültige ausweisen will, nicht mehr erkennen oder identifizieren lässt.

Das Attribut der Abwesenheit im Titel der *Ciudad ausente* steht somit nicht nur als Metapher für die Verborgenheit des politischen Untergrunds, aus dem heraus die Gegner des Regimes operieren, sondern es verweist auch auf die Ebene der Fiktion und das mit ihr verbundene Potential, die auf der Kehrseite der

---

[15] Vgl. Georg Stanitzek, Fama/Musenkette. Zwei klassische Probleme der Literaturwissenschaft mit ‚den Medien, in: Georg Stanitzek/Wilhelm Voßkamp (Hg.), Schnittstelle. Medien und Kulturwissenschaften, Köln 2001, S. 135–150.

Wirklichkeitserfahrung verborgenen Alternativen und Varianten des Gegebenen sichtbar zu machen und zu vergegenwärtigen.

Zeichnet sich somit in der Maschine und der an sie anknüpfenden Pluralisierung der Redeweisen ein Impuls ab, der Einheit und autokratischen Stellung des politischen Systems gegenzusteuern, bleibt der Schluss der *Ciudad ausente* gleichwohl ambivalent. Das Ende des Romans lässt es in der Schwebe, ob es der aus dem Verborgenen geführten Rede gelingt, die totalisierende Beobachtung des Regimes auf Dauer zu stören und außer Kurs zu setzen oder ob sich letztere vielmehr schließlich doch als die eine monolithische und unausweichliche Präsenz zu behaupten vermag. Diese Mehrdeutigkeit des Schlusses ist eng verknüpft mit einem anderen kritischen Punkt, der im Roman gleichermaßen unbestimmt und unentschieden bleibt. Gemeint ist die Frage, welcher Status am Ende der Erzählung der Maschine, die unterdessen in ein Museum gestellt wurde, zukommt. Wurde die Maschine, nachdem man ihr Prinzip entdeckt hatte, desaktiviert und somit ihr produktives Potential außer Kraft gesetzt? Oder ist sie auch an ihrem neuen Ort, dem Museum, weiterhin aktiv? Und vorausgesetzt, dass letzteres zutrifft: Folgt sie noch ihrer anfänglichen Programmierung oder wurde sie umfunktioniert und seitens des Regimes in Dienst genommen? Eine Klärung der hier aufgeworfenen Fragen ließe sich wohl am ehesten jener Stelle zu Beginn des abschließenden Kapitel des Romans entnehmen, als Junior noch einmal das Museum besucht, um die Maschine ein letztes Mal zu betrachten. Der Roman zeichnet dort, aus der Perspektive der wahrnehmenden Figur, ein Bild der Maschine, das zwar im Kern rätselhaft bleibt, jedoch einige aufschlussreiche Akzente setzt:

> La máquina está en el fondo de un pabellón blanco, sostenida por un armazón metálico. Tiene una forma achatada, octogonal, y sus pequeñas patas están abiertas sobre el piso. Un ojo azul late en la penumbra y su luz atraviesa la quietud de la tarde. Afuera, del otro lado de los cristales, se alcanza a oír el suave rumor de los autos que cruzan la avenida Rivadavia hacia el oeste. La máquina, quieta, parpadea con un ritmo irregular. En la noche, el ojo brilla, solo, y se refleja en el cristal de la ventana.
> (Die Maschine steht in einer weißen Halle an der hinteren Wand, sie wird von einem Metallgerüst gestützt. Ein blaues Auge pulsiert im Halbdunkel, sein Licht durchdringt die Stille des Abends. Draußen, auf der anderen Seite der Fensterscheibe, kann man das sanfte Rauschen der Autos hören. Die Maschine, sonst ruhig, blinzelt in einem unregelmäßigen Rhythmus. Nachts leuchtet allein das Auge, es spiegelt sich dann im Fensterglas.,
> S. 165/ S. 239)

Der angeführte Passus scheint zumindest in einer Hinsicht Aufschluss zu geben: Die Maschine ist offensichtlich nicht still gestellt oder inaktiv. Die zitierte Beschreibung ist vielmehr von sprachlichen Formulierungen und Metaphern durchzogen, die auf Prozesse des Lebens verweisen. Vor allem das Verb *latir* (klopfen, pochen), das die Vorstellung des pulsierenden Herzens abruft, und der Begriff des *ritmo irregular* (des unregelmäßigen Rhythmus) verbinden die

Maschine mit dem Bedeutungsfeld des Organischen und des Lebens. Auch der Hinweis auf ihre *pequeñas patas*, ihre kleinen Füßchen, weckt die Assoziation eines Lebewesens. Die zitierte Beschreibung ist jedoch darüber hinaus noch in einer anderen Hinsicht bemerkenswert. Sie lässt erkennen, dass die Maschine offenbar einen Medienwechsel vollzogen hat: Bewegte sich ihre Tätigkeit zuvor in der akustischen (mündliche Rede) und textuellen Dimension (Schrift), ist es nun das optische Medium, in dem sich ihre Operationen vollziehen. Seinen deutlichsten Ausdruck findet dieser Vorrang des Visuellen in dem Emblem des *ojo azul*, des großen azurfarbenen Auges, das nun als auffallendstes Attribut der Maschine hervortritt. Auch das am Ende des zitierten Passus erwähnte unregelmäßige Blinzeln zeigt diesen Wechsel des Leitmediums an: Die Maschine ist zum Organ des Sehens geworden.

Die Äußerungen der Maschine sind auf diese Weise in jenes Medium übergegangen, das wohl mehr als jedes andere geeignet ist, den Eindruck von Präsenz zu erzeugen. Das von dem Auge der Maschine ausgehende blaue Licht, das durch das Fenster in die Straßen der Stadt hinaus strahlt, erzeugt einen eigenen Raum der Anwesenheit, in dem die Gegenstände auf neue Weise sichtbar werden. Die Umstellung auf den visuellen Modus als Medium der Vergegenwärtigung führt überdies zurück zur *Commedia*, in der, wie ausgeführt wurde, das optische Medium, der Sehvorgang das primäre Mittel der Wiederbegegnung mit Beatrice und des Aufstiegs durch die Himmelssphären bildet. Vor dem Hintergrund dieser erneuten Dante-Allusion liegt es nahe, die Profilierung des Visuellen gegen Ende des Romans als einen Hinweis darauf zu lesen, dass Macedonios Erinnerungsprojekt nicht gescheitert ist. Zudem ist in jenem Projekt, in gewisser Entsprechung zur *Commedia*, die persönliche, private Erinnerung mit einem darüber hinaus weisenden überindividuellen Impuls verschränkt. Das *ojo azul* wäre, dieser Deutung folgend, nicht allein als ein Emblem der *memoria*, des Andenkens an die Verstorbene, zu verstehen. Es wäre vielmehr auch als movens und Organ einer neuen Weise der Beobachtung zu begreifen, die in ihrer rätselhaften Eigenart ein Gegenmodell zum Transparenz- und Überwachungsstreben des politischen Regimes bietet.

Spuren des Verschwindens

Kay E. Gonzalez-Vilbazo und Volker Struckmeier

Eine Rhetorik des Verschwindens zu begründen muss auch heißen, das Wort *verschwinden* linguistisch zu analysieren: Es gilt zu klären, welche Verwendungsweisen linguistisch zu erwarten sind, zum einen also, wie diese Verwendungsweisen literarisch figurieren können, zum anderen aber auch, welche anderweitigen, linguistisch eher unerwarteten Verwendungen literarisch möglich sind. Unsere Analyse geht demzufolge „nach innen" vor: Es wird nicht gefragt, in welchen gegebenen Kontexten das „Verschwinden" literarisch figuriert, sondern, welche morphosyntaktischen und semantischen Elemente im Verb *verschwinden* – zunächst *ohne* jeden Kontext, daher aber auch in jedem *denkbaren* Kontext – angelegt sind. Wir fragen, wie die deutsche Sprache den Vorgang des Verschwindens grammatisch kodiert, die Rhetorik des Verschwindens gleichsam an der grammatischen Wurzel verankert.

Die zentrale semantische Frage zum Verb *verschwinden* (und vergleichbaren Verben, s.u.) ist: Wer oder was kontrolliert den Vorgang des Verschwindens? Prinzipiell sind bei jedem Verschwindensvorgang zwei Interpretationen denkbar: Entweder ist das nominative Subjekt des Satzes der kontrollierend Handelnde, oder aber ein nicht genannter Dritter löst die Handlung aus:

(1) Der Zauberer verschwand in einer Rauchwolke.
(2) Das Kaninchen verschwand im Hut des Zauberers.

Unser Weltwissen über die jeweiligen Rollen von *Kaninchen* und *Zauberern* legt uns die Interpretation nahe, dass der *Zauberer* in (1) sein eigenes Verschwinden verursacht (sich also selbst wegzaubert), während das *Kaninchen* in (2) eher nicht kontrolliert und aus eigenem Willen verschwindet (sondern weggezaubert wird). Dies liegt deshalb nahe, weil Kaninchen sich üblicherweise nicht durch Zauberei fortbewegen (oder, in einer anderen Lesart, sich auf den eigenen vier Pfoten meist nicht in Zaubererhüte flüchten).

Für die Literatur muss nun aber gelten, dass das Weltwissen im literarischen Kontext suspendiert werden kann: Die Welt des literarischen Werkes kann in nahezu beliebigen Parametern von der Welt des Lesers abweichen! Sich auf die bekannten Eigenschaften von Kaninchen und Zauberern in der Welt des Lesers zu verlassen (wie auch immer diese aussehen mag) heißt, Interpretationen an ein Werk heran zu tragen, die diesem genau genommen äußerlich sind. Dies ist selbstverständlich kein skandalöser Vorgang, er muss aber erkannt und benannt werden. Dies um so mehr, als bereits minimale kontextuelle Änderungen in der Lage sind, die vermeintlich Handelnden in (1) und (2) zu verkehren:

(3) Der Zauberer verschwand in einer Rauchwolke, *weil das Kaninchen über mächtigeren Zauber gebot.*

(4) Das Kaninchen verschwand im Hut des Zauberers, *um den Mann nicht mehr sehen zu müssen.*

Der literarische Kontext ist demzufolge jederzeit in der Lage, die Interpretation klarer erscheinen zu lassen (wie in (3) und (4)), er kann aber gleichsam „unterspezifiziert" sein (wie in (1) und (2)), und so zu den Übertragungen aus dem Erwartungshorizont des Lesers führen. Im Übrigen bleibt es ein Rätsel, wie *genau* der Kontext spezifiziert werden kann, denn bei genauerem Hinsehen ist zumindest in (3) auch eine Lesart möglich, die den *Zauberer* als kontrollierendes Subjekt des Verschwindens interpretiert – etwa im Sinne einer Flucht vor dem *Kaninchen*, allerdings mit den dem Zauberer zur Verfügung stehenden Mitteln. Der Kontext in (4) kann nun ebenfalls so erweitert werden, dass wiederum der *Zauberer*, nicht das *Kaninchen* das Verschwinden verursacht: Möglicherweise lässt der *Zauberer* das *Kaninchen* verschwinden, um einen (ungenannten, dritten) Mann nicht mehr sehen zu müssen – wie auch immer beides ursächlich verbunden sein mag! Es bleibt festzuhalten, das mit der Verwendung des Verbs *verschwinden* immer Ambiguitäten verbunden sind, die es linguistisch zu beschreiben und interpretatorisch zu beherzigen gilt.

Die Ambiguitäten erstrecken sich im Übrigen nicht nur auf das Moment der Kontrolle über eine Handlung: Auffällig ist nämlich auch ein weiterer, indirekt verbundener Effekt: Wir sind geneigt, dem Subjekt des Verschwindens *um so mehr* assoziierte Eigenschaften zuzusprechen, je mehr der jeweilige Satz dem Subjekt Absicht, Willen und Kontrolle zu unterstellen scheint:

(5) Der Würfel verschwindet im Hut des Spielers.

(6) Der Würfel verschwindet lieber im Hut des Spielers.

Man mag dazu tendieren, den *Würfel* in (6) in einer animististischen Welt zu verorten, zumindest aber erscheint es möglich, ihm einen wie auch immer gearteten Willen zu unterstellen, wenngleich diese Lesart nicht erzwungen ist. Klar ist, dass der Würfel in (5) einen solchen Willen nicht hat, vorsichtiger ausgedrückt: Absicht und Kontrolle scheinen zumindest eher dem Würfel in (6) als dem Würfel in (5) zuzukommen. Diese Neigung gründet sich sicherlich auf das Adverb *lieber*, welches gerade diese Lesart nahelegt, wenn nicht gar linguistisch erzwingt. Auf der anderen Seite zieht dies die Frage nach sich: Wieso sind wir nicht geneigt, diese Frage in (5) offen zu lassen? Warum gehen wir im Normalfall nicht davon aus, dass der Würfel in (5) ebenfalls belebt sein könnte, nämlich deshalb, weil ihm durch die genannte Ambiguität des Verbs *verschwinden* Kontrolle und Urheberschaft, wie oben demonstriert, zumindest zugesprochen werden *können*? Es kann kein Zweifel bestehen, dass in einer literarischen Welt variierbarer Kontrollparameter kein echter Grund dafür geliefert werden kann, den Würfel in (5) als weniger belebt anzusehen, als den in (6) – jede andere Interpretation ist, führt sie keine Kriterien zu ihrer eigenen Begründung an, eine (wenn auch vielleicht harmlose) Unterfütterung des Textes, die in seiner Semantik eigentlich nicht angelegt ist.

Als Zwischenfazit muss daher gelten: Verben wie *verschwinden* implementieren eine ambige und unterspezifizierte Semantik, die den Leser an mehreren Stellen in die Position versetzen, für den Lesevorgang unbemerkt äußerliche Erwartungen in die Interpretation einfließen zu lassen Welche Ursachen liegen dieser Wankelsemantik von *verschwinden* zugrunde? Zwei zentrale Ursachen sind aus Sicht der Sprachwissenschaft hier anzuführen:

I. Verschwinden ist *unakkusativ*.

II. Die Rolle des „Subjekts" von „verschwinden" ist *Thema*.

Ad I:

In der Schulgrammatik zerfällt die Klasse der Verben in bestimmte Unterklassen, nämlich die aus der Schulgrammatik bekannten *intransitiven* und *transitiven* Verben: Ein intransitives Verb hat lediglich ein Subjekt, während ein transitives Verb neben dem Subjekt (mindestens) ein Objekt hat. Diese grobe Klassifikation erweist sich aber recht bald als unzureichend. Innerhalb der intransitiven Verben lassen sich nämlich wiederum zwei klar unterschiedliche Subklassen ausmachen:

(7) Peter schläft
(8) Der Würfel verschwindet.

Oberflächlich wirken beide Verben identisch: sie binden einen Mitspieler, der semantisch in der Handlung figuriert („das Subjekt"), ein. Hinsichtlich anderer Eigenschaften, z.B. der Passivierbarkeit, aber unterscheiden sich Verben wie *ankommen* und *schlafen* deutlich:

(9) Hier wird geschlafen.
(10) ?Hier wird verschwunden.

Während (9) unzweifelhaft einen grammatisch korrekten Satz des Deutschen darstellt, ist (10) nur in bestimmten, streng umrissenen Kontexten denkbar (was durch das Fragezeichen angezeigt werden soll). (10) ist linguistisch gesprochen *markierter* als (9), d.h. seine Verwendung ist an mehr kontextuelle Bedingungen geknüpft als die Verwendung von (9).

Der linguistische Kontext eines literarischen Werkes stellt natürlich besonders unsicheren Boden dar, wenn es um Bedingungen der Verwendung eines Ausdrucks geht. Es liegt daher der Verdacht nahe, dass gerade Verben wie *verschwinden* im literarischen Kontext besonders auffällige Eigenheiten aufweisen können, da für sie mehr Kontextrestriktionen wegfallen als für Verben des Typs *schlafen*. Dieser Intuition gilt es demnach nachzuspüren.

Untersucht man die sich abzeichnenden Unterklassen der intransitiven Verben also auf ihre Verwendbarkeit, so ergibt sich, dass Verben wie *ankommen, verschwinden*, usw. sich in mancherlei Hinsicht eher verhalten, als seien sie transitive

Verben, so erlauben sie z.B., wie transitive Verben, die Bildung attributiver Partizipien 2:

(11) *Das geschlafene Kind (intransitiv)
(12) Der verschwundene Würfel (*verschwinden*-Typ)
(13) der besiegte Feind (transitiv)

Während intransitive Verben wie *schlafen* nicht als attributive Partizipien verwendet werden können (der Stern * in (11) signalisiert, dass dieser Satz grammatisch nicht wohlgeformt ist), ist dies Verben wie *verschwinden* offenbar möglich (vgl. 12). Dem Würfel in (12) wird im Übrigen das Attribut verliehen, *verschwunden* zu sein, genau wie dem *Feind* in (13) die Eigenschaft, *besiegt* zu sein. Während demnach der Würfel in (12) als Subjekt des *verschwunden* interpretiert wird, ist der Feind in (13) Objekt von *besiegt*. Mit anderen Worten zeigt sich, dass die vermeintlichen Subjekte von Verben wie *verschwinden* auch Eigenschaften haben, die sie vergleichbar machen mit Objekten transitiver Verben. Die Klasse der Verben, die sich wie *verschwinden* verhalten, behandelt demzufolge ihre Subjekte nicht so, wie Verben vom Typ *schlafen* dies tun – ein erster Anhaltspunkt, wie die Wankelsemantik des *verschwinden* möglicherweise zu begründen ist. Um diesem Verhalten eine Bezeichnung zukommen lassen zu können, bezeichnet man Verben wie *verschwinden, ankommen*, etc. als *unakkusative* Verben, und unterscheidet sie von Verben wie *schlafen, leben* etc., die als *unergative* Verben bezeichnet werden. Es ergibt sich folgende Ordnung:

Graphik 1

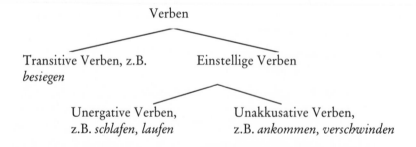

Wenn sich transitive Verben als attributive Partizipien verwenden lassen, so erhält das Nomen, welches modifiziert wird, wie bereits gesagt, stets die Lesart eines Objektes:

(14) der besiegte König

Der König in (14) ist derjenige, der besiegt wird, nicht derjenige, der jemanden anderen besiegt. Verben wie *schlafen*, etc. die keinen Zweifel daran lassen, dass sie nur über ein Subjekt verfügen, sind (wie 11) gezeigt hat) als attributive Partizipien nicht verwendbar. Man nimmt daher für die unakkusativen Verben an, dass das vermeintliche „Subjekt", welches sie einbinden, syntaktisch auch eine *Objektsfunktion* hat. Dies würde zumindest erklären, wieso sich die unakkusativen Verben bezüglich der Attributsbildung genauso verhalten wie die transitiven Verben, die ja ebenfalls ihr Objekt zum modifizierten Nomen machen können. Warum aber erscheint dieses „Objekt" dann aber in Sätzen wie (1), (2) usw. als „Subjekt" eines Satzes, nämlich dadurch, dass es häufig am Anfang des Satzes steht, einen typischen Subjektskasus, den Nominativ, trägt usw.?

Die Lage ist, wie sich herausstellt, in gewisser Weise vergleichbar mit dem Passiv transitiver Verben: Auch das Objekt eines Verbs wie *schlagen, essen* usw. kann im Passiv „wie ein Subjekt" verwendet, d.h. mit dem Nominativkasus und in einer für das Subjekt typischen Position am Anfang des Satzes:

> (15) Der Kuchen wird gegessen.

Der *Kuchen* in (15) kann im Normalfall wohl keinesfalls als handelndes Subjekt interpretiert werden. Vielmehr wird der Ausführende, welcher den *Kuchen* isst, in (15) nicht genannt. Mit anderen Worten: Ein *semantisches* „Subjekt" im Sinne eines kontrolliert handelnden Individuums wird in (15) gar nicht aufgeführt. Dennoch verfügt der Satz über ein – allerdings nur rein *formales* – Subjekt, nämlich den *Kuchen* als Träger des Nominativkasus in seiner satzinitialen Position. In genau analoger Weise kann man nun den Subjekten unakkusativer Verben wie *verschwinden* eine Repräsentation zukommen lassen, die ihre vermeintlichen „Subjekte" als „Objekte mit Nominativ" darstellt. Die vollständige syntaktische Ableitung sieht aus wie folgt:

Graphik 2

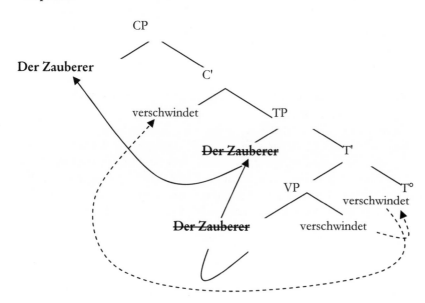

Es ist nicht nötig, auf die technischen Details einzugehen, die mit dieser Darstellung verbunden, bzw. in ihr ausgedrückt werden. Wichtig ist, dass in dieser Darstellung ein wesentlicher Aspekt der unakkusativen Verben ausgedrückt wird: Die durchgestrichenen Bestandteile des Baumes indizieren die strukturellen Positionen, die *der Zauberer* bzw. *verschwindet* im Laufe der grammatischen Ableitung des Satzes eingenommen haben: Für *verschwindet* ergeben sich drei Positionen, die jeweils bestimmte Aspekte der Verwendung des Verbs kodieren: In seiner Ausgangsposition (unterhalb von VP) bestimmt das Verb die Anzahl seiner Mitspieler (in diesem Falle also: dass es nur einen Mitspieler gibt) und ihre Rolle in der bezeichneten Handlung (die für den *Zauberer* unten genauer erläutert wird). In einer weiteren Position (unter T) erhält das Verb seine grammatischen Merkmale, die hier nur insofern von Belang sind, als es diese Finitheitsmerkmale sind, die dem Subjekt erlauben, nominativen Kasus auszubilden, unten dazu mehr. Die letzte, und so auch hörbare Position des Verbs legt fest, dass dieser Satz als eine selbstständige Äußerung (d.h., nicht als Nebensatz) verwendbar ist.[1]

Betrachtet man nun die Ableitungsschritte für *Zauberer*, wird eines ersichtlich: Die Eigenschaften, die der *Zauberer* in dieser Ableitung zugesprochen bekommt, erscheinen, zumindest aus Sicht schulgrammatischer Analysen, als *widersprüchlich*: Das vermeintliche Subjekt weist hier nämlich syntaktisch eine Position auf, die der kanonischen Objektposition gleichkommt (nämlich „neben dem Verb, unterhalb von VP"). Durch die angezeigten Umstellungen werden aber andere grammatische Prozesse ausgelöst: Zum einen kann *der Zauberer* in der TP den Subjektkasus Nominativ zugewiesen bekommen, da, wie oben angedeutet, die Finitheit des Verbs diese Markierung ermöglicht. Die satzeinleitende Position, die in der Aussprache eingenommen wird (unter CP), weist den Satz zudem als Aussagesatz aus (d.h. nicht als Frage, Befehl, o.Ä., vgl. wiederum Lohnstein 2000). Als Effekt dieser Art von Beschreibung ergibt sich, dass die Eigenschaften eines nominalen Ausdrucks unabhängig voneinander variabel sind: Die Rolle eines Nomens im Satz, sein Kasus und seine Stellung im Satz müssen nicht aufeinander bezogen sein! So haben die Subjekte mancher Verben keinen Nominativkasus („Mir$_{Dativ}$ ist schlecht"), andere Subjekte nehmen nicht die satzinitiale Position ein („Den Mann$_{Objekt}$ habe ich$_{Subjekt}$ gesehen, die Frau aber nicht."). Besonders wichtig für die vorliegende Untersuchung: Auch die semantische Rolle eines Nomens im Nominativ muss nicht die eines kontrolliert Handelnden sein: Die o.a. Beispiele zum Passiv („Der Kuchen wird gegessen") und zu den unakkusativen Verben („Das Kaninchen verschindet im Hut des Zauberers") zeigen, dass auch diese Eigenschaft nicht, wie die Schulgrammatik Glau-

---

[1] Vgl. Lohnstein, Horst: *Satzmodus – kompositionell: Zur Parametrisierung der Modusphrase im Deutschen*. Berlin: Akademieverlag 2000.

ben machen könnte, an bestimmte Kasus oder bestimmte Stellungseigenschaften gebunden ist.[2]

Zusammengefasst ist es nach den linguistischen Erkenntnissen zur Syntaxforschung nötig den Begriff des Subjekts aufzugeben und ihn zu ersetzen durch eine Darstellung, die semantische Interpretation („Kontrolle" über die Handlung), den Kasus und die Position im Satz voneinander unabhängig macht: Im Deutschen (und anderen Sprachen) liegt eine Bündelung dieser drei verschiedenen linguistischen Momente, wie sie in der Schulgrammatik behauptet wurde, schlicht nicht vor, wie sich durch die o.a. Beispiele zeigt.

Gibt es genuin semantische Eigenschaften des Verbs *verschwinden*, welche in der Lage wären, das morphosyntaktische Dilemma zu lösen? Sind wir mit anderen Worten wenigstens in der Lage, aus unserer muttersprachlichen Kenntnis der Semantik dieses Verbs eine eindeutige Interpretation zurückzugewinnen? Wie im Folgenden gezeigt wird, ist auch die Semantik dieses Verbs in dem Sinne unspezifisch, dass auch sie keine Lösung des interpretatorischen Problems beizusteuern in der Lage ist.

Ad II: Die Semantik des *Verschwindens*

Die Semantik des *verschwinden* ist, wie seine Morphosyntax, eine schillernde: Der semantische Mitspieler eines Verbs wie *verschwinden* ist semantisch weder eindeutig ein Individuum, welches die Handlung ausführt oder kontrolliert noch ein affiziertes Objekt der Handlung: Die Rolle, die dieser Mitspieler trägt, wird in der Linguistik als *Thema* bezeichnet. *Thema* ist ein Argument allerdings nun bereits dann, wenn es an einer Handlung im weitesten Sinne beteiligt ist. Es ist nicht nötig, dass das Argument eine planende, handelnde oder kontrollierende Teilhabe an der Handlung hat, ebenso wenig muss ein *Thema* durch den Verlauf der Handlung weitreichend affiziert werden: Es ist nicht nötig, dass das *Thema* zerstört, verändert oder erschaffen wird – jede denkbare Teilhabe an einer Handlung, auch die bloße Anwesenheit in einer Situation genügt, um ein mögliches *Thema* im Sinne der Semantik zu sein.

Aufgrund dieser semantisch uneindeutigen Spezifikation erweisen sich die Träger der *Thema*-Rolle als syntaktisch ubiquitär: Themarollen können sowohl von morphosyntaktisch eindeutigen Subjekten wie von Objekten getragen werden – es gibt schlicht *keine* semantisch eindeutige Zuordnung eines Themaarguments zu bestimmten Handlungsanteilen der Kontrolle oder Affiziertheit, wenn man die Gesamtheit der Vorkommen dieser Argumente, die in der Literatur vorgeschlagen wurde, als Maßstab nimmt.

---

2   Vgl. Reis, Marga: „Zum Subjektbegriff im Deutschen". In: Werner Abraham (Hrsg.): *Satzglieder im Deutschen: Vorschläge zur syntaktischen, semantischen und pragmatischen Fundierung*. Tübingen, Narr 1982: S. 171–211.

Die Lage ist demzufolge für die Rhetorik des Verschwindens alles andere als klar: Es zeichnen sich für Instanzen des *verschwinden* immer und unentscheidbar zwei verschiedene Interpretationen ab: a) Wird der Träger des Nominativs lediglich als ein Gegenstand identifiziert, welcher dem Verschwinden anheim fällt, bzw. es gilt b), dass derjenige, der verschwindet auch derselbe ist, der das Verschwinden initiiert und kontrolliert?

Spuren des *verschwinden*

Man mag sich auf den Standpunkt stellen, die Probleme der Interpretation von *verschwinden*-Sätzen seien ein isoliertes Einzelproblem, welches lediglich die Interpretation eines einzigen Verbs beträfe. Zwei Beobachtungen sprechen gegen einen solch versöhnlichen Ausblick:

Zum Ersten muss gelten, dass in einer Literatur variierbarer Weltparameter auch andere Bestandteile eines Satzes, der ein Verb wie *verschwinden* enthält, im oben gezeigten Sinne vom schillernden Facettenreichtum des Verbs belangt werden.

Zum Zweiten, und dies wiegt schwer, ist nicht nur *verschwinden* ein Verb mit den gezeigten Effekten: Viele andere Verben, wie z.B. *ankommen, weglaufen, zerbrechen, umkommen, einlaufen, versterben, erscheinen, auslaufen, auftauchen,* usw. verhalten sich linguistisch ganz ähnlich wie das Verb *verschwinden*. Es erscheint darüber hinaus nicht undenkbar, dass diese Liste von Verben prinzipiell erweiterbar ist: Möglicherweise muss man darauf gefasst sein, dass weitere unakkusative Verben frei bildbar sind – das Problem verfügt mit anderen Worten noch nicht einmal über historisch scharfe Grenzen.

Gerade auch die Literatur mag ihren Anteil daran haben, dass die Verben vom Typ *verschwinden* keine festlegbare Unterklasse darstellen: Durch semantische Verschiebungen, vom Normalgebrauch abweichende Verwendungen o.Ä. ließe sich denken, dass gerade die Literatur aus Verben anderer Unterklassen weitere unakkusative Verben bildet – die poetische Lizenz erlaubt ja allemal das Reden und Schreiben von *geschlafenen Kindern* oder *gelaufenen Frauen*. Wie genau diese Ausdrücke zu interpretieren sind muss die Literatur nicht selbst definieren, die umgangssprachliche Ungrammatikalität dieser Ausdrücke braucht sie nicht zu kümmern!

Man kann dieses Ergebnis als eine Herausforderung für eine Rhetorik des Verschwindens betrachten: Interessant erscheint nämlich, dass viele Verben der beschriebenen Art in einem weiteren Sinne das Erscheinen oder Verschwinden bezeichnen. Wie es scheint, ist die Rhetorik des Verschwindens nachgerade durchsetzt von semantisch und morphosyntaktisch schillernden Exemplaren der Spezies Verb. Jede Rhetorik des Verschwindens steht daher vor der interessanten Aufgabe, sich bezüglich semantosyntaktischer Wechselhaftigkeit und Unterspezifikation insgesamt zu platzieren: Wenn man die einschlägigen Konstruktionen betrachtet, wird klar, dass „Rhetoriken des Verschwindens" nicht einmal an ihrer sprachlichen Wurzel sicher verankert sind, sondern auf Ambiguitäten fußen. Welche Aufgabe aber könnte einer literarischen Untersuchung zugänglicher und vergnüglicher erscheinen als das freie, facettenreiche Spiel der Sprache?

Zwischen Substanzverlust und Fragmententfaltung. Konstruktionen des Verschwindens

Steffen Neuburger

Einleitung

Als Künstler ist man der Produzent einer ästhetischen Strategie. In meinem Fall materialisiert sich diese vornehmlich in Form von Leinwandarbeiten. Die Entscheidung, über eine bildkünstlerische Form zu einem Ausdruck zu gelangen und somit eine begriffssprachliche Fassung zur Vermittlung eigener Intentionen zu meiden, hat Gründe, die ihren Ursprung in den differierenden Möglichkeiten von Sprache und Bild haben. Der vorliegende Beitrag kann daher lediglich begleitenden Charakter haben und stellt eine Ergänzung zu meiner künstlerischen Arbeit dar. Er kann keinesfalls die Erfahrungen ersetzen, die man als Rezipient der künstlerischen Form, um die es hier gehen soll, machen kann. In diesem Sinne möchte dieser Text an die von mir entwickelte Form von Bildern heranführen. Dabei soll plausibel werden, wie es zu der spezifischen formalen Gestaltung der Arbeiten kommt. Dies betrifft sowohl die Entstehung der Bilder, die einem kalkulierten Schema unterliegt, als auch die Gründe für diese Vorgehensweise, die mit meiner künstlerischen Intention verknüpft sind.

Im Wesentlichen versuche ich in meiner Kunst, erkenntnisgenerierende Prozesse des Menschen zu reflektieren. D.h., dass ich durch eine Parallelisierung von künstlerischer Arbeit bzw. deren Rezeption und allgemeinen erkenntnisgenerierenden Vorgängen zu einem tieferen Verständnis von der menschlichen Erkenntnistätigkeit zu kommen versuche. Der Bereich der Kunst scheint mir für solch einen Versuch gerade deshalb geeignet zu sein, da er eine unmittelbare Beschäftigung mit den Erkenntnisprozessen sowie ein vollziehendes Verständnis erlaubt, das ungebrochen durch das sprachliche Abstraktionsniveau ist.

Die Grundkonstellation, der ich bei meinen Bemühungen folge, orientiert sich im Wesentlichen an der Aufteilung zwischen Künstler, Bild und Rezipient. Alle drei Komponenten werden im Blick behalten, wobei ich zu dem Bereich des Künstlers, für den ich alleinige Verantwortung trage, die meisten Kommentare beisteuern kann. Beginnen werde ich mit einer Beschreibung des Entstehungsschemas meiner Bilder. In einem weiteren Schritt gehe ich dann kurz auf die für mich relevanten Aspekte der Erkenntnistheorie ein, um daran anknüpfend den Bezug zwischen künstlerischer Form und menschlicher Erkenntnistätigkeit aufzuzeigen. Die Rolle, welche die Bildfiguren auf meinen Bildern einnehmen, und vor allem die zentrale Fokussierung auf den Rezipienten und dessen erkenntnisgenerierende Leistungen schließen den Text ab.

Vom Bild zum Bild

Die möglichst präzise Darstellung meiner künstlerischen Arbeitsweise ist zentral für die weiteren Erörterungen. Anhand der Analyse des Arbeitsprozesses lassen sich erstaunliche Parallelen zu Fragen hinsichtlich der menschlichen Erkenntnistätigkeit ziehen.

Während des gesamten Produktionsverlaufs eines Gemäldes verbleibe ich in der Sphäre des Bildes. Jede meiner Arbeiten entsteht unter Bezugnahme auf ein bereits existierendes Bild. Niemals stellt eine in mir auftauchende Bildidee oder meine persönliche Gefühlswelt die Basis für die Arbeiten dar. Ebenso wenig richte ich mich nach einem Naturvorbild oder benutze lebende Modelle als Ausgangspunkt. Ich orientiere mich ausschließlich an den Bildwelten, die mich umgeben. Dabei spielt es keine Rolle, aus welchem Kontext diese Bilder stammen. Ich bediene mich potenziell aller Bilder, die mich erreichen, ohne hierarchische Unterschiede vorzunehmen. Das können Werbeabbildungen in Magazinen oder Zeitungen sein, Pressefotos, auf Plakatwänden zur Schau gestellte Abbildungen im öffentlichen Raum, Fernseh- oder Filmbilder. Auch die zahlreichen in Traditions- und Bedeutungsgefügen stehenden Bilder, die sich in der Kunstgeschichtsschreibung etabliert haben, stehen für mich als Quelle zur Verfügung. Es kommt ebenfalls vor, dass ich mithilfe von Fotografien zunächst Collagen anfertige, die ihrerseits dann zum Ausgangsmaterial weiterer Verarbeitung werden.

Zwei grundlegende Merkmale jedes Bildes möchte ich hervorheben und damit zwei verbindende Elemente der höchst heterogen auftretenden Bildwelten aufzeigen. Zunächst ist jedes Bild sui generis immer schon ein Artefakt. D.h. ein Bild ist immer ein von Menschen gemachtes Bild. Völlig unabhängig von den verschiedenen Bewusstseinsstufen und Intentionen des Produzenten und ebenso unbeeinflusst von den Produktionsbedingungen, denen es unterworfen war, stellt jedes Bild einen begrenzten Ausschnitt dar, der in irgendeiner Relation zu dem steht, was als Wirklichkeit oder Realität erfahren, empfunden oder entwickelt wird. Ein Bild ist demnach das Produkt einer individuellen Brechung von Wirklichkeit oder Wirklichkeitsvorstellung und eröffnet letztlich eine Welt, die über alle möglichen relationalen Verhältnisse hinausgeht, und in der eine eigene Bildwirklichkeit manifest wird.

Der zweite Aspekt betrifft die Bedeutungszuschreibung angesichts von Bildern. Dabei kommt es mir nicht auf die Benennung einer bestimmten Bedeutung oder auf das Feststellen von alternativen Bedeutungsvarianten an. Vielmehr möchte ich auf das Wechselverhältnis von Bild und Betrachter aufmerksam machen. Der Betrachter ist auf der Basis seines visuellen Erlebnisses bestrebt, ein Bild mit einer Bedeutung zu belegen. Das dabei zugrunde liegende komplexe Zusammenspiel zwischen Bild und Betrachter wird in den folgenden Überlegungen noch eine bedeutende Rolle spielen.

In der Regel wird mein künstlerisches Interesse an einem Bild dadurch geweckt, dass auf diesem menschliche Gestalten auftauchen. Dabei konzentriere ich mich zumeist auf eine oder zwei Figuren, die – sofern sie aus einem größeren figuralen Zusammenhang stammen – isoliert werden. Ist die Entscheidung für eine bestimmte Figur gefallen, kommt es in einem zweiten Schritt zu einer zeichnerischen Bearbeitung des ausgewählten Motivs. Hierbei handelt es sich zunächst um den Versuch, sich der Figur zeichnerisch anzunähern, d.h. mithilfe der Linie bestimmte Charakteristika der Figur zu erfassen. Die unmittelbarste Linie, die man bei einer Figur im Normalfall ziehen kann, ist die Umrisslinie. Auch eine Binnengliederung, die sich beispielsweise aus dem Nachzeichnen der Körperteile oder deren Überschneidungen ergibt, ist eine nahe liegende Möglichkeit. Eine weitere Herangehensweise ist das Erfassen der Proportionen oder die Umschreibung der Körpervolumina, die oftmals in konkaven oder konvexen Schwüngen voneinander abgrenzbar sind. Auch die Licht-Schatten-Verteilung auf einem Körper, hervorgerufen durch seine spezifische Ausleuchtung, kann als Ansatz einer zeichnerischen Annäherung dienen. Dabei werden weniger zwei Flächen durch die Linie gegeneinander abgegrenzt, als bestimmte Flächen, die sich durch Unterschiede der Helligkeitswerte auszeichnen, innerhalb anderer Flächen umrissen. Nicht zuletzt kann auch die farbliche Gestaltung eines Körpers, also das Nebeneinander von Farbflächen, den Impuls zu einer zeichnerischen Auseinandersetzung liefern.

Bei all diesen Möglichkeiten der zeichnerischen Erkundung einer Figur handelt es sich innerhalb des Arbeitsprozesses ausdrücklich nicht um einander ausschließende Bemühungen. Ich kann mich einer Figur demnach sowohl über die Umrisslinie und die Binnenkonturen als auch – und zwar gleichzeitig – über die Licht-Schatten-Verteilung oder jede beliebige andere Art annähern. Jedwede Kombination ist möglich. Dabei kommt es zwangsläufig zu miteinander konkurrierenden Linien bzw. zu einem Liniengeflecht, das teilweise durch widersprüchlich erscheinende Linienführungen gekennzeichnet ist. Nicht selten dienen gerade solche, sich überraschend entwickelnde Linien als Grundlage weiterer Umgestaltungen oder Permutationen. Dadurch ergeben sich oftmals Linien, die sich in keine logische oder nachvollziehbare Übereinstimmung mehr zu der Ursprungsfigur bringen lassen.

Was bei der kurzen Beschreibung dieses äußerst komplexen Vorgangs bisher deutlich geworden ist, ist die sukzessive Entfernung der zeichnerischen Analyse vom Ursprungsmaterial. Was als Annäherung an die Figur begann, kann bis zu einer vollständigen Auflösung des figurenkonstituierenden Zusammenhalts des ursprünglichen Körpers führen. Hier lässt sich zunächst ein destruierendes Element feststellen. Andererseits ist aber auch immer wieder das Bestreben zu bemerken, einen verloren gegangenen Zusammenhang zurückzugewinnen. Der gesamte Vorgang ist also von den Komponenten der Destruktion und der Rekonstruktion geprägt und wird so lange von mir durchgeführt, bis ich mit der neu entstandenen Figur zufrieden bin. Dabei sind ganz unterschiedliche Stufen der Ähnlichkeit zwischen Ursprungsfigur und endgültiger Figur möglich.

Innerhalb dieses Prozesses wird die zentrale künstlerische Leistung erbracht. Die definitive Zeichnung bildet die Grundlage für alle folgenden Arbeitsschritte bis zur exakten Umsetzung der Figur auf der Leinwand. Alle Entscheidungen, die den Aufbau der Figur betreffen, werden in dieser Phase gefällt.

Einerseits handelt es sich um eine recht frei aufgefasste Herangehensweise, bei der ich unterschiedlichste Linienführungen teste. Die Ursprungsfigur stellt dabei sozusagen den Ankerpunkt dar, an dem ich mich zunächst orientiere, um dann in zunehmend imaginativer Weise verschiedene Linienführungen zu entwickeln. Andererseits wird diese prinzipielle Freiheit immer wieder durch den Anspruch eingeschränkt, eine *funktionierende* Figur ausarbeiten zu wollen. Das *Funktionieren* einer Figur kann auf unterschiedliche Weise an dieser ablesbar sein. Es geht mir keineswegs darum, eine Figur zu entwerfen, die sich durch eine absolut logische und nachvollziehbare Linienführung auszeichnet. Im Gegenteil entscheide ich mich häufig gerade für solche Linien, die Mehrdeutigkeiten zulassen und die Figur insgesamt als mit Inkonsistenzen und Brüchen behaftet erscheinen lassen. Eine *funktionierende* Figur ist für mich eine solche, die die Ambiguitäten ihres Entstehungsprozesses veranschaulicht und an welcher dennoch ein übergeordneter Zusammenhalt deutlich wird. Die vorstellbaren Pole von einer vollkommen harmonisch ausgeführten Figur und einem bis zur Unkenntlichkeit in ein unentwirrbares Liniengeflecht aufgelösten Körper werden von mir demnach nie erreicht. Innerhalb dieser Spanne lassen sich an den Figuren jedoch unterschiedliche Schwerpunktsetzungen aufzeigen.

Sobald mir eine neue, adäquate Figur gelungen ist, erfolgt deren Übertragung auf einen Bildträger (vgl. Abb. 1).

Abb. 1: o.T., 120 x 85 cm, Acryl auf Leinwand, 2004

Mühelos erkennt man eine weibliche Figur, die, auf ihrem linken Bein hockend, das Gesicht zum Betrachter gewandt, eine Art Balken oder etwas ähnliches vor ihren Körper hält. Insgesamt macht die Figur einen in sich geschlossenen Eindruck, obgleich Einbrüche im Bereich ihres rechten Oberarms sowie im Bereich ihres Gesäßes feststellbar sind. Während große Teile der Figur unmittelbar einsichtig erscheinen, bleiben andere Partien, so der Bereich des Rumpfes oder das seltsam lang gestreckte Rechteck, das vor ihrem Körper auftaucht, unklar.

Das Gemälde weist einige offensichtliche Charakteristika auf, die prägend für den Eindruck auf den Betrachter sind. Die bereits erwähnte Konzentration auf eine einzige Figur wäre hier an erster Stelle zu nennen. Außerdem springt die konsequente Vermeidung jeglicher Farbigkeit sofort ins Auge. Die Figur setzt sich aus schwarzen Flächen zusammen, die durch weiße Linien voneinander getrennt sind und die sich kontrastreich von dem rein weißen Hintergrund absetzen. Ebenso auffällig ist, dass keinerlei räumliche Gestaltung in das Bild integriert wurde, was insbesondere durch den Verzicht auf perspektivische Mittel erreicht wird. Auch eine komplexe Bildkomposition ist nicht vorzufinden. Es lässt sich demnach feststellen, dass viele Kennzeichen, die man üblicherweise von einem Bild erwartet, zum Verschwinden gebracht werden. Insgesamt handelt es sich um eine extrem reduzierte Formensprache. Das Bild besteht lediglich aus schwarzen Flächen, die auf einen weißen Hintergrund aufgebracht sind und die in ihrem Zusammenspiel eine Figur konstituieren.

Erkenntnistheoretische Fragen und künstlerische Arbeit

Die sehr reduzierte formale Gestaltung, die durch das Verschwindenlassen bildüblicher Parameter entsteht, ist durchaus mit Bedacht gewählt und stellt meines Erachtens eine probate Möglichkeit dar, meine zentrale künstlerische Fragestellung angemessen in visueller Form darzustellen. Wie in der Einleitung bereits kurz angedeutet, ist der Fokus meines Interesses auf erkenntnisgenerierende Prozesse gerichtet. Genauer gesagt, stellt meine künstlerische Position den Versuch dar, die Erkenntnisgenese des Menschen in der Sphäre der Kunst zu reflektieren. Durch die Kunst möchte ich den Weg, den menschliche Erkenntnisproduktion durchläuft, nachvollziehen und die dabei wirkenden Mechanismen sowie die auftretenden Schwierigkeiten anschaulich machen.

Die Erkenntnistheorie philosophischer Provenienz stellt zweifellos ein höchst umstrittenes, von divergierenden, sich teilweise unversöhnlich gegenüberstehenden Positionen geprägtes Gebiet dar. Dennoch lässt sich eine gemeinsame, grundsätzlich jeden Ansatz berührende Aussage treffen. Wenn die Erkenntnistheorie sich auf die Suche nach dem Ursprung der Erkenntnis begibt, die verschiedenen Arten von Erkenntnis zu ergründen sucht oder grundsätzlich nach der Möglichkeit von Erkenntnis fragt, dann nähert sie sich diesen Problemen in begriffssprachlicher Form. Dies kann so weit gehen, dass lediglich dem

Wissen, welches sich in der Gestalt von Propositionen artikuliert, der Status der Wahrheit (oder zumindest der Richtigkeit, im Sinne von Gegenstandsadäquatheit) zugebilligt wird. Als Künstler stellt sich mir die Frage, ob die begriffssprachliche Auseinandersetzung mit erkenntnisgenerierenden Prozessen die einzige Möglichkeit ist, oder ob es nicht Alternativen gibt. Ich denke, dass die Thematisierung dieser Prozesse in der Kunst eine solche Alternative darstellt. In diesem Sinne geht es mir nicht um eine theoretische Erörterung des Problemfeldes, sondern vielmehr um ein möglichst unmittelbares Begreifen und Erleben von erkenntnisgenerierenden Leistungen. Was ich als Künstler im Bereich der Kunst nachzuvollziehen versuche, bezieht sich dabei sowohl auf Erkenntnis als Prozess wie auch auf Erkenntnis als Ergebnis solcher Prozesse. Dabei möchte ich grundlegenden Mechanismen und Schemata auf die Spur kommen.

Die Vorstellung von Erkenntnis, die meiner Arbeit zugrunde liegt, orientiert sich demgemäß nicht an einzelnen philosophischen Systemen, sondern geht von der menschlichen Grunderfahrung aus, dass Erkenntnis letztlich immer von zwei Elementen bestimmt wird: Sie entsteht in einem reziproken Zusammenspiel von sinnlichen Daten, die wir durch unseren Sinnesapparat erhalten, und deren kognitiver Verarbeitung. Die in diesem Wechselgefüge ablaufenden Prozesse sind dabei ebenso unumgänglich wie notwendig. Primär dienen sie dazu, dass wir uns in einer bestimmten Umwelt orientieren und zurechtfinden können. Ergebnisse solcher Prozesse können beispielsweise bestimmte Gedanken, Aussagen, Stimmungen oder auch Gefühle sein. Am deutlichsten werden sie in unserem Verhalten, also in konkreten Handlungen sichtbar. *Erkenntnisse* sind in diesem Sinn verhältnismäßig allgemein aufgefasste Prozesse oder deren Ergebnisse, die uns ein Leben in einer bestimmten Umwelt erst ermöglichen. Es handelt sich nicht unbedingt um Erkenntnisse, die mit dem Anspruch letztbegründeter Wahrheit auftreten.

Wie immer auch die genauen Ergebnisse solcher Prozesse aussehen, sie sind letztes Endes als individuelle Konstruktionen zu qualifizieren. Unabhängig von den möglicherweise objektiven Grundlagen unserer Sinneseindrücke wird Erkenntnis erst durch die jeweilige kognitive Verarbeitung des Individuums generiert, selbst wenn sie größtenteils spezifischen Regeln folgt. Diese Einschätzung erscheint mir umso zwingender, je komplexer die Zusammenhänge sind, auf denen bestimmte Erkenntnisse beruhen. So kommt es trotz grundsätzlich identischer Bezugsgrößen und trotz ebenso identischer menschlicher Regelmechanismen in Bezug auf Erkenntnisse oft eher zu Dissonanzen, als zu Übereinstimmungen zwischen den Menschen. Menschliche Aussagen weichen ebenso erheblich voneinander ab wie Gefühlskonstellationen oder Verhaltensweisen. Zwar findet Verständigung statt, gleichwohl dominiert dabei nicht selten der Konflikt, insbesondere wenn es um Details geht. Der subjektive Eigenanteil an der Wahrnehmung und der Interpretation von Welt, die eine vom Individuum jeweils *konstruierte* Welt ist, ist demnach als bestimmend anzusehen.

Die Beziehung zwischen allgemeiner menschlicher Erkenntnistätigkeit und meinem künstlerischen Ansatz möchte ich mit einer Parallelisierung aufzeigen. Dabei entsprechen die Bilder, die als Ausgangsmaterial meiner Arbeiten dienen, den in der Anschauung gegebenen Sinnesdaten. Die als Sinnesdaten gegebenen Vorlagen bilden die unabdingbare Basis für die weitere Verarbeitung. Diese besteht im Bereich der Kunst in der zeichnerischen Transformation des Ausgangsbildes; im Bereich der menschlichen Erkenntnisgenese vollzieht sie sich in kognitiven Prozessen. Ebenso wie sich die komplexe Umformung des ursprünglichen Bildes durch die zeichnerische Arbeit gestaltet, kann meines Erachtens der kognitive Aneignungsprozess der Sinnesdaten begreifbar gemacht werden. So werden, wie eingangs beschrieben, durch die fokussierte Aufmerksamkeit des Künstlers immer bestimmte Teile oder Merkmale einer Figur interessant, woraus sich ständig Linienkombinationen ergeben, die wiederum Anlass weiterer Modifikationen sind. Äquivalentes ist für allgemeine Erkenntnisabläufe feststellbar. In Abhängigkeit von dem sinnlich erfahrenen Objekt werden je nach eingenommenem Standpunkt des erkennenden Subjekts verschiedene Merkmale relevant, auf denen aufbauend es dann zu konkreten Bedeutungszuschreibungen kommt. Bestimmungs- und Gedankensplitter konkurrieren miteinander, Konflikte treten auf, Alternativen werden erwogen, akzeptiert oder verworfen, Teilergebnisse werden bestätigt oder infrage gestellt. Genauso wie mir die Begründung für oder gegen eine tatsächlich vollzogene Linienführung nicht immer transparent ist, bleiben die Entscheidungsgrundlagen der Erkenntnisprozesse oftmals ebenso vage. Dennoch steht am Ende des Prozesses ein Ergebnis. In der Kunst lege ich eine bestimmte Figur fest und führe sie z.B. als Leinwandarbeit aus. Diesem konkreten Leinwandbild, das gleichsam als definitive Behauptung vorgestellt wird, korrespondiert – allgemein gesprochen – beispielsweise eine Aussage, die ich treffe, ein Gefühl, das ich besitze, oder die Art, wie ich mich faktisch verhalte und handle.

Die von mir geschilderte strikte Arbeitsweise erfährt vor diesem Hintergrund ihre Notwendigkeit, ist sie doch in besonderer Weise geeignet, menschliche Erkenntnisprozesse zu reflektieren. Dadurch, dass ich während des gesamten Vorgangs der Herstellung eigener Arbeiten in der Sphäre des Bildes verbleibe, wird jegliche Reminiszenz an eine vermeintliche Wirklichkeit ausgeschlossen. Die Betonung der Künstlichkeit in der Bildherstellung ist auch als Hinweis auf die prinzipielle Konstruiertheit individueller Welt- und Wirklichkeitsansichten verstehbar. Erst durch das Verbleiben im gesonderten Bereich der Kunst ist es möglich, sich die ständig vollziehenden erkenntnisgenerierenden Abläufe zu verdeutlichen.

Begründung der Form und künstlerische Fragestellung

Auch die äußerst reduzierte formale Gestaltung der Arbeiten findet nun ihre Bestätigung. Die formalen Charakteristika der Gemälde und Tuschezeichnungen, die mit dem umfangreichen Verschwindenlassen üblicher Kennzeichen von Bildern einhergehen, sind dem Bestreben geschuldet, das Gewicht der individuellen Verarbeitung innerhalb der auf Erkenntnis ausgerichteten Prozesse zu betonen. Die Bilder sollen dabei, ebenso wie es im Wesentlichen auch die Erkenntnisse des Menschen sind, als Konstruktionen kenntlich werden.

In diesem Sinne bietet schon die Auswahl der Figuren, die am Anfang des Arbeitsablaufs steht, einige Hinweise. Um ein Bild überhaupt auswählen zu können, muss es mir zunächst präsent sein. Bilder, die mir präsent sind, sind dabei entweder solche, die mir durch meine Umwelt dargeboten werden oder solche, die ich bewusst aufsuche. Im ersten Fall bin ich maßgeblich von den kulturellen Gegebenheiten abhängig, die die traditionellen und aktuellen Bildwelten fundieren. Insbesondere die Darstellung von Figuren und menschlichen Körpern auf Bildern unterliegt hierbei den Determinationen kultureller Prägung. Aus einer unüberschaubaren Masse von Bildern suche ich durch gezielte Entscheidungen nur wenige aus, die zur weiteren Verarbeitung herangezogen werden. Eine Auswahl habe ich auch dann schon getroffen, wenn ich, wie im zweiten Fall, gezielt nach bestimmten Bildern suche, die nicht mühelos zugänglich sind. Es handelt sich also um einen hochselektiven Vorgang, der noch vor aller zeichnerischen Bearbeitung stattfindet und der sich formal in der Isolierung einer oder zweier Figuren auf der Leinwand niederschlägt. Schon in der Auswahl weniger Bilder aus einer Masse möglicher Bilder ist ein konstruktives Vorgehen erkennbar. Im Rückbezug auf allgemeine Erkenntnisprozesse lassen sich wiederum Parallelen aufzeigen. Durch die Sinne nimmt man eine unvergleichlich hohe Anzahl an unterschiedlichen Informationen auf, die durch Selektion so weit reduziert werden, bis ein verarbeitbares Maß erreicht ist. Unabhängig von den dabei verwendeten Kriterien der Selektion kommt es mir jedoch insbesondere darauf an, den Sachverhalt als solchen in einem Bild zu veranschaulichen.

Auch der Verzicht auf jegliche Farbe zielt auf die Hervorhebung des Bildes als Ergebnis einer Konstruktion. Die Verwendung von Farbe dient bei den meisten Bildern dazu, die Lücke zwischen Bildgegenstand und Naturvorbild nachhaltig zu verschleiern. Der Betrachter soll in der Folge der Illusion unterliegen, bei einem im Bild dargestellten Gegenstand handele es sich tatsächlich um den Gegenstand und nicht um eine Abbildung desselben. Der Gebrauch von Farbe verstärkt diesen mimetischen Effekt, und das Bild bürgt durch diese Ähnlichkeit für seine vermeintliche Wahrheit. Eine andere Möglichkeit für die Verwendung von Farbe liegt in ihrer Betonung als gegenstandsunabhängiger, malerischer Substanz. Hier kommt Farbe nicht zur Erzeugung einer Gegenstandskongruenz zum Einsatz; vielmehr geht es darum, sie in ihrer autonomen und absoluten Konkretion zu sich selber zu führen. Damit einhergehend wird bei solchen Positionen oftmals mit der psychologischen Wirkung der Farbe kalkuliert. In der Folge wird bewusst auf die Emotionen des Betrachters oder auf das Auslösen bestimmter Stimmungen und Gefühlslagen abgehoben. Der Verzicht auf die Farbe ergibt sich aus der Notwendigkeit, sich von solchen illusionistischen oder die malerische Substanz betonenden Tendenzen abzusetzen und dadurch das Bild wiederum als reine Konstruktion herauszustellen.

Das Fehlen einer komplexen Bildkomposition, der Wegfall einer illusionierenden räumlichen Gestaltung und die Dominanz der Linie unterliegen ebenfalls dieser Zielsetzung. Insbesondere die Linie wird in der bildenden Kunst traditionell mit der Vorstellung der Konstruktion in Verbindung gebracht. Mithilfe der Linie wird eine Idee skizziert oder ein gedankliches Konzept in die Form einer Zeichnung übertragen. Durch die Linie wird der mental-rationale, mithin der Aspekt des Konstruierens in den Vordergrund gestellt. Anhand der sich immer weiter vom Ausgangsbild entfernenden Linienführung in der zeichnerischen Bearbeitung lassen sich auch Rückschlüsse auf die Bedeutung desselben ziehen. So ist festzustellen, dass die ursprüngliche Bedeutung des Ausgangsbildes während der zeichnerischen Transformation, die ein eigenes, selbständiges Bild nach sich zieht, immer stärker zurückgedrängt wird. In dieser Phase der Umwandlung kommt es zu einer Verselbständigung der Linienführung, in deren Verlauf die Ausgangsfigur mehr und mehr verblasst. Mit Rekurs auf allgemeine erkenntnisproduzierende Abläufe ließe sich anführen, dass es auch hierbei zu einer Loslösung von den sinnlichen Wahrnehmungsdaten kommt. So bildet man sich beispielsweise seine eigenen Überzeugungen unter Berücksichtigung und durch Abgrenzung von anderen Einschätzungen, die man zuvor zur Kenntnis genommen hat. Oder man beginnt, sich eine ganz eigene Gedankenwelt aufzubauen und sich dabei von den Beurteilungen, die einem den Aufbau der eigenen Welt erst ermöglicht haben, immer mehr zu entfernen. Auch hier lassen sich also wiederum konstruktive Vorgänge herausstellen.

Gemäß meiner künstlerischen Intention, den Faktor der individuellen Konstruktion bei der menschlichen Erkenntnisgenese zu beleuchten, war es notwendig, eine formal überzeugende Bildsprache zu entwickeln. Diese beinhaltet, dass zentrale bildkonstituierende Größen zum Verschwinden gebracht werden. Das Attribut des Verschwindens ist hierbei jedoch nicht im Sinne eines Mangels zu verstehen, sondern als bewusst eingesetztes Mittel, das es dem Betrachter ermöglicht, im spezifischen Kunstwerk einen allgemeinen Aussagegehalt zu erkennen.

Die *Zurichtung* der Bildfigur

Die enge Verknüpfung von der Reflexion erkenntnistätiger Vorgänge und künstlerischer Arbeit bedingt also die exzeptionelle formale Gestaltung meiner Bilder. Die Reflexion wird hierbei durch den direkten Vollzug der bildkonstituierenden

Prozesse in Anlehnung an allgemeine erkenntnisgenerierende Abläufe nachvollzogen und beobachtet.

Auf eine fundamentale Erfahrung, die untrennbar mit der menschlichen Erkenntnisgenese verbunden ist und die auch in meinen Bildern veranschaulicht wird, möchte ich noch kurz eingehen. Diese betrifft das Problem, einerseits dem Bedürfnis einer kohärenten und konsistenten Welterzeugung zu unterliegen, andererseits ständig auf Widersprüche, Brüche und Konflikte zu stoßen, die diesem Bedürfnis entgegenstehen. Auf der einen Seite ist der Anspruch feststellbar, eine harmonische Welt zu generieren, die als möglichst widerspruchsfreies System größtmögliche Orientierung und Sicherheit garantiert. Auf der anderen Seite wird dieses Verlangen massiv und andauernd durch abweichende Konstruktionen der Welt konterkariert, die mit der meinen konkurrieren. Die Folge davon ist, dass Menschen ihre mühsam erworbenen Erkenntnisse, ihr Wissen von der Welt stets hinterfragen und neu überdenken müssen, sofern sie sich nicht einem Dogmatismus unterworfen haben. Diese Spannung kann sich dabei auf zwei Ebenen vollziehen: einmal zwischen verschiedenen Individuen, in wechselseitigem Vergleichen und Argumentieren. Darüber hinaus kann der Konflikt auch im Einzelindividuum selber auftreten. Durch den Erwerb zusätzlicher Informationen, durch neue Erlebnisse oder durch den Wechsel der persönlichen Perspektive kann man zu der Überzeugung gelangen, dass die bisherigen, als verbindlich betrachteten Erkenntnisse einer Revision unterzogen werden müssen.

Abb. 2: o.T., 130 x 90 cm, Acryl auf Leinwand, 2004

Wie in der Beschreibung des Arbeitsprozesses schon deutlich geworden ist, beinhaltet das *Funktionieren* der Figuren auf meinen Bildern maßgeblich die Veranschaulichung gerade dieses Grundkonflikts zwischen Harmoniebestreben und dessen Zerrüttung. Sobald diese Spannung auch in der Bildfigur selber sichtbar wird (vgl. Abb. 2), stellt sich verstärkt die Frage nach ihrem Eigenwert im Gegensatz zu ihrer künstlerischen Aneignung.

Die Produktion meiner Bildfiguren ist nämlich immer mit einem gewissen Aggressionspotenzial verbunden, und dasselbe gilt letztlich auch für die Genese menschlicher Erkenntnis. Es handelt sich gleichsam um eine *Zurichtung* der Ausgangsfigur zu einem mir adäquat erscheinenden Bildmotiv, wodurch der Umgang mit dem zum *Objekt* degradierten Gegenstand meiner Erkenntnisgenese zum Thema wird.

Die Beziehung zwischen erkennendem Subjekt und erkanntem Objekt wird vornehmlich durch die sinnhafte Aneignung des Objekts durch das Subjekt geprägt. Das Subjekt greift sozusagen in die Sphäre des Objekts ein, um seiner habhaft zu werden. Was das Subjekt dabei erhält, ist ein Abbild des Objekts, welches zwar eine irreduzible Lücke zum Objekt aufweist, jedoch auch Bestimmungsstücke desselben in sich trägt. Trotz aller Kontroll- und Bestimmungsversuche kann es niemals gelingen, das Objekt der Erkenntnis vollständig zu erfassen. Somit sind auch subtile Einwirkungen des Objekts auf meine individuelle Konstruktion nicht ausgeschlossen. Das Objekt wirkt gleichsam an seiner eigenen Konstruktion mit. Die prinzipielle Nichtübereinstimmung zwischen Abbild und Objekt sowie die Frage, auf welche Weise die Bestimmungsstücke erzeugt werden, ist deshalb Anlass für mich, den Status der Bildfiguren zu überdenken.

Abb. 3: o.T., 80 x 41 und 80 x 26 cm, Acryl auf Leinwand, 2005

Abb. 3 zeigt eine Figur, die diesem Sachverhalt Rechnung trägt. Die Bildfigur ist nun ihrerseits aktiv geworden und übernimmt gewissermaßen die Initiative bezüglich ihrer eigenen Konstruktion. Die Linien basieren nicht mehr einzig auf den verschiedenen formalen Charakteristika der Ausgangsfigur. Vielmehr werden sie in Abhängigkeit von der spezifischen Pose der Figur entwickelt. Mit spitzen, noch tastenden Fingern versucht die Bildfigur hier, selber eine Form für sich zu finden, indem sie die Linien ihrer eigenen Konstruktion selbsttätig zieht. Der Betrachter wird Zeuge eines Wechselspiels zwischen den unvermeidlichen Konstruktionsbemühungen des Künstlers und der gleichzeitig verlaufenden, selbstkonstruktiven Initiative der Bildfigur.

Es kommt hier mithin zu einer ersten Verschiebung in der Betrachtungsweise. Waren die vorherigen Ausführungen auf die Leistungen des Künstlers und seines spezifischen konstruktiven Vorgehens bei der Gestaltung der Bildfiguren konzentriert, wird durch die Integration der Bildfigur der Blickwinkel verändert. Damit sind auf der Ebene der allgemeinen Erkenntnisabläufe zwei entscheidende Faktoren beschrieben: das Subjekt, das durch individuelle konstruktive Leistungen seine Welt *erbaut* und dem das zentrale Gewicht zugesprochen wird, sowie das Objekt, welches einen letztlich unbestimmbaren Einfluss auf die Konstruktionen des Subjekts ausübt. Um in der Sphäre der Kunst wie auch bei der allgemeinen Annäherung an erkenntnisgenerierende Prozesse zu einer Vervollständigung zu gelangen, gilt es nun, auf die dritte Komponente einzugehen. Im Folgenden soll es deshalb um den Betrachter der Kunst bzw. um den Rezipienten von bereits erbrachten Erkenntnisleistungen gehen.

Substanzverlust und Fragmententfaltung

Eine erste gestalterische Maßnahme, welche die Involvierung des Betrachters forciert, lässt sich in Abb. 3 und Abb. 4 nachvollziehen.

Die Bildfigur wird jeweils auf zwei Leinwände verteilt, statt in ihrer Gesamtheit auf eine Leinwand appliziert zu sein. Beide Arbeiten bestehen also aus zwei getrennten Leinwänden, die sich erst im Zusammenwirken als vollständiges Bild entfalten lassen. Das Verhältnis, das bei den beiden Teilstücken zum Tragen kommt, entspricht dabei den Maßregeln des Goldenen Schnitts. Als Goldenen Schnitt bezeichnet man ein irrationales Teilungsverhältnis, bei dem eine Strecke derart in zwei Abschnitte gegliedert wird, dass sich der kürzere Abschnitt zum längeren verhält wie der längere zur Gesamtstrecke. Der bewusste Einsatz des Goldenen Schnitts lässt sich in der bildenden Kunst in zahlreichen Gemälden seit der Renaissance nachweisen. Dabei wird die Bildfläche kompositorisch so angelegt, dass beispielsweise die Horizontlinie einer Landschaft mit der theoretischen Linie des Goldenen Schnitts kongruent ist. Die mathematische Konstruktion bestimmt zwar den gesamten Bildaufbau, wird aber durch die Einbettung in ein Landschaftsgemälde gleichsam verkleidet. Das Ziel dieses Vorgehens ist es, eine bestimmte Wirkung beim Betrachter hervorzurufen, der eine solcherart unterteilte Fläche intuitiv als besonders harmonisch und angenehm empfindet. Es wird demnach mit den Mitteln der geometrischen Konstruktion auf die psychische Befindlichkeit des Betrachters abgezielt.

Abb. 4: o.T., 80 x 42 und 80 x 26 cm, Acryl auf Leinwand, 2005

Der Goldene Schnitt, der auch als „göttliche Teilung" bezeichnet wird, ist aus verschiedenen Gründen für meine Arbeit interessant. Zunächst handelt es sich um ein Mittel der Konstruktion zum Zweck der Erzeugung eines harmonischen Eindrucks. Indem ich dieses konstruktive Element so verwende, dass es explizit wird, da das eigentliche Bildmotiv zerschnitten und mit einer deutlich sichtbaren Lücke versehen wird, unterlaufe ich den Anspruch einer harmonischen Gestaltung. Durch die Teilung und das Auseinanderziehen der entstandenen Fragmente entsteht zwangsläufig eine Verzerrung des Liniengeflechts, die sich auf die Stabilität der gesamten Bildfigur auswirkt. Dadurch wird paradoxerweise, mit einem Mittel zur Erzeugung von Harmonie, mehr Heterogenität im Bild hervorgerufen. Ein weiterer Aspekt betrifft nun den Betrachter, der in seinem individuellen Bestreben, den Zusammenhalt der Bildfigur wieder herzustellen, eine ausgleichende Überbrückung des Spalts vorzunehmen versucht. Durch seine kognitive Eigenleistung wird er um eine Resituierung der Bildfigur bemüht sein. Dies geschieht z.B. durch den Versuch einer logischen Weiterführung der Linien über den Schnitt hinweg von einer Bildfläche zur anderen. In diesem Augenblick ist der Betrachter also gefangen in seiner eigenen Erkenntnistätigkeit, wodurch ein erster Schritt dahingehend getan ist, ihm seine individuelle erkenntnisgenerierende Leistung erlebbar zu machen.

Eine weitere Variante, um dem Rezipienten seine eigene Erkenntnistätigkeit bewusst zu machen, kann man in Abb. 5 nachvollziehen.

Abb. 5: o.T., 145 x 100 cm, Acryl auf Leinwand, 2005

Immer noch trifft man auf die weißen Linien, die das Konstruktionsmerkmal des Künstlers sind. Daneben tritt jetzt jedoch ein anderes Element in den Vordergrund: die völlig fragmentierte Fläche. Es tauchen schwarze Flächen auf, die nur noch Bruchstücke zu sein scheinen und zwischen denen die mehr oder weniger ersichtlichen Zusammenhänge erst gefunden werden müssen. Das Nebeneinander dieser wie beschädigt wirkenden, sich in Auflösung befindenden Flächen führt zunächst zu dem Eindruck visueller Ruinen, die gleichsam Überreste einer Zerstörung sind. Der Bildgegenstand tritt hier verstümmelt in Erscheinung und ist keinesfalls mehr ohne weiteres erkennbar. Wiederum wird das Moment des Verschwindens virulent. Zeigte sich das Verschwinden bisher vor allem anhand üblicher Kennzeichen eines Bildes, um das menschliche Prinzip des Konstruierens hinsichtlich der Erkenntnistätigkeit herauszustreichen, wird nun auch die letzte bildkonstituierende Substanz – die schwarze Fläche – aufgelöst. Wiederum jedoch ist dieses Verschwinden nicht als Defizit zu bewerten, sondern als notwendiger Schritt, der erst den eindringlichen Hinweis auf maßgebende Abläufe der Erkenntnisgenese erlaubt.

Der Effekt, der durch die Präsentation der Substanzfragmente erzielt wird, ist vor allem in Bezug auf das *direkte Erleben* der erkenntnisgenerierenden Abläufe beim Betrachter bemerkenswert. Die Prozesse, denen bereits mit der besonderen Verwendung des Goldenen Schnitts verstärkt Aufmerksamkeit zugekommen ist, werden durch die beschriebenen formalen Vorgaben des Bildes nun verschärft provoziert. Es kommt zu einer Schwerpunktverlagerung, die von der eigentlichen Bildsubstanz wegführt und die bildkonstituierenden Prozesse des Betrachters in den Blick nimmt. Einem intuitiven Automatismus folgend, ist der Betrachter bestrebt, den ihm vorgesetzten Fragmenten einen Sinn abzugewinnen. Er versucht, eine Beziehung zwischen den schwarzen Bruchstücken zu stiften, um ein Bildmotiv zu identifizieren. Gleichsam reflexhaft setzt der Mechanismus ein, zu den in der Anschauung gegebenen Motivsplittern einen passenden Begriff zu finden, um eine eindeutige Benennung des Bildmotivs durchführen zu können. Durch den bewusst eingesetzten Substanzverlust bei den Bildfiguren wird die intuitive Fragmententfaltung des Betrachters initiiert. Der Betrachter befindet sich in diesem Augenblick im Stadium reinster Erkenntnistätigkeit. Die Fragmentierung des Bildmotivs kann so weitreichend sein, dass zahlreiche Möglichkeiten der Rekonstruktion entstehen und somit auch variierende Interpretationen bezüglich des Motivs möglich sind. Der Betrachter sieht sich einer schwankenden und unsicheren bildlichen Ausgangslage gegenüber, die von ihm ein besonderes Engagement in Bezug auf die Bilderkennung und Bedeutungszuschreibung erfordert. In seinem Scheitern eindeutiger Zuweisungen auf Grundlage des sichtbaren Materials oder dem Tatbestand, dass ihm immer wieder alternative Zusammenhänge zwischen den visuellen Ruinen als möglich erscheinen, wird er stets auf sich selber und seine erkenntnisgenerierende Tätigkeit zurückgeworfen.

Außer diesen allgemeinen Beschreibungen, die in enger Verbindung zu der künstlerischen Position stehen und mit der Frage nach menschlichen Erkenntnisprozessen verknüpft sind, kann man kaum Angaben zu den individuellen und konkreten Abläufen des jeweiligen Betrachters machen. Wie es zu einer definitiven Bedeutungszuschreibung kommt, ist nicht allgemein erfassbar. Feststellbar ist jedoch gewissermaßen eine Umkehrung des Weges, den ich als Künstler bis zur Entstehung des Bildes vollzogen habe. Für meine Arbeit ist es leitend, von einem existierenden Bild auszugehen und über einen Aneignungsprozess, der von den Parametern der Destruktion und der Rekonstruktion geprägt ist, zu einem funktionierenden Bild zu gelangen. – Ein Verfahren, in dem ich allgemeine erkenntnisgenerierende Prozesse des Menschen gespiegelt sehe. Um diesen Sachverhalt eindringlich zu betonen, ist die Ausarbeitung der spezifischen formalen Gestaltung der Bilder notwendig. Die ursprüngliche Bedeutung des Ausgangsmaterials verblasst während dieses Prozesses immer mehr. So spielen irgendwann die Kriterien für die ursprüngliche Wahl einer Bildvorlage kaum mehr eine Rolle. Ganz gleich, ob zunächst ein inhaltliches Interesse an einer Figur bestanden hat oder ob ästhetische Gesichtspunkte den Ausschlag für die Beschäftigung mit der Vorlage gegeben haben, bin ich im Verlauf des Arbeitsprozesses letztlich nur noch mit diesem selbst befasst.

Ganz anders als der Weg der Produktion verläuft der der Rezeption des Betrachters. Dieser bekommt mit dem Bild ein Ergebnis geliefert, welches für ihn zum Ausgangspunkt seines Ergänzungsbestrebens wird. Da das Stiften von Zusammenhängen in der Regel immer so weit gelingt, dass eine Figur erkannt wird, bekommt die Frage der dezidierten Sinnzuschreibung – also um was für eine Figur es sich genau handeln könnte – Relevanz (vgl. Abb. 6).

Abb. 6: o.T., 73 x 82 cm, Acryl auf Leinwand, 2005

Der Punkt also, der bei der Produktion zunehmend unwichtiger wird, rückt bei der Rezeption deutlich in den Vordergrund. Ob ein Betrachter hierbei zu einem für ihn befriedigenden Ergebnis kommt, hängt gewöhnlich von seinem Kontextwissen ab. Meistens ist beobachtbar, dass das tatsächlich verwendete Ausgangsbild nicht rekonstruiert werden kann. Wird es doch einmal identifiziert, so ist dies eher ein Sonderfall, der lediglich dann vorliegt, wenn auf ein sehr prominentes Werk der Kunstgeschichte zurückgegriffen wurde und gleichzeitig die residualen Bruchstücke noch einen relativ leicht erkennbaren Bezug zulassen. Im Regelfall jedoch kommt es in Abhängigkeit vom Kontextwissen der Rezipienten zu teilweise völlig divergierenden Interpretationen der Bildfiguren. Das imaginierte Ausgangsbild wird dabei oftmals als unvollständiges Zitat beschrieben, das in den Bildern erkennbar bleibe. Das gegebene Abbild enthält für den Rezipienten die Bestimmungsstücke, die Grundlage der Rekonstruktion werden. Dies bezieht sich sowohl auf formale als auch auf inhaltliche Bemühungen der Sinnzuschreibung (vgl. Abb. 7).

Wenn auch der Weg des Künstlers zum Bild anders verläuft als der des Rezipienten, der vom Bild ausgeht, so lassen sich doch im Licht allgemeiner Erkenntnistätigkeiten strukturelle Ähnlichkeiten aufzeigen. In beiden Fällen unterliegt man dem Mechanismus, dass aufgrund einer sinnlich wahrgenommenen Information eine rationale Weiterverarbeitung unternommen wird, um zu einem sinnversprechenden Ergebnis zu gelangen. Für mich als Künstler ist es völlig sekundär, welche Interpretationen die reduzierten Bruchstücke meiner Arbeiten erfahren. Es geht vielmehr darum, dem Betrachter am Beispiel der Kunst erlebbar zu machen, dass er ständig in Prozessen begriffen ist, die ihn die Welt interpretieren, einordnen, mit Sinn belegen, kurz: konstruieren lassen. Dass es trotz identischem Ausgangsmaterial dabei zu den unterschiedlichsten Interpretationen kommt, ist nur ein weiterer Hinweis, der die Komplexität und Fragilität dieser erkenntnisgenerierenden Mechanismen verdeutlicht.

Abb. 7: o.T., 64,5 x 31,5 cm, Acryl auf Leinwand, 2005

Die formale Gestaltung der Bilder, die das Verschwindenlassen bildüblicher Kennzeichen ebenso beinhaltet wie das partielle Verschwinden der noch verbleibenden bildkonstituierenden Restsubstanz, ist dabei notwendig, um unmittelbar nachvollziehbar zu machen, dass die allgemeinen, auf Erkenntnis abzielenden Muster des Menschen zur Disposition stehen. So wird diese Art der formalen Reduktion zu einem Gewinn, der dem Betrachter ein vollziehendes Verständnis seiner Erkenntnistätigkeit ermöglicht.

unsichtbar werden: die mathematik des verschwindens
bei gilles deleuze

Hanjo Berressem, Köln

film1 | line1: einleitung   intervall

In dem Film *The Incredible Shrinking Man* von 1957, gedreht nach dem Buch *The Shrinking Man* von Richard Matheson,[1] schlagen Partikel einer mysteriösen Wolke als „Glitzerstaub" auf den Körper des Protagonisten Scott Carey nieder und setzen einen Prozess des Verschwindens in Gang. Im Buch wird klar, dass es sich gemäß einer beliebten Formel der 50er Jahre-Science-Fiction bei der Chemikalie um ein Insektenspray handelt, „hideously altered by radiation."[2]

---

[1] *The Incredible Shrinking Man*, USA 1957, Regie: Jack Arnold; Richard Matheson: *The Shrinking Man*, London 1969.

[2] Ebd., S. 102. Vgl. *The Incredible Shrinking Woman*, USA 1981, Regie: Joel Schumacher; *Innerspace*, USA 1987, Regie: Joe Dante; *The Phantastic Voyage*, USA 1966, Regie: Richard Fleischer.

Beginnen möchte ich jedoch nicht mit Matheson, sondern mit der vielleicht bekanntesten Szene eines Verschwindens im Englischen Sprachraum: „I wish you wouldn't keep appearing and vanishing so suddenly: you make one quite giddy", sagt das Mädchen Alice zu einer Katze. „All right,'" said the Cat; and this time it vanished quite slowly, beginning with the end of the tail, and ending with the grin, which remained some time after the rest of it had gone." Die Katze ist natürlich die berüchtigte Cheshire Cat und das dazugehörige Buch Lewis Carrolls *Alice's Adventures in Wonderland*.[3]

Von Interesse ist hier besonders, dass die Cheshire Cat ihr Verschwinden für Alice verlangsamt. Diese Verlangsamung zeigt, dass jedes scheinbar plötzliche „now you see it, now you don't" in Wahrheit ein allmählicher Prozess ist, und sie eröffnet die Frage danach, was in dem Intervall dazwischen geschieht. Wie funktioniert der Übergang vom Sehen zum Nicht-Sehen? In mathematischer Terminologie, die ja auch Lewis Carroll nicht fremd war, was passiert zwischen z[eitpunkt]1: „now you see it" und z2: „now you don't?" Das Medium Film operiert mit einer ähnlichen Intervalllogik. Was liegt zwischen zwei aufeinanderfolgenden Bildern b[ild]1 und b2 auf dem Zelluloidstreifen und warum bemerkt der menschliche Wahrnehmungsapparat dieses Intervall nicht? Bei Leibniz thematisiert die Integralrechnung eine vergleichbare Logik. Hier geht es um die Frage nach dem mathematischen Zwischenraum zwischen zwei eng beieinanderliegenden Positionen d[elta]1 und d2. Thomas Pynchon hat dieses intervallen in seinem Roman *Gravity's Rainbow* in Bezug auf den Parabolflug der V2 „pornographies of flight" genannt, weil die Integralrechnung eine kontinuierlich|analoge Bewegung in diskret|digitale Schritte aufbricht.[4]

1858 hat der Mathematiker Richard Dedekind diese Logik auf die Zahlenreihe angewandt. Eine kontinuierliche Linie zwischen zwei Punkten kann in unendlich viele Zahlen [rationale, irrationale, reale] aufgeteilt und dadurch messbar gemacht werden. Man braucht die Strecke jeweils nur in der Mitte zu teilen und diese Routine unendlich oft zu wiederholen. Jede Zahl fungiert dabei als Schnitt in die anfängliche Kontinuität und verstärkt somit deren Diskontinuität. Gleichzeitig aber fungiert sie als Annäherung an eine erneute, nunmehr messbare Kontinuität: die Kontinuität unendlich vieler, unendlich eng aneinanderliegender Schnitte, d.h. eine Kontinuität aus unendlicher Diskontinuität.[5]

Die Affinität der Logik Dedekinds zum Verschwinden liegt darin, dass die Strecke zwischen zwei Punkten, also das Intervall zwischen zwei digitalen Messungen, zwar immer kleiner wird, je mehr Zahlen man einfügt – im Idealfall wird es verschwindend gering –, dass es aber nie ganz verschwindet. Ganz ähnlich wird das Intervall zwischen „now you see it, now you don't" immer kleiner je schneller etwas passiert, aber immer hört etwas nie auf, dazwischen zu verschwinden. Verschwinden geschieht somit in einem Raum- bzw. einem Zeitinter-

3   Lewis Carroll: *Alice's Adventures in Wonderland*, London 1994, S. 78.
4   Thomas Pynchon: *Gravity's Rainbow*, New York 1973, S. 523.
5   Richard Dedekind: *Essays on the Theory of Numbers*, La Salle 1984.

vall, das gegen null konvergiert, aber nie null wird. Verschwinden ist immer ein Prozess, d.h. man kann immer wieder eine Zeitlupe einbauen, die den scheinbar momentanen Zeit*punkt* in einen Zeit*raum* ausdehnt|verlangsamt. Hollywood macht das in letzter Zeit gerne mit Kugeln oder auch mit Pfeilen. Eine räumliche Strategie, das Prozesshafte des Verschwindens sichtbar zu machen, ist, einen Zoom zu benutzen, der zeigt, dass z.B. etwas verschwindend Kleines nur auf einer bestimmten Ebene bzw. von einer bestimmten Entfernung aus verschwindend klein ist: Der Zeitpunkt eines Verschwindens ist immer ausdehnbar, jedes plötzliche Verschwinden ist immer ein allmähliches *fading* oder Unwahrnehmbar-Werden. Das Problem liegt lediglich darin, dass spezifische Wahrnehmungsapparate oft zu grob bzw. zu langsam|träge sind, um dieses *fading*|Unsichtbar-Werden zu registrieren.

Das Verschwinden liegt also immer und grundsätzlich im Intervall zwischen den Messpunkten und -ebenen, anhand derer spezifische Wahrnehmungsapparate operieren. Das Verschwundene ist immer nur verschwunden für die jeweils höhere und gröbere Ebene. Je feiner und schneller die Wahrnehmung, desto enger liegen die Intervalle aneinander. Dennoch gibt es immer wieder mindestens ein weiteres, kleineres Intervall, da sich jedes Intervall wiederum in kleinere Wahrnehmungs*schnitte* digital untersch[n]eiden lässt. Für jede Wahrnehmungsebene gibt es somit ein verlorenes Intervall; so z.B. die Intervalle auf dem Zelluloid, die der visuelle Wahrnehmungsapparat des Menschen nicht erkennt, weil er dazu zu träge ist. Eine schnellere Wahrnehmung würde die Intervalle sehen und der Film müsste schneller ablaufen, um den Effekt einer kontinuierlichen Bewegung zu erzielen – im Endeffekt mit einer unendlich schnellen Geschwindigkeit. Am Ende dieser rekursiven Reihe liegt das Ideal einer unendlich feinen, unendlich schnellen Wahrnehmung; einer Wahrnehmung in Echtzeit.

film2 | line2: unsichtbar werden   unbewusst werden

Wenn, wie der radikale Konstruktivismus argumentiert, jede Wahrnehmung einen Schnitt voraussetzt, dann nehmen wir bewusst nur durch schneiden, d.h. durch unterscheiden wahr. Wie Félix Guattari bemerkt: „Wir definieren die Maschine als jegliches System, das die Ströme schneidet."[6] Wiederum mathematisch: während Verschwinden ein kontinuierlicher|analoger Prozess ist, sind Wahrnehmung und Kognition diskret|digital. So erkennt Carey zum ersten Mal, dass er kleiner wird, anhand einer völlig automatischen, routinierten Bewegung, deren Ablauf sich schon über einen längeren Zeitraum minimal geändert hat, aber deren Differenz jetzt so groß geworden ist, dass sie vom Wahrnehmungssystem

---

6   Félix Guattari: *Chaosophy*, New York 1995, S. 98f. [Übersetzung H.B.]. Siehe auch Gilles Deleuze, Félix Guattari: *Anti-Ödipus. Kapitalismus und Schizophrenie 1*, Frankfurt a.M. 1974: „Jede Maschine steht erstens in Beziehung zu einem kontinuierlichen materiellen Strom (*hylè*), in dem sie Schnitte vornimmt" (47).

erstmalig registriert und gemessen wird. Ähnlich kann Kälter-Werden immer nur anhand solch diskreter Momente gemessen werden, obwohl es anders gefühlt werden kann.

Ohne dass ich bisher das Werk von Gilles Deleuze erwähnt habe, ist an dieser Stelle schon die Grundstruktur der Deleuzianischen Philosophie abgesteckt, in der Unwahrnehmbar-Werden zu den Grundkonzepten zählt. Auch persönlich ist das Unwahrnehmbar-Werden für Deleuze ein wichtiger Kontext. In *Unterhandlungen* bemerkt er z.B. auf den Vorwurf hin, er sei aufgrund seiner überlangen Fingernägel eine Diva, dass eine mögliche Erklärung für die überlangen Fingernägel sei, dass seine Fingerspitzen keinen Wahrnehmungsschutz hätten und somit übersensibel seien: „Man kann ebenfalls bemerken, wenn man meine Fingerkuppen genau betrachtet, daß mir die üblicherweise schützenden Fingerlinien fehlen, so daß es einen nervösen Schmerz verursacht, wenn ich mit den Fingerspitzen einen Gegenstand und besonders Stoff berühre, was den Schutz durch lange Fingernägel erfordert [...]." Eine weitere mögliche Erklärung sei: „Man kann weiterhin sagen, und es stimmt auch, daß mein Traum ist, wenn nicht unsichtbar, so doch nicht wahrnehmbar zu sein, und daß ich diesen Traum durch den Besitz von Fingernägeln kompensiere, die ich in die Tasche stecken kann [...]."[7]

Die Frage ist, warum das Verschwinden in der Delenzianischen Philosophie so eminent positiv besetzt ist, dass er es als eine der drei Kardinaltugenden bezeichnet und somit gegen die christliche Reihung Glaube, Liebe, Hoffnung stellt: „unwahrnehmbar, ununterscheidbar und unpersönlich, die drei Tugenden."[8] Allen drei dieser Tugenden ist gemein, dass sie ein Anonym-Werden beinhalten; ein Aufgehen in der Welt. Sowohl optisch [Unwahrnehmbarkeit], kategorisch [Ununterscheidbarkeit] als auch psychisch [Unpersönlichkeit] ist das Ideal, nicht wahrgenommen werden zu können, d.h. unter dem Radar von Wahrnehmungsapparaten zu fliegen. Ein Fisch zum Beispiel „bildet [...] mit den Linien eines Felsens, mit Sand und Pflanzen eine Welt, um unwahrnehmbar zu werden" und um „[i]n der Welt auf[zu]gehen."[9] Es geht somit um die Beziehungen zwischen den Ebenen der drei Tugenden, „dem (anorganischen) Unwahrnehmbaren, dem (asignifikanten) Ununterscheidbaren und dem (asubjektiven) Unpersönlichen."[10]

Unwahrnehmbar-Werden ist für Deleuze so positiv, weil es für ihn gleichbedeutend ist mit Unbewusst-Werden. In diesem Zusammenhang könnte man die anfängliche Panik Careys als Allegorie auf die Panik der Lacanschen Psychoanalyse vor dem Deleuziansichen Unbewussten lesen. Denn das Deleuzianische Unbewusste ist im Gegensatz zum Lacanschen Unbewussten, das bekanntlich

---

[7] Gilles Deleuze: *Unterhandlungen.1972–1990*, Frankfurt a.M. 1993, S. 13f.

[8] Ders., Félix Guattari: *Tausend Plateaus. Kapitalismus und Schizophrenie 2*, Berlin 1997, S. 382.

[9] Ebd., S. 381.

[10] Ebd., S. 380.

wie eine Sprache strukturiert ist, ganz wörtlich das Nicht-Wahrnehmbare. Es liegt immer in Wahrnehmungsintervallen, in den „Mikrointervallen" auf der Linie [der *Fluchtlinie*] zwischen zwei Punkten und es „geht als solches in die Mikro-Perzeptionen ein [...].“[11] In dieser Denkfigur wird die generelle Unterscheidung *bewusst – unbewusst* zugunsten einer unendlichen, rekursiven Kette ineinandergeschachtelter und daher grundsätzlich relativer Systeme *bewusst – unbewusst* aufgegeben, wobei es Deleuze beim Unbewusst-Werden darum geht, die Wahrnehmungsschwellen so fein wie möglich zu machen: „Natürlich sind Wahrnehmungsschwellen relativ, es gibt immer jemanden, der etwas erfassen kann, was einem anderen entgeht [...].“[12] Michel Serres hat dies folgendermaßen dargestellt:

> Damit weicht das Unbewußte gleichsam nach unten zurück, es gibt so viele davon im System, wie es *Integrationsebenen* gibt. Das Unbewußte ist nichts anderes als das, worüber wir zunächst keine Informationen besitzen. [...] Jede Informationsebene funktioniert für die umgebende globale Ebene wie ein Unbewußtes. [...] Was nicht gewußt wird und auch nicht ins Bewußtsein tritt, das ist, am Anfang der Kette, das Getöse der Energieumwandlungen [...]; diese Zufallspakete werden nun Ebene für Ebene von jenem subtilen Transformator gefiltert, den der Organismus darstellt [...]. Es sieht so aus, als wäre das klassische Unbewußte nichts anderes als die letzte Black-box, die für uns am klarsten ist, weil sie im vollen Sinne sprachlichen Charakters ist.[13]

Bei Deleuze klingt das so: „Es gibt immer eine Wahrnehmung, die feiner als die eure ist, eine Wahrnehmung eures Unwahrnehmbaren, eine Wahrnehmung dessen, was in eurer Schachtel [Black Box] ist.“[14]

Deleuze und Guattari entwickeln die Idee des Verschwindens in *Tausend Plateaus*, insbesondere im Kapitel „Intensiv-Werden, Tier-Werden, Unwahrnehmbar-Werden" und dort im Unterkapitel „Erinnerungen eines Moleküls", wo sie es als Endpunkt einer Kette von Werdensprozessen beschreiben: „Zellular-, Molekular-, Elementar- und sogar Unwahrnehmbar-Werden", eine Reihung, die dezidiert als kontinuierlich beschrieben wird: „Eine Faser erstreckt sich von einem Menschen zu einem Tier, von einem Menschen oder von einem Tier zu Molekülen, von Molekülen zu Teilchen, bis hin zum Unwahrnehmbaren.“[15] Das Unbewusste | Verschwundene, in dem feste Punkte in Strecken und Repräsentationen in Produktionen aufgelöst werden, ist durch das Ideal des Molekularen perspektiviert.

---

[11] Ebd., S. 382, 387.
[12] Ebd., S. 382.
[13] Michel Serres: *Hermes IV. Verteilung*, Berlin 1993, S. 282f. [Hervorhebung H.B.].
[14] Deleuze, Tausend Plateaus, S. 390.
[15] Ebd., S. 339f.

Sowohl im Buch als auch im Film werden die Phasen von Careys Unwahrnehm-bar-Werden anhand von Einzelmomenten dargestellt, die nicht nur sein allmähliches körperliches Verschwinden markieren, sondern jeweils auch sein soziales Verschwinden.

Schon lange aus dem sozialen Feld der Normalität ausgeschlossen, wird u.a. auch sein *sexual fading* vom geliebten und sexuell begehrten Ehemann zum *Schoß*-männchen dargestellt.

Zwar kann er zeitweise seine verlorene Stellung – auch die als Sexualobjekt – auf der darunter liegenden Ebene der Welt der Kleinwüchsigen wieder zurückgewinnen, aber gerade als er sich auf dieser kleineren Realitätsebene häuslich eingerichtet und eine erneute Normalität wiedererlangt hat, wird deren Schwelle auch schon wieder unterschritten. Dargestellt ist im Film symptomatisch wiederum genau der Augenblick [das Moment], in dem er realisiert, dass er gestern noch größer und heute schon kleiner ist als das *objet petit a* der Begierde.

Auf den folgenden Ebenen geht es dann nicht mehr um menschliche Beziehungen, sondern um abenteuerliche Auseinandersetzungen mit Tieren, wobei die Serie dieser Auseinandersetzungen [Katze, Maus, Spinne] weitere Momente des Verkleinerns markiert. Insgesamt geht es bei der Repräsentation von Careys Verschwinden immer weiter um ein Aneinanderreihen von immer kleineren Ebenen bis hin zur molekularen Ebene, die bei Deleuze als *Immanenzebene* oder als *organloser Körper* firmiert: „Und wenn der oK eine Grenze ist, wenn man ihn immer angestrebt hat, so liegt das daran, daß es hinter jeder Schicht eine andere gibt und jede in eine andere eingefügt ist."[16] Schon der von Leeuwenhoeks Mikroskop faszinierte Leibniz hatte ähnliches gesagt: „Und jeder Anteil der Materie kann als ein Garten voller Pflanzen und wie ein Teich voller Fische begriffen werden. Jeder Zweig der Pflanze, jedes Glied des Lebewesens, jeder Tropfen seiner Säfte ist jedoch wiederum ein solcher Garten oder ein solcher Teich."[17]

---

16 Ebd., S. 219.
17 Leibniz, Gottfried Wilhelm: *Monadologie und andere metaphysische Schriften*, hrsg. und ü-bers. v. Ulrich Johannes Schneider, Hamburg 2002, S. 139.

Medientheoretisch ist vielleicht interessant, dass weder das Buch noch der Film, zumindest nicht auf strukturell|narrativer und auf visueller Ebene, die Kontinuität des Werdens bzw. des Verschwindens direkt darstellen. In beiden Medien wird das kontinuierliche *sliding* als *stumbling* dargestellt, d.h. beide Medien können sich der Kontinuität des Verschwindens nur durch Punktierungen nähern. Obwohl der Plot des Films völlig gradlinig und kontinuierlich ist – er verläuft streng nach dem Muster des Kleiner-Werdens – können jeweils nur verschiedene Ebenen des Kleiner-Werdens anhand von diskreten Momenten gezeigt werden. Im Buch ist das etwas komplizierter. Hier wechseln sich Beschreibungen der „letzten 6 Tage" mit dazwischen gestaffelten Retrospektiven ab, wobei diese Retrospektiven als Überschriften ganz lapidar Größenmaße haben: 68 inches, 49, 42, 35, 21, 18, 7. Mathematisch, und das wird noch wichtig, ist dies eine Subtraktionsreihe rationaler Zahlen, die vorausberechenbar bei Null enden wird. Es ist symptomatisch, dass sowohl das Buch als auch der Film über das kontinuierliche Verschwinden dieses Verschwinden lediglich anhand von *bemerkens*werten Zeitpunkten darstellen können, so als wenn das Verschwinden in der Wahrnehmung selbst dem Verschwinden anheimfällt und immer anheimfallen müsste.

Filmtheoretisch hat das damit zu tun, dass der Film wie der Wahrnehmungsapparat nicht anders kann, als die Welt in Einzelszenen und Sequenzen aufzuschneiden. In seinen Kinobüchern ist dies Deleuzes Grundannahme, anhand derer er Henri Bergsons Thesen zum Film analysiert. Dabei spielt er Bergsons anfängliche These vom Film als *falscher* Bewegung – im Gegensatz zur *wahren*, weil kontinuierlichen Bewegung des Lebens – gegen Bergsons eigene, spätere These von der Wahrnehmung als inhärent *filmisch*, d.h. als diskontinuierlich|diskret aus. Nach dieser These, die Deleuze stärker macht als die erste, fällt die Kontinuität und damit das Werden nicht nur strukturell aus dem technischen Apparat Film heraus, sondern auch aus der internen Form des Films, die beide seinem Inhalt nicht gerecht werden können – oder gerade eben doch.[18]

An diesem Punkt erscheint es möglich, die Konvergenz von Kontinuität und Unbewusstem etwas genauer ins Auge zu fassen. Wenn die Wahrnehmung immer schon *diskret* ist, dann kann man das Unbewusste nur dadurch erreichen, dass man unter die jeweilige Wahrnehmungsschwelle gelangt, auf der dann aber logischerweise das Unwahrnehmbare liegt und auf der man selbst unwahrnehmbar wird. Da auf der Ebene des Unwahrnehmbaren jedoch wiederum wie beim Dedekindschen Schnitt eine, wenn auch feinere Diskretisierung bzw. eine im mathematischen Sinne gedachte Integration vorgenommen werden kann, wird man nie völlig unbewusst. Diese skalierte Logik verschiedener Stufen des Unbewusst-Werdens schlägt sich in Deleuzes Reihung des Werdens nieder [z.B. Frau-Werden, Tier-Werden, Molekular-Werden etc.].

---

[18] Gilles Deleuze: *Kino 1. Das Bewegungs-Bild*, Frankfurt a.M. 1997; Ders. *Kino 2. Das Zeit-Bild*, Frankfurt a.M. 1997.

Beim Subjekt kann man sich dies nun vielleicht noch vorstellen, aber welche Auswirkungen hat diese medieninhärente Ironie auf den Film? In anderen Worten, wo liegen die Stufen des Unbewussten beim Film? Sind es kleine, nicht wahrnehmbare Bewegungen im Bild? Unbemerkte Aspekte der Farbgebung oder des Ausdrucks? Deleuze führt hier den Begriff der Intensität ein. Sowohl im Subjekt wie auch im Film bestimmen analoge Intensitäten und anonyme Affekte die Ebenen des Unbewussten. Zwischen den diskreten Momenten des Wahrnehmbaren im Film liegen Intensitätskontinua: unmessbare, molekulare Verschiebungen und Kräftedynamiken sowohl physischer als auch psychischer Art. Unwahrnehmbar-Werden ist daher nicht nur ein Unbewusst-Werden, sondern auch ein Intensiv-Werden – oder besser, ein Immer-Intensiver-Werden. Dies jedoch gerade nicht im Sinne des Exzessiv-Werdens, sondern im Sinne eines Immer-Weniger-Messbar-Werdens, eines Sub-Liminal- oder Unterschwellig-Werdens und damit auch eines Immer-Anonymer-Werdens. Immer weniger innerhalb messbarer, strikter Kopplungen definiert, sondern in loseren Zusammenhängen bzw. Kopplungen. Vielleicht könnte man mit Niklas Luhmann sagen, es geht um ein Medium-Werden, denn im Unbewusst-, im Unwahrnehmbar- und im Intensiv-Werden löst sich individuelles Leben in das auf, was Deleuze „ein Leben" nennt: „Es geht darum, das Leben, jede Individualität des Lebens, nicht als eine Form oder Formentwicklung zu begreifen, sondern als komplexes Verhältnis zwischen Differentialgeschwindigkeiten, zwischen Verlangsamung und Beschleunigung von Teilchen."[19] Carey wird Teil einer *Häcceitas* werden, aber so weit sind wir noch nicht.

film4 | line4: subtraktion   integration

Mit der allmählichen Ausblendung der individuellen Sexualität Careys geht einher, dass er ab einem kaum messbaren Moment eine Schwelle unterschritten hat, ab der er nicht mehr als Mann, sondern als Kind wahrgenommen wird. Er lebt dementsprechend nun in einem Puppenhaus, das fraktal in die normale Realität eingebaut ist. Wiederum ist dies eine Allegorie des Leibniz'schen bzw. Serres'schen, unendlich rekursiven Universums. Wenn es Körper in Körpern gibt, dann gibt es auch Häuser in Häusern.

Es ist ein direktes Ergebnis seines Kleiner-Werdens und ähnlich relativ, dass Careys Sinne immer feiner werden, einfach weil die vorherigen Wahrnehmungsparameter größer und stärker, in Deleuzianischen Registern *molar* werden. Er nimmt das wahr, was seine Frau nicht mehr wahrnehmen kann. Im Gegenzug

---

[19]   Ders.: „Spinoza und wir", in: ders.: *Spinoza. Praktische Philosophie*, Berlin 1988, S. 159–169, Zitat S. 160.

werden ihre Bewegungen und ihre Geräusche riesenhaft, weil auf der Wahrnehmungsskala seine Wahrnehmungen immer feiner und *molekularer* werden. Er sieht [„now you see it"], was seiner Frau unbewusst ist [„now you don't"]: „He remembered how, toward the end of his stay in the house, he had been incapable of listening to music unless it was played so low that Lou couldn't even hear it. Otherwise the music was magnified into a clubbing noise at his ears, giving him a headache."[20] Symptomatisch werden die Entfernungen dabei in den neuen Ebenen umso größer, je kleiner Carey wird, d.h. der Maßstab ist nicht objektiv, sondern er wird subjektiv in die Ebenen mitgenommen, so dass auf einem Regal eine Scheibe Brot „two hundred yards"[21] weit weg sein kann.

Danach verfolgt der Film anhand weiterer Stationen Careys fraktalen, kontinuierlichen Abstieg in die molekulare Welt. Ab einer gewissen Größe kann dieser Abstieg nur noch projiziert werden. Es scheint, als würde Carey selbst für die Kamera [bzw. den Erzähler] zu klein. Der Repräsentationsapparat muss sich von ihm verabschieden, da er zu grob ist, zu körnig, um ihm noch zu folgen. Carey verlässt damit gleichzeitig die Ebenen des Menschlichen und des Tierischen, um in das einzutauchen, was Deleuze „[e]in kraftvolles nicht-organisches Leben"[22] nennt, in eine molekulare, nicht-humane Sexualität. Am Ende wird er Teil der Immanenzebene werden, unsichtbar, ununterscheidbar und unpersönlich, ein „nur durch Bewegung und Ruhe, Langsamkeit und Schnelligkeit" definiertes Element innerhalb einer Multiplizität von „unendlich kleinen Teile[n] eines bestehenden Unendlichen [...]."[23] Er wird unendlich schnell werden, unendlich anonym, unendlich klein: Er wird nicht aufhören, zu verschwinden.

Der Unterschied zwischen der Deleuzianischen Philosophie und Carey besteht lediglich darin, dass Carey insgesamt schrumpft und somit kohärent bleibt. Im Gegensatz dazu geht es bei Deleuze darum, das der menschliche Körper selbst ein Universum mit unendlich vielen Ebenen ist und in letzter Instanz Teil der kontinuierlichen Immanenzebene. Je tiefer man in diese Ebenen eindringt, je unbewusster wird man und desto mehr verliert man seine Strukturierungen und seine Eigenschaften. Die Logik ist dabei genauso paradox wie bei Dedekind: „[D]as Unwahrnehmbare selber wird zwangsläufig wahrnehmbar, während die Wahrnehmung selber zugleich zwangsläufig molekular wird [...]."[24] Aus diesem Grund kann Deleuze sagen, dass ein Atom im Endeffekt mehr wahrnimmt als ein Mensch, da es ungemein schneller und feiner ist. Wie Deleuze anmerkt: „[D]as erste materielle Moment der Subjektivität [...] subtrahiert [...]. Ein Atom

---

20 Matheson, Shrinking Man, S. 104.
21 Ebd., S. 149.
22 Deleuze, Tausend Plateaus, S. 702.
23 Ebd., S. 346.
24 Ebd., S. 384.

zum Beispiel erfährt [im Sinne von wahrnehmen] unendlich viel mehr als wir selbst, es erfährt im Grenzfall das gesamte Universum [...]."[25] Eine anonyme atomare Wahrnehmung.

Zum Ende hin hat Carey seine anfängliche Panik überwunden, er hat sich von allem gelöst und sieht seinem Verschwinden mit freudiger Erwartung entgegen. Hatte er zuvor Angst, weil er an eine menschlich-endliche, subtraktive Mathematik glaubte, „[i]n six days he would be gone", „[f]or what reality could there be at zero inches", so realisiert er am Ende, dass die Natur nach der Mathematik des Unendlichen operiert und daher sein Unwahrnehmbar-Werden „a thing of potential value, not just [...] a curse" ist.[26] Im Buch wird das besonders deutlich, denn Carey schaltet direkt von einer Subtraktionslogik [Endlichkeit] zu einer Infinitesimallogik [Unendlichkeit] um: „How could he be less than nothing? [...] Last night he'd looked up at the universe without. Then there must be a universe within, too. Maybe universes. [...] He'd always thought in terms of man's own world and man's own limited dimensions. He had presumed upon nature. For the inch was man's concept, not nature's. To a man, zero inches mean nothing. Zero meant nothing. But to nature there was no zero [...]. He would never disappear, because there was no point of non-existence in the universe. [...] There was food to be found, water, clothing, shelter. And, most important, life. Who knew? [...] Scott Carey ran into his new world, searching."[27]

Es ist die Idee, dass es in der Natur keine Null gibt, die Deleuze an dem Buch so fasziniert: „Wenn das Frau-Werden das erste Quantum oder molekulare Segment ist, und danach die Arten des Tier-Werdens kommen, die sich mit ihm verknüpfen, worauf läuft dann das alles hinaus? Ohne jeden Zweifel auf ein Unwahrnehmbar-Werden. Das Unwahrnehmbare ist das immanente Ziel des Werdens, seine kosmische Formel. Richard Mathesons *Shrinking Man* geht durch das Reich der Natur, schlüpft zwischen Moleküle, um schließlich ein unauffindbarer Partikel in unendlicher Meditation über die Unendlichkeit zu werden."[28] Am Ende des Buches steht ein Natürlich-Werden nicht im Sinne einer Rückkehr zu einer natürlichen Natur, sondern im Sinne einer informierten, lebenden, unendlichen Naturmaschine.

Im Gegensatz zum Buch wird im Film der Abstieg in religiösen Registern gedacht. Bezeichnenderweise ist es hier Gott, für den es keine Null gibt. Es geht wörtlich um ein unmögliches Nichts-Werden, das dennoch Existenz bedeutet: ein Schmelzen, ein Existieren ohne da zu sein. Und so müsste man eigentlich einen *Voice-over* des das Buch abschließenden Monologs über die letzte Szene des Films legen: „I was continuing to shrink, to become... what? The infinitesimal? What was I? Still a human being? Or was I the man of the future? If there were other bursts of radiation, other clouds drifting across seas and continents, would

---

25 Deleuze, Kino 1, S. 94.
26 Matheson, Shrinking Man, S. 6, 11, 143.
27 Ebd., S. 188.
28 Deleuze, Tausend Plateaus, S. 380.

other beings follow me into this vast new world? So close – the infinitesimal and the infinite. But suddenly, I knew they were really the two ends of the same concept. The unbelievably small and the unbelievably vast eventually meet – like the closing of a gigantic circle. I looked up, as if somehow I would grasp the heavens. The universe, worlds beyond number, God's silver tapestry spread across the night. And in that moment, I knew the answer to the riddle of the infinite. I had thought in terms of man's own limited dimension. I had presumed upon nature. That existence begins and ends in man's conception, not nature's. And I felt my body dwindling, melting, *becoming nothing*. My fears melted away. And in their place came acceptance. All this vast majesty of creation, it had to mean something. And then I meant something, too. Yes, smaller than the smallest, I meant something, too. To God, there is no zero. [*shouts*] I still exist!"[29]

film5 | line5: unendlich   werden

---

[29] Arnold, Incredible Shrinking Man.

Körperschwund. Der Organismus als Zone der Ökonomie

Stefan Rieger

„Hat die gegebene Ursache c eine ihr gleiche Wirkung e hervorgebracht, so hat eben damit c zu seyn aufgehört; c ist zu e geworden".[1]

„Beiläufig! Halley berechnete, daß die tausend Millionen Menschen, mit denen die Erdkugel bedeckt ist, jährlich 7393 Millionen Kubikschuh Wasser aus ihren Poren dampften."[2]

„In Hallers großer Physiologie steht es, daß der Mensch nach Sanktorius alle 11 Jahre den Körper fahren lasse – nach Bernoulli und Blumenbach alle 3 Jahre – nach dem Anatomiker Keil jedes Jahr."[3]

I.

Der *energetische Imperativ* ist in der Moderne allgegenwärtig. Sein Diktat liegt bestimmten Praktiken wissenschaftlichen Forschens ebenso zugrunde, wie er im Zuge seiner Popularisierung Eingang in fast sämtliche Bereiche der Lebenswelt gefunden hat. Ob die Arbeit von Menschen und Maschinen, von Tieren und Pflanzen, ob die Grundlagen der Kultur und ihrer Wissenschaft oder das Denken selbst – all die genannten Aspekte stehen in seinem Geheiß.[4] Mit dem Anschluss des menschlichen oder tierischen Organismus an die Belange der Energetik wird der Körper zum Schauplatz einer Vielzahl von Prozessen, die unterschiedliche Erscheinungsformen der Energie manifest werden lassen. Das Prinzip der Ener-

---

[1] Julius Robert Mayer, „Bemerkungen über die Kräfte der unbelebten Natur", in: ders., *Die Mechanik der Wärme. Sämtliche Schriften.* In Zusammenarbeit mit dem Stadtarchiv Heilbronn herausgegeben von Hans Peter Münzenmayer, Heilbronn 1978, 31–40, hier: 234.

[2] Jean Paul, *Auswahl aus des Teufels Papieren*, in: Jean Paul, *Sämtliche Werke*, 4. Bd., Berlin 1841, 439.

[3] Jean Paul, *Die unsichtbare Loge*, hrsg. von Norbert Miller, München, Zürich 1986, 71 (Fußnote).

[4] Für das Hypertrophwerden vgl. etwa Wilhelm Ostwald, *Energetische Grundlagen der Kulturwissenschaft*, (Philosophisch-soziologische Bücherei; Bd. XVI), Leipzig 1909 oder ders., *Der energetische Imperativ*, Leipzig 1921. Zur Übertragung auf das Denken P. Gabius, *Denkökonomie und Energieprinzip*, Berlin 1913.

gieerhaltung, wie es Julius Robert Mayer im *Erster Hauptsatz der Wärmelehre* (1842) und Herrmann von Helmholtz im *Satz von der allgemeinen Energieerhaltung* (1847) theoretisch festschrieben, kann als Kenntnisstand der Physik auch Einzug in andere Wissenschaften halten. Nicht zuletzt die Physiologie als Wissenschaft vom lebenden Organismus und seinen Verrichtungen kann im Verweis auf energetische Kreisläufe und die Ökonomie des Stoffwechsels ihre Karriere als Leitdisziplin des 19. Jahrhunderts antreten.[5] Weil die Beobachtung solcher Verrichtungen bestimmte Vorrichtungen voraussetzt, die den lebenden Körper in der Vielfalt seiner Verlaufsformen registrieren, ist die Nähe zur Geschichte technischer Medien vorgezeichnet. Physiologie und Medienentwicklung sind cum grano salis gleichursprünglich – ein Befund, der nicht zuletzt dazu führt, die Genealogie unserer Unterhaltungsmedien umzudatieren und in die erste Hälfte des 19. Jahrhunderts zu verlegen.[6] Damit geraten auch alternative Gründergestalten in den Blick – mit den Brüdern Weber nicht zuletzt aus einschlägigen Disziplinen wie der Physiologie und der Physik selbst.[7]

Zu beobachten ist bei all dem eine zunehmende Ökonomisierung des Körpers, die wie kaum eine andere die Topik der klassischen Moderne und damit die des 20. Jahrhunderts bestimmen wird.[8] In ihrer Folge kommt es zur Ausformung von Experimentalanordnungen, die dem Energiehaushalt und dem Stoffwechsel am lebenden Körper minutiös nachspüren.[9] Angesetzt wird dazu häufig an dessen Oberflächen, um so, auf dem Wege sorgfältiger Ummantelung und Abschließung, die entsprechenden Verhältnisse festhalten und registrieren zu können. Die dazu nötige Abschottung des Körpers von seiner Umwelt und der künstlich hergestellte Status eines geschlossenen Systems erzeugen eine eigen-

---

[5] Einschlägig dafür ist Carl Ludwig, „Beiträge zur Kenntnis des Einflusses der Respirationsbewegungen auf den Blutlauf im Aortensystem", in: *Archiv für Anatomie, Physiologie und wissenschaftliche Medicin*, Jahrgang 1847, 242–302. Mit dieser Arbeit lässt ein Historiograph die Einführung und den Siegslauf des Kymographions in der Physiologie beginnen. Vgl. zu dieser Einschätzung Giulio Panconcelli-Calzia, „Zur Geschichte des Kymographions", in: *Folia oto-laryngologica. 1. Teil / Originale: Zeitschrift für Laryngologie, Rhinologie, Otologie und ihre Grenzgebiete*, Bd. 26, 1936, 196–207.

[6] Zu dieser Perspektivierung der Mediengeschichtsschreibung Stefan Rieger, „Kunst, Medien, Kultur. Konjunkturen des Wissens", in: *Handbuch der Kulturwissenschaften*, Bd. 2, Paradigmen und Disziplinen, hrsg. von Friedrich Jaeger und Jürgen Straub, Stuttgart, Weimar 2004, 638–655.

[7] Vgl. dazu für die Kinematographie Friedrich Kittler, „Der Mensch, ein betrunkener Dorfmusikant", in: Renate Lachmann, *Text und Wissen. Technologische und anthropologische Aspekte*, Tübingen 2003 (Literatur und Anthropologie; 16), 29–43, sowie für die Phonographie Giulio Panconcelli-Calzia, „Wilhelm Weber – als gedanklicher Urheber der glyphischen Fixierung von Schallvorgängen (1827)", in: *Archiv für die gesamte Phonetik*, Bd. II, 1. Abteilung, Heft 1 (1938), 1–11.

[8] Philipp Sarasin, Jakob Tanner (Hg.), *Physiologie und industrielle Gesellschaft. Studien zur Verwissenschaftlichung des Körpers im 19. und 20. Jahrhundert*, Frankfurt/M. 1998.

[9] Das gilt selbstredend auch für die Pflanzen. Vgl. dazu Wilhelm Pfeffer, *Studien zur Energetik der Pflanze*, Leipzig 1892.

willige, fast schon bizarr wirkende Ikonographie. Berichten die Energieerhaltungssätze knapp und in formaler Eleganz davon, dass nichts in dieser Welt dem Verschwinden anheim fällt, dass nichts verloren zu gehen braucht, sondern alles in Prozessen der Transformation aufgeht, so muss dieses völlige Fehlen von Verlust am Organismus erst einmal nachgestellt werden.[10] Zwischen Behauptung und Beweis der energetischen Geschlossenheit in Systemen, wie sie zu Beginn der 1840er Jahr von Robert Julius Mayer im ersten Hauptsatz der Wärmelehre formuliert wurde, steht vor allem das Problem, eine für den Nachweis unabdingbare Geschlossenheit operativ herzustellen. Die Umsetzung führt zu Abdichtungen von Körperoberflächen, die häufig bizarr wirken, weil sie das Strömen von Kräften und Substanzen in ihrer ganzen Vielfalt domestizieren und unter Kontrolle halten sollen, gleichzeitig aber den Gegebenheiten der realen Körper und ihrer zum Teil sperrigen Ausformungen Rechnung tragen müssen. Die Folge ist ein technisches Anschmiegen an die natürlichen Körper und als dessen Einlösung eigentümliche Oberflächenummantelungen, die ihnen passgenau auf den Leib geschneidert sind.

Für dieses Vorhaben und damit auch für die sichtbare Ausgestaltung sperriger Oberflächen und ihre Handhabe steht kaum eine Wissenschaft so sehr wie die Physiologie. Die Leitdisziplin des 19. Jahrhunderts errichtet um das Konzept des Stoffwechsels herum ganze Arsenale der Beobachtung, deren Ziel es ist, den Wechsel der Stoffe und die Energetik des Körpers in allen denkbaren Belangen zu verrechnen. Stellvertretend für eine ganze Forschungsrichtung sei auf den Bonner Physiologen Nathan Zuntz (1847–1920) verwiesen.[11] Der Höhen- und Stoffwechselforscher Zuntz ersinnt zu Beginn des 20. Jahrhunderts ein ganzes Spektrum von Anordnungen, die den Organismus letztendlich in ein energetisches Wesen umsetzen und auf die Geschlossenheit eines energetischen Systems reduzieren wollen: Für den Stoffwechsel einschlägige Parameter wie Atmung, Ernährung, Belastung oder Erschöpfung sollen isoliert beobachtet, kontrolliert und gemessen werden können. Nicht zuletzt motorische Verrichtungen und auch die Arbeit selbst geraten so in den Fokus vielfältiger Aufmerksamkeiten. Ihre Bedingungen werden gezielt variiert, sie kommt auf realen Einsätzen bei Belastungsexperimenten in den Alpen oder im Fesselballon ebenso zum Tragen wie in simulierten Einsätzen auf eigens dazu erfundenen Laufbändern oder in Unterdruckkabinen. Bizarr wird das Ansetzen an den Oberflächen, weil es Geschlossenheit und Abdichtung nicht nur theoretisch behauptet, sondern in eine apparative Praxis umzusetzen hat: In pneumatischen Kabinetten, den Vorgängern aller Über- und Unterdruckkammern, aber auch in luftdichten Gesichts-

---

[10] Die Genealogie dieser Sätze führt über die drei Namen Julius Robert Mayer, Rudolf Clausius und Walther Nernst sowie über die Jahreszahlen 1845, 1850 und 1905.

[11] Dazu ausführlich Hanns-Christian Gunga, *Leben und Werk des Berliner Physiologen Nathan Zuntz (1847–1920). Unter besonderer Berücksichtigung seiner Bedeutung für die Frühgeschichte der Höhenphysiologie und Luftfahrtmedizin*, Husum 1989 (Abhandlungen zur Geschichte der Medizin und der Naturwissenschaften; Heft 58).

masken, die Menschen und Tiere bei Belastungsexperimenten zu tragen haben und mit denen durch ein Schlauchsystem etwa der Sauerstoffverbrauch gemessen werden kann, schlägt das auch visuell sehr eindrücklich zu Buche. [12]

Abb. 1: Stoffwechselwage von Santorius
(http://clendening.kumc.edu/dc/rti/diagnostics_1704_santorio.jpg);
(letzter Zugriff 25.09.2007)

---

[12] Zu Details solcher Versuche, zur Abschließung mittels Kisten, Respirationskammer und Masken, vgl. Emil Abderhalden, *Handbuch der biologischen Arbeitsmethoden, Abt. IV: Angewandte chemische und physikalische Methoden*, Teil 10, Berlin, Wien 1926, v.a. die Beiträge Robert E. Mark (Stoffwechselversuche am Menschen und am Hunde) und Hermann v. Schroetter (Über die Verwendung von Masken zur Bestimmung des respiratorischen Gaswechsels).

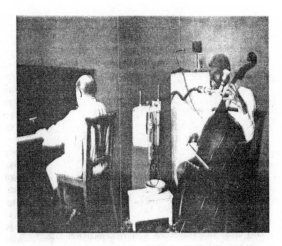

Abb. 25 Die trockene Gasuhr im Stoffwechselversuch
beim Musizieren.

Abb. 2: Hanns-Christian Gunga, Leben und Werk des Berliner Physiologen Nathan
Zuntz (1847–1920). Unter besonderer Berücksichtigung seiner Bedeutung für die
Frühgeschichte der Höhenphysiologie und Luftfahrtmedizin, Husum 1989
(Abhandlungen zur Geschichte der Medizin und der Naturwissenschaften;
Heft 58), S. 105.

Abb. 15 Die transportable, trockene Gasuhr von Zuntz im Einsatz
beim Marschversuch. Auf dem Kopf trägt Loewy ein Schalenstern-
anemometer zur Messung der Windgeschwindigkeit.

Abb. 3: a.a.O., S. 61.

77

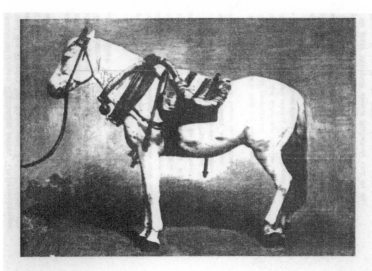

Abb. 12 Das Zuntz' Versuchspferd "Barnabas" mit Trachealkanüle, Schlauchleitung,
Exspirationsventil und einem mit Bleiplatten belasteten Sattel.

Abb. 4: a.a.O., S. 44.

Abb. 5: Respirationsapparat von Zuntz
(http://vlp.mpiwg-berlin.mpg.de/vlpimages/images/img10378.jpg)
(letzter Zugriff 25.09.2007)

Zuntz bleibt bei aller Detailversessenheit sowohl in der Durchführung wie auch in der Schilderung seiner Versuche das grundsätzliche Interesse an der Einbindung in die theoretische Großwetterlage der Energetik nicht schuldig. Dazu verweist er *expressis verbis* auf die Konzepte etwa der Thermodynamik, der Energieerhaltung und nennt deren wissenschaftlichen Sachwalter auch beim Namen. Was ihn und andere Forscher interessiert, ist die Suche und das Auffinden von Äquivalenten, die – wie die Kalorie – Umrechnungen und auf deren Grundlage Vergleichbarkeiten etwa zwischen der Leistung von Maschinen und tierischen und menschlichen Organismen erlauben.[13] Zwei Titel seien zur Veranschaulichung genannt: So schreibt er 1890 *Ueber die Leistungen der menschlichen Muskulatur als Arbeitsmaschine* und zwölf Jahre später und mit titelgebender Bezugnahme auf die Energieerhaltungssätze: *Der Mensch als calorische Maschine und der zweite Hauptsatz.*[14]

Zu situieren sind solche Bemühungen nicht zuletzt in einer zunehmenden Verwissenschaftlichung der Arbeit, wie sie in der Psychotechnik eines Hugo Münsterberg oder in der Arbeitswissenschaft eines Frank B. Gilbreth zu finden ist und wie sie ihr sinnenfälligstes Bild im *Ergographen* findet, in einem Gerät zur Bestimmung der Arbeit einzelner Muskelgruppen. Unter der Hand wird diese ganze Geschichte nicht nur das Verschwinden des Verlustes im bereits angedeuteten Sinne – als Energieerhalt – betreiben, sondern zugleich das Verschwinden bis dahin stichhaltiger Kriterien für die Unterscheidung von Mensch, Tier, Pflanze und Maschine. Mit dem Eintrag entsprechender Prozesse in die Beschreibungssprache etwa der Wärmetheorie und stellvertretend im Ersten Hauptsatz von der Energieerhaltung bei Robert Julius Mayer wird deutlich, wie sehr das Interesse auf eine Logik eindeutiger und eindeutig verrechenbarer Übergänge gerichtet ist: Sie zielt darauf ab, das vermeintliche Verschwinden zu positivieren, dem Verschwinden sein Unheimliches zu nehmen, es einzubinden in ein System, dem nichts entgeht, das buchhalterisch genau die Dinge der Welt verortet, so dass es weder das Gespenst der Energie – wie es Christoph Asendorf einmal beschrieben hat – noch das Phantasma ungeregelter Kräfte zu geben braucht, wie es im *Perpetuum mobile* seinen sinnenfälligen Niederschlag gefunden hat.[15] Es gilt, mittels Geschlossenheit das Verschwinden zu bannen, es gilt, ein Verschwinden des Schwundes voranzutreiben. Dazu muss an den Oberflä-

---

13 Vgl. dazu Ferdinand Redtenbacher, *Die calorische Maschine*, Mannheim ²1853 sowie Wolfgang König, *Künstler und Strichezeichner. Konstruktions- und Technikkulturen im deutschen, britischen, amerikanischen und französischen Maschinenbau zwischen 1850 und 1930*, Frankfurt/M. 1999.

14 Nathan Zuntz, „Ueber die Leistungen der menschlichen Muskulatur als Arbeitsmaschine", in: *Naturwissenschaftliche Rundschau*, 5, 1890, 337–341, sowie ders., „Der Mensch als calorische Maschine und der zweite Hauptsatz", in: *Physikalische Zeitschrift*, 1902, 184f.

15 Christoph Asendorf, „Das Gespenst der Energie. Wahrnehmung um 1900", in: *Wunderblock. Eine Geschichte der modernen Seele*, Wien 1989, 623–632.

chen des Körpers angesetzt und diese aus Gründen seiner Observierung abgeschlossen, abgedichtet oder ummantelt werden.

II.

Wollte man für das Bemühen um eine solche Geschlossenheit Bilder und Anordnungen finden, die auch eine historische Reihung erlaubten, so würden sie mit den Versuchen auf der Stoffwechselwaage beim italienischen Iatrophysiker Santorio in der zweiten Hälfte des 16. Jahrhunderts beginnen, seinen Weg über das Ice-Calorimeter des französischen Chemikers Antoine Laurent de Lavoisiers (und dessen Meerschweinchen) nehmen und mit den Respirationsapparaten bei Nathan Zuntz (und dessen legendärem Versuchspferd Balthasar) enden. Bei Santorio bleibt die Ganzheit des Organismus gewahrt: Es ist der tafelnde Mensch, wahrscheinlich der Experimentator selbst, der sich in der Herrschaftlichkeit des Zu-Tische-Sitzens so sehr inszeniert, dass die Waage als ein veritabler Thron erscheint. Von hier aus dominiert der Mensch das Reich der Imponderabilien, jener vermeintlichen Unwägbarkeiten, die als *perspiratio insensibilis* zu Tage treten und ihn damit gerade dort, wo es eben nichts zu sehen gibt, an das Paradigma der Zahlen anschließt.

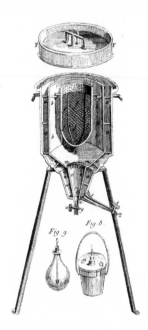

Abb. 6: Calorimeter nach Lavoisier
(http://www.chem.yale.edu/~chem125/125/history99/2Pre1800/Lavoisier/
Instruments/calorimeter2.GIF)

Dieser Zusammenhang setzt Planspiele in Sachen Identitätserhalt rsp. Identitäts-schwund frei, die selten so pointiert wurden wie bei Jean Paul. Weil der physio-logisch (und auch sonst) gut informierte Romantiker ausgesprochen spitzfindig zur Sache geht, scheint es besonders ratsam, gerade ihn für mögliche Identitäts-verwirrungen zu bemühen. Auffallend an diesen Planspielen ist die Aktualität, mit der sie an Diskussionen um den Stoffwechsel partizipieren, die der Philo-soph Giorgio Agamben unlängst als die *Physiologie der Seeligen* beschrieben hat.[16] Um dahin zu gelangen, bedarf es, wie auch bei Agamben, einiger theo-physiologischer Zwischenschritte, die den Stoffwechsel betreffen und die ver-deutlichen, welches phantasmatische Potential der prosaische Stoffwechsel zu entfalten vermag. Jean Paul wird das so weit treiben, dass die Stoffwechselwaage zum Anlass einer ganzen Theorie des Schreibens wird. Was an diesem Konzept einer literarischen Arbeit manifest wird, ist eine frühe Energetik des Denkens avant la lettre, wie sie unter den Bedingungen der Moderne vielerorten ihre Wirkmacht entfalten sollte.

Unter der theophysiologischen Rubrik *Wie die Verdauung vor der Sünde beschaffen gewesen* zeichnet der barocke Arzt und Universalgelehrte Johann Bap-tist van Helmont (1580–1644) ihr Bild im paradiesischen Zustand einer noch nicht verlorenen Unschuld. „Denn der Garten der Lust ließ nicht zu / daß wir einige Veränderung darinn auszustehen haben sollten / und also auch deßwegen den Tod nicht."[17] Erst nach dem Sündenfall ist der Mensch jenem *großen Müssen* (*Magnum oportet*) ausgesetzt, das als eine Ordnung der Transformation nichts beim Alten belassen kann und alles in Entzweiung, Zwietracht und Verwandlung überführt. Van Helmont, Begründer der pneumatischen Chemie und mit seiner Lehre von der sechsfachen Dauung der menschlichen Speise ausgewiesener Spe-zialist in Sachen Stoffwechsel, schließt die Transformationen, die im Leben statt-haben, mit dem Tod als dem vornehmsten Exponenten von Veränderung kurz. Der Stoffwechsel bezeichnet ihm das Maß, mit dem der Mensch schon im Leben dem Tod scheinbar unbemerkt seinen Tribut zollt. Essen und Trinken, Verdau-ung und Ausscheidung sind daher verortet in einer Ökonomie des Körpers, die sein Schwinden, jenes kleine und schleichende Absterben, zu verwalten sucht. Im unbarmherzigen Wechsel der Stoffe etabliert sich so eine Schnittstelle zwi-schen dem Leben und einem *partiellen und progressiven Tod.* Dieses Maß vorerst noch am eigenen Forscherkörper zu nehmen, schickt sich schon vor van Hel-mont der venezianische Arzt Santorio an. Im heroischen Selbstversuch verbringt er viel Zeit auf seiner überdimensionalen Waage, nimmt auf ihr sämtliche Mahl-zeiten ein und registriert selbstredend auch seine Ausscheidungen.[18] Das Ungleichgewicht zwischen Nahrungszunahme und den verbuchten Ausschei-dungen führt ihn zur Annahme der *perspiratio insensibilis.* Unsichtbar wie die

---

[16] Giorgio Agamben, *Das Offene. Der Mensch und das Tier*, Frankfurt/M. 2002, 27ff.
[17] Johann Baptist van Helmont in der Übersetzung von Knorr von Rosenroth, *Aufgang der Artzney-Kunst*, Sulzbach 1683, Reprint München 1971, 23.
[18] Dazu Santorio, *Ars [...] statica medicina*, Venedig 1614.

Ausdünstungen, die bei der Perspiratio aus den Körperporen strömen, entzieht sich der Stoffwechsel dem Augenschein und leistet der Verdächtigung Vorschub.

Die beiden Aspekte der Transformation in der Nahrungsaufnahme, Absterben und Reproduktion des Körpers sowie die Wägbarkeit der daran beteiligten Stoffe, sind immer wieder Anlass zur Frage nach der Möglichkeit von Identität und ihrer Gefährdung. Nicht von ungefähr verfällt Jean Paul, mit den Sachständen zeitgenössischer Physiologie bestens vertraut, wie auch die von ihm angeführten Mediziner und Anatomen, auf den venezianischen Arzt. Die *Stohkranzrede eines Konsistorialsekretärs, worin er und sie beweisen, dass Ehebruch zuzulassen sind*, resümiert vorab den naturwissenschaftlichen Kenntnisstand, beginnend mit dem scheinbaren Schwund des investigativen Gelehrten- und endend mit dem faktischen Schwund des deutschen Reichs-Körpers.

> Sanktorius wars, der sich auf einen delphischen Nachtstuhl setzte und da die Wahrheit aussaß, daß der Mensch alle 11 Jahre einen neuen Körper umbekomme – und der alte wird wie der deutsche Reichs-Körper stückweise flüchtig, und es bleibet von der ganzen Mumie nicht so viel sitzen, als ein Apotheker klein geschabt in einem Teelöffel eingeben will.[19]

Was Jean Paul an der Ökonomie des Körpers interessiert, ist ein Kalkül der Identität, genauer noch, ein Kalkül, das die biographische Identität verunmöglicht. Zahlen messen dem Menschen die Zyklen seiner Veränderung vor und buchstabieren so noch zu Lebzeiten einen Miniaturtod. Zuständig für solche Zahlenspiele ist die Mathematik, die Jean Paul in der Person Johann Bernoullis sofort auf den Plan ruft. Bernoulli, selbst ausgebildeter Mediziner und versierter Rechenkünstler, vermag die beiden Disziplinen, die Rede über den Körper und die von möglichen Berechenbarkeiten, engzuführen. Er tut dies vor allem in seiner *Disputatio Medico-Physica De Nutritione* (1699), die ihrerseits über Albrecht von Hallers *Anfangsgründe des menschlichen Körpers* ihren Eingang in Jean Pauls Roman *Die unsichtbare Loge* findet. Vor Anführung von Bernoullis Rechenexempel stellt Haller den problematischen Status von Identität fest: „Möglich ist es, daß wir innerhalb einer kurzen Zeit durch und durch verwandelt werden, und daß im Jahre 1764 von demjenigen nicht das mindeste mehr übrig ist, welches im Jahre 1760 unseren Körper ausmachte."[20]

Im Laufe nur eines Jahres verliert der Körper nach Bernoulli rund zwei Drittel seiner Materie, ein Verlust an Identität, der sich als Zahlenbruch anschreiben lässt: im Zähler steht, was von der alten Substanz in einem beliebigen Intervall restiert, während der Nenner die Summe der Neuzugänge verbucht. Gilt für die Jahresfrist ein Verhältnis von 1549 / 4800, so läuft der Wert des Bruches bei zunehmender Ausdehnung des Intervalls asymptotisch gegen Null.

---

[19] Jean Paul, *Die unsichtbare Loge*, a.a.O., 71.
[20] Albrecht von Haller, *Anfangsgründe der Phisiologie des menschlichen Körpers*, 8 Bände, Berlin 1759ff., Bd. 8 (Von der menschlichen Frucht. Dem Leben und Tode des Menschen), 888.

Ausgewiesen in der Mathematik kleinster Teile schreitet Bernoulli zu weiteren Hochrechnungen fort. Nach Ablauf einer Dekade verbleibt so nur noch der 50. Teil des Ausgangsmenschen, dem, sollte er es in seinem Erdenlauf bis zum 80-jährigen Greis bringen, satte 24 Mal ein neuer Körper ins Haus stünde. Mit Bernoullis Analysen verkürzt sich die Frist für einen kompletten Austausch des Körpers auf nurmehr drei Jahre. Unter Bezug auf derlei Erkenntnisse stellt Jean Paul erneut die Frage nach dem Status von Identität und appliziert die Ergebnisse auf das juristische Subjekt: Sein Konsitorialsekretär tritt den Beweis an, dass Ehebruch und Scheidung fortan schon allein deshalb zuzulassen sind, weil sie in der physiologischen Natur des Menschen selbst begründet liegen.

> Denn es ist sonach unmöglich, daß ein Kahlkopf, der sein Ehejubiläum begeht, an seinem ganzen Leibe auf ein Stückchen Haut hellersgroß hinweise und anmerke: ´Mit diesem Läppchen Haut stand ich vor 25 Jahren auch am Altar und wurde samt dem übrigen an meine jubilierende Frau hinankopuliert.´ Das kann der Jubelkönig unmöglich. Der Ehering ist zwar nicht herunter, aber der Ringfinger längst, um welchen er saß. Im Grunde ists ein Streich über alle Streiche, und ich berufe mich auf andere Konsistorialsekretäre. Denn die arme Braut steigt freudig mit der Statua curulis von einem Bräutigamkörper unter den Betthimmel und denkt – was weiß sie von guter Physiologie – , am Körper habe sie etwas Solides, ein eisernes Stück, ein Immobiliargut, kurz einen Kopf mit Haaren, von denen sie einmal sagen könne: an meinen und an meiner Haube sind sie grau geworden.[21]

Das einem Anderen vertraglich verbundene Ich verliert bereits durch die bloße Physiologie seine Identität. Die Entfremdung vollzieht sich „nach 3 Jahren infinitesimalteilchenweise" und analog einer Schuldenprogression. Selbst dem treuesten Paare bleibt so durch den Lauf der Zeit ein Ehebruch aus Gründen physiologischer Eigenlogik nicht erspart. Der Glaube, am Anderen *etwas Solides, ein eisernes Stück, ein Immobiliargut* gar zu besitzen, entpuppt sich somit endgültig als Chimäre. Im ehelichen Bette liegt – anstelle des *hinankopulierten Jubelgefährten* – nurmehr noch ein Gipsabdruck oder jene Neuauflage, „die der vorige Körper von sich darin gelassen und in welcher kein altes Blatt der alten mehr ist."[22] Dem ehegeplagten Mann, sofern er erstens kein Narr und zweitens in der Physiologie firm ist, stellt die Strohkranzrede polygamste Umtriebe in Aussicht. Wenn die ihm Hinankopulierte ihren werten Körper „ebenso oft als ihre Mägde tausche", braucht der Jubelgefährte „auf nichts zu passen."[23] Der sich selbst reproduzierende Mensch wird ob solcher Berechenbarkeit zur bloßen Variable in der Dynamik eines Stoffwechsels und gerät so in eine merkwürdige Genealogie

---

[21] Jean Paul, *Die unsichtbare Loge*, a.a.O., 71.
[22] Jean Paul, *Die unsichtbare Loge*, a.a.O., 71.
[23] Jean Paul, *Die unsichtbare Loge*, a.a.O., 72.

jenseits aller Sexualität.[24] Jean Paul, die Körperplanspiele Santorios mit denen Bernoullis korrigierend, begründet metaphorisch eine neue Familie, in der jedermann allererst zu sich selbst im Verhältnis innigster Verwandtschaft steht.

> Bernoulli widersprach gar diesem ganz und rechnete uns vor, Sanktorius stolpere, denn nicht in 11, sondern in 3 Jahrend dampfe der eine Zwillingsbruder weg und schieße der andere an. Kurz Russen und Franzosen wechseln den Körper öfter als das Hemd des Körpers, und eine Provinz bekommt allzeit neue Leiber und einen neuen Provinzial miteinander, in 3 Jahren, wie gesagt.[25]

III.

Es ist aber nicht nur das Eherecht, das der berechenbare Körperschwund zu irritieren vermag. In *Selina, oder über die Unsterblichkeit der Seele* kollidiert der unsichtbare Schwund des Körpers mit den Konventionen der Theologie, genauer mit der Lehre von der Auferstehung des Fleisches, der *resurrectio carnis.*[26] Die Kirche scheint mit derlei Quantifizierungen ihre liebe Not zu haben; Bernoulli jedenfalls wurde in einem Streit der Fakultäten von Groninger Theologen ob seiner vermessenen Körper umgehend der Häresie bezichtigt. Dabei wollte er gerade diesen Vorwurf vermeiden. Immer wieder versichert er, dass er an die *resurrectio mortuorum* geglaubt habe, glaube und *per gratiam Dei* auch in Zukunft glauben werde. „Credo interim [...] ut id majusculis litteris repetam, CORPUS QUOD MECUM RESURGET; ERIT MEUM CORPUS; QUOD HABUIT IN HAC VITA."[27]

Bernoullis Einwand richtet sich lediglich auf Verfahrensfragen bei der Auferstehung. Wenn der Körper schon zu Lebzeiten über das Argument von Zahl und Maß nicht identisch sein kann *(non eadem numero)*, wie soll dies dann erst im Jenseits gehen. Sollten die Auferstandenen ihre gewöhnliche Körperstatur *(in vulgari statura)* auch im Himmel beibehalten, dann, so Bernoulli, nur auf Kosten des vorgeführten Zahlenarguments. Wollte man aber daran festhalten, dass die

---

[24] Zur Engführung von Ernährung, Reproduktion und Sexualität vgl. Johann Friedrich Blumenbach, *Über den Bildungstrieb und das Zeugungsgeschäfte*, Göttingen 1781. Im 7. Paragraphen *(Aehnlichkeit unter Zeugung, Ernährung und Wiederersetzung)* schreibt der Epigenetiker: „Nutrition ist eine allgemeine, aber unmerklich continuirte – , Reproduktion hingegen, eine wiederholte aber nur partielle Generation" (19). Jean Paul verarbeitet Blumenbachs Thesen im *Brief eines Naturforschers über die Wiedererzeugung der Glieder bei dem Menschen.*

[25] Jean Paul, *Die unsichtbare Loge*, a.a.O., 71.

[26] Ein Gegenstand, der, wie ja auch Agamben vorführt, scheinbar nur im Modus der Ironie zu verhandeln ist.

[27] Johann Bernoulli, *Opera Omnia tam antea sparsim edita, quam hactenus inedita. Curavit J.E. Hofmann*, 4 Bände, Reprographischer Nachdruck der Ausgabe Lausanne und Genf 1742, Hildesheim 1968, 302.

resurrectio *eadem numero* vonstatten ginge und damit eine numerische Identität nicht verleugnet würde, dann hätte jeder Auferstandene die Körpermaße eines Kolosses (*Colossi molem*). Genau das aber will Bernoulli vermeiden: Als Gewährsmann führt er neben anderen Autoritäten den Kirchenvater Augustinus an, der für die Hausordnung im Paradies am Menschenkörper Abstriche vornimmt und ihn so in einer Hierarchie organisiert, die einem Identitätskalkül zuwiderläuft. Augustinus dispensiert den Körper von bestimmten Flüssigkeiten (*sine humoribus & exsangue*) und bindet ihn in eine Logik ein, die das Körperzentrum gegen seine Extremitäten ausspielt. Rückengestärkt durch seinen Exkurs in die Patristik fragt Bernoulli, wieso die Theologen denn nicht die Kirchenväter selbst der Häresie bezichtigten: „illiosne haereseos accusabis, quod identitatem numericam negaverint?"[28]

Die Physiologie der Seligen ist keine und bleibt daher vom Zwang der Zahlen verschont – damit rechnet jedenfalls der Mathematiker Bernoulli. Der menschliche Stoffwechsel und der darauf gegründete Schwund an Identität sind im Himmel außer Kraft gesetzt. Auch auf dieses Versatzstück greift Jean Paul zurück: Kurzerhand überträgt er die Befunde des lebenden Körpers auch noch auf die toten Körper. Ist im Leben schon jede Körperidentität durch das unablässige Wechseln der Stoffe verstellt, wie soll es dann erst im Tod zugehen, fängt doch dort „die Unruhe und Verwesung der einzelnen Theile, welche vorher unter der Regierung des Organismus gefesselt dienten, erst recht an."[29] Die grabsteinzierende Rede von der ewigen Totenruhe ist ein *Völker=consensus*, so Jean Paul, und als solcher irrig, weil physiologisch falsch. Und so stellt sich – wie schon bei Bernoulli – die Frage, wie die Theologen „in der Wahl der Leiber entscheiden, welchen sie einem Menschen droben aus einem ganzen Kleiderschrank aussuchen und umhängen".[30] Der verklärte Leib der Seligen, der gleichermaßen magen- und darmlos im Paradies einherschreiten soll, hat zudem noch seiner Haare, Nägel und Milchgefäße zu entbehren.

> Darüber sind sich alle eins, daß ein Seliger keinen Magen und keine Gedärme – wie mehre Schmetterlinge nach ihrer Entpuppung – bei sich trage, so auch keine Milchgefäße, Nägel, Haare und mehres. Dann aber rieth´ ich, auch die Blutgefäße, da diese ohne Milchgefäße nichts zu thun haben, und aus demselben Grunde auch die Lunge, und aus wieder demselben auch das Herz wegzuwerfen, und so den ganzen auferstandenen Menschen zu einem hohlen Wachsbilde auszuweiden oder zu einer ägyptischen Mumie, die schon vor der Auferstehung ausgeleert da steht; und die Theolo-

---

28 Bernoulli, *Opera Omnia tam antea sparsim edita, quam hactenus inedita. Curavit J.E. Hofmann*, a.a.O., 303.

29 Jean Paul, *Selina, oder über die Unsterblichkeit der Seele*, in: Jean Paul, *Sämtliche Werke*, 33. Bd., Berlin 1842, 158.

30 Jean Paul, *Selina, oder über die Unsterblichkeit der Seele*, a.a.O., 165.

gen könnten so die ganze körperliche zweite Welt blos mit verklärten Häuten und Knochen bevölkern.[31]

Im Paradies hausen im Folgezwang der Physiologie nur Mumien, während die Gräber der Menschen vor Leere gähnen und eine Trauer um sie darob verfehlt ist. Mumien aber sind wie die Statuen Griechenlands und die Moulagen der Medizin mit sich selbst identisch, bleiben vom Fluch der Transformation unbehelligt. Dies gilt aber noch nicht einmal für das ausgewiesenste aller Todessymbole, das Skelett. Der Traum vom Immobiliargut, das man wenigstens am knöchernen Gerippe zu haben glaubt, ist ein Phantasma und höchstens im Schattenreich der Emblematik wahr. Eine bewundernswert genaue Parenthese stellt klar, dass die Beständigkeit der Knochen „im Sarge, nicht im Leben" zu verorten sei und die Veränderung selbst vor dem Skelett als vermeintlich letzter Bastion für Identität, für ein gleich bleibendes Substrat nicht halt macht. Auch hier herrscht Veränderung und nicht Identität. In den *Lehrsätzen aus der Physiologie des Menschen* von 1811 beschreibt der Naturforscher Georg Prochaska ein einfaches Verfahren, das in der Lage ist, selbst einem Laien den Knochenschwund vor Augen zu halten. Mischt man dem Essen den Farbstoff Krapp zu, so röten sich die Knochen – eine Färbung, die unter Krappentzug wieder schwindet und vom fahlen Knochenbleich verdrängt wird.

> Dass die Elemente der festen Theile die ganze Lebenszeit unverdorben bleiben können, hat man keinen hinlänglichen Grund zu vermuthen, wohl aber hat man Thatsachen, welche ihren Wechsel ebenfalls erweisen. Wenn der unter die Nahrung gemischte Krapp die Knochen roth färbet, und wenn die Knochen diese rothe Farbe wieder ganz verlieren, nachdem man die färbende Nahrung zu geben aufgehöret hatte, so müssen die in die Knochen abgesetzten Farbetheilchen wieder eingesogen und aus dem Körper ausgeschafft worden seyn; warum soll das nämliche mit der in die Knochen abgesetzten Erde nicht ebenfalls statt haben?[32]

IV.

Im Gegenzug zur Geschlossenheit der energetischen Kreisläufe eines Systems wird aber auch das vermeintliche Unterlaufen der Ökonomie beobachtet und erprobt: etwa in der wissenschaftlichen Praxis, wie es der Gestaltkreistheoretiker Viktor von Weizsäcker in einem Aufsatz *Die Grundlagen der Medizin* unternimmt, aber natürlich auch im Versuch, Wunder und Wunden zu beglaubigen, die mit dem Stoffwechsel zu tun haben. Nicht zuletzt der Stoffwechsel des weibli-

---

[31] Jean Paul, *Selina, oder über die Unsterblichkeit der Seele*, a.a.O., 166.
[32] D. Georg Prochaska, *Lehrsätze aus der Physiologie des Menschen*, Wien ²1811, Zweyter Band, 4.

86

chen Körpers wird so zu einem hochgradig phantasmatisch besetzten Ort.[33] Immer wieder gerät die Reproduzierbarkeit des Körpers in ein Zwielicht und es sind vor allem Stoffwechselmonstrositäten, die den Menschen gegen die Befunde der Waage ausspielen.[34] In Form von Essensverweigerung, Hungerkunst oder Völlerei stellen sie eine Wahrheit des Körpers gegen das Wissen von seinen ökonomischen Spielregeln. Haller etwa bereichert die Beobachtungen Santorios mit eigenen und höchst denkwürdigen Erfahrungen von einer Nonne, die den Urin in unglaublicher Menge von sich gab oder von dem Harnwunder eines Mädchens, bei dem in einem Intervall von 60 Tagen „der Urin das Getränke um 1740 Pfund überstieg".[35] Auch die Geschichte der Stigmatisierung wird immer wieder begleitet von den Mutmaßungen über eine unterlaufene Ökonomie und dem Versuch, dieses Unterlaufen in irgendeiner Form dingfest zu machen – es zu protokollieren, zu registrieren und zu beglaubigen – wie es prominent, weil unter Beteiligung von Clemens Brentano, im damit eben auch literarisch ausgerichteten Aufschreibesystem um die Nonne Anna Katharina Emmerich der Fall war.[36] Auch dort sollte das Ausscheren aus dem Paradigma der Geschlossenheit die religiöse Sonderstellung der verhandelten Phänomene beglaubigen – ein Unterfangen, das vor allem eines hervorbrachte: Diskurs.[37]

Aber es gibt noch einen anderen Zusammenhang, den Jean Paul am Beispiel von Santorios Stoffwechselwaage durchspielt. Er entkoppelt die Leistung von Stoffwechsel und Energie von der mechanischen Arbeit, überträgt sie kurzerhand auf die geistige Arbeit und damit auf die Erzeugung von Literatur. Wie in einem Vorspiel gelangt kasuistisch zur Verhandlung, was die wissenschaftliche Praxis der klassischen Moderne prägen wird, was sie zu den Bemühungen um Ummantelung führt, die dann bei Nathan Zuntz so eindrucksvoll Gestalt annahmen. Fast hat es den Anschein, als ob der noch gar nicht ergangene *energetische Imperativ* in Jean Pauls physiologischer Poetik bereits eine feste Heimstatt

---

[33] Vgl. dazu Viktor von Weizsäcker, „Die Grundlagen der Medizin", in: ders., *Gesammelte Schriften*, 7. Bd., Frankfurt/M. 1987, 7–28, hier: v.a. 22f.

[34] Neben dem weiblichen Körper als Schauplatz von Verschwindungslust und Verschwendungssucht erobern zunehmend auch männliche Hungerkünstler dieses Feld: Vgl. dazu Torsten Hahn, Jutta Person, Nico Pethes (Hg.), *Grenzgänge zwischen Wahn und Wissen. Zur Koevolution von Experiment und Paranoia 1850–1930*, Frankfurt/M., New York 2002.

[35] Von Haller, *Anfangsgründe der Phisiologie des menschlichen Körpers*, a.a.O., 5. Bd., 370.

[36] Aus medizinischer Sicht vgl. dazu P. Winfried Hümpfner (Hg.), *Tagebuch des Dr. med. Franz Wilhelm Wesener über die Augustinerin Anna Katharina Emmerick. Band I, mit einer Kurzbiographie über Dr. med. F.W. Wesener, einem Bericht über die staatliche Untersuchung der Stigmatisierten sowie einer kurzgedrängten Geschichte der Anna Katharina Emmerick*, Aschaffenburg ²1973.

[37] Dazu ausführlich Hans-Walter Schmidt, *Erlösung der Schrift. Zum Buchmotiv im Werk Clemens Brentanos*, Wien 1991 sowie Albrecht Koschorke, *Körperströme und Schriftverkehr. Mediologie des 18. Jahrhunderts*, München 1999.

hat.[38] Ort dieser Überlegungen ist der Roman *Blumen=, Frucht= und Dornenstücke; oder Ehestand, Tod und Hochzeit des Armenadvokaten F. St. Siebenkäs*, in dem der Protagonist Siebenkäs die Aporien körperlicher Verfasstheit gekonnt an die Stoffwechselwaage Santorios zurückadressiert. Entgegen der Mäßigung und Sparsamkeit seines armseligen Haushalts bestellt Siebenkäs bei seiner Frau Lenette eine Kalbskopf und nicht – wie es der spärliche Speiseplan vorsieht – ein vegetarisches Gericht. Der Kalbskopf soll ihm die nötige Kraft verleihen, *ein OPUS, ein Buch* zu schreiben, durch das er nicht zuletzt die häusliche Ökonomie des Haushaltes zu sanieren gedenkt. Frau Lenette ist ob einer solcher Anleihe auf den Lohn künftiger Autorschaft skeptisch und so hatte Siebenkäs „die größte Mühe, bis er seiner Lenette beibrachte, daß er schon mit einem Bogen von der Auswahl aus des Teufels Papieren den Kalbskopf wieder zu erschreiben verhoffen dürfte und daß er nicht ohne Grund sich selbst einen Fastenerlaß ertheile".[39]

Gestärkt mit dem Kalbskopf kann Siebenkäs ein Autor werden, indem er die Ökonomie seines Körpers und die seiner Haushaltung in ein Verhältnis einer sorgsam kalkulierten Vorfinanzierung treten. Er phantasiert, mit der Energie des Kalbskopfes eine *Auswahl aus des Teufels Papieren* zu schreiben und dabei auch noch die energetischen Verhältnisse des Schreibens transparent werden zu lassen. Diese Auswahl endet im Phantasma eigener Autorschaft im Moment ihrer Beglaubigung durch eine Wahrheit des Körpers. Sein *Epilog oder was ich auf dem Stuhle des Sanktorius etwan sagte*, schließt Stoffwechsel und Schöpfung kurz. Für den Erzähler ist der Stuhl ein neues Mobiliar. „Auf diesem Mittelding zwischen Stuhl und Wage hielt sich bekanntlich Sanktorius lebenslang auf, um alles, was in oder aus seinem Körper ging, sogleich abzuwägen und einzuregistrieren: ich besitze aber selber diesen Stuhl noch nicht über ein Vierteljahr."[40] Wenn sich die unmerkliche Ausdünstung, die *perspiratio insensibilis*, umgekehrt zur Tiefe des geschriebenen Gedankens verhält, ist für Siebenkäs endlich ein Maßstab zur Beurteilung des Schreibens gefunden. Mit der Kraft des Kalbskopfes nimmt er auf dem Stuhl des Sanktorius Platz, um sich dort von der Nichtidentität seines Körpers und im Wechselschluss von der Qualität der geschriebenen Werke zu überzeugen. Diese sind immer schon Anleihe auf die Speise, die seinen Körper nährt und von der sein Schreiben zehrt.

> Besonders ist das durch die Aerzte und unsere Körper erwiesen, daß beide desto weniger ausdünsten, je größer die geistige Anstrengung ihrer Seelen ist, und Kant muß sich durch seine Kritik der reinen Vernunft entsetzliche Husten, Schnupfen und Kopfschmerzen zugezogen haben; was Systemati-

---

[38] Aus den Registern der Wissenschaften Willy Hellpach, „Was heisst 'Stoffwechsel bei geistiger Arbeit?'", in: *Zeitschrift für angewandte Psychologie und psychologische Sammelforschung*, 6. Bd., 1912, 561–568.

[39] Jean Paul, *Blumen=, Frucht= und Dornenstücke; oder Ehestand, Tod und Hochzeit des Armenadvokaten F. St. Siebenkäs*, in: Jean Paul, *Sämtliche Werke*, 11. Bd., Berlin 1841, 88.

[40] Jean Paul, *Auswahl aus des Teufels Papieren*, a.a.O., 436 (Fußnote).

ker anlangt, so husteten sich in meiner Gegenwart verschiedene an dieser Kritik zu Tode. Und so dünstet man umgekehrt desto besser aus, je weniger man denkt.

Ich mußte dieses vorausstellen, um den Satz völlig einzuleiten, daß ich den mathematischen Stuhl des Sanktorius besitze und auf ihm meine Evakuazionen und Replezionen so vernünftig abwarte und wäge, daß es mir und meiner Familie Ehre macht. Ich rühre daher nie eine Feder für die Presse und für die ganze Welt (welches wohl nicht zweierlei ist) an, ohne vorher auf dem angezeigten Stuhle seßhaft zu sein, weil ich damit auf der Stelle es vorgewogen sehe, ob meine unmerkliche Absonderung stark ist oder ob mein Ausdruck, ob ich viel ausdünste oder viel nachdenke, ob meine Seele oder ob blos meine Haut schlaff ist. Dieser Stuhl ist meine allgemeine deutsche Bibliothek und er rezensiert jede Seite meines Buches eben so unparteiisch als jene, aber viel schneller und nicht erst 4 Jahre nach der Verfertigung, sondern 4 Minuten.[41]

Siebenkäs wird damit auch im Realen ein *Autor von Gewicht*. Die Planspiele der Moderne um den Stoffwechsel und die Psychophysiologie der geistigen Arbeit, um die Allmacht des Energetischen und die Vormacht der Ökonomie sind bei ihm präfiguriert.[42] Was bei Sanctorio zum Nachweis eines Verlustes taugen sollte, ist bei Jean Paul in der Geschlossenheit eines Systemzusammenhangs integriert. Der gebeutelte Leib seines Protagonisten führt einmal mehr den *Beweis, dass man den Körper nicht nur als Vater der Kinder, sondern auch der Bücher anzusehen habe, und daß vorzüglich die größten Geistesgaben die rechte Hand zur glandula pinealis gewählet.* Dieser Beweis, der in den *Grönländischen Prozessen, oder satirischen Skizzen* geführt wird, ist als *Ein Beitrag zur Physiologie* untertitelt. Wenn aus Physiologie Beiträge zur Literatur – wie es im Untertitel heißt – und umgekehrt aus Physiologiebeiträgen literarische Texte werden, scheint bei aller Ironie der Verwendung eines doch deutlich geworden: Eine Literatur, die so endgültig wie rückhaltlos mit der empirisch-transzendentalen Doublette namens Mensch gemeinsame Sache macht, ist ebenso endgültig wie rückhaltlos Humanwissenschaft geworden – wie es Foucault in seiner Ordnung der Dinge beschrieben hat.[43] Ein Schwinden des Menschen, wie es Foucault am Ende des gleichen Buches beschwört, ist vorerst jedenfalls nicht abzusehen.

---

[41] Jean Paul, *Auswahl aus des Teufels Papieren*, a.a.O., 437f.

[42] Zu einer Verhandlung an der Schnittstelle unterschiedlicher Aussagesysteme Kurd Laßwitz, „Ueber psychophysische Energie und ihre Factoren", in: *Archiv für systematische Philosophie*, 1. Jg., 1895, 46–64.

[43] Michel Foucault, *Die Ordnung der Dinge. Eine Archäologie der Humanwissenschaften*, Frankfurt/M. ⁹1990.

Die Aporie des Director's Cut: Präsenz und Verschwinden des Auteurs im Zeitalter der DVD

Gereon Blaseio

Im öffentlichen Diskurs über das Medium Film sind die Regisseure[1] heutzutage präsenter denn je. So fällt beim Vergleich des gegenwärtigen us-amerikanischen Filmmarketings mit dem des klassischen Hollywoodkinos der 1930er bis 1950er Jahre sofort auf, dass das Interesse am Regisseur mittlerweile von der Produktionsseite des Mainstreamkinos, den Hollywoodstudios und ihren Marketing-Abteilungen, aktiv gefördert wird. Zwar gab es schon in der Ära der klassischen Hollywoodstudios einige wenige Regisseure, deren Namen außerhalb der Filmindustrie bekannt waren. In den meisten dieser Fälle fungierte der Name allerdings als Synonym für das zu erwartende Genre: Cecil B. DeMille stand für den Monumentalfilm, Alfred Hitchcock für den Thriller. In den letzten 30 Jahren jedoch gewinnt der Regisseur in einer Entwicklung, die bis zum New Hollywood der 1970er Jahre und der sich anschließenden *blockbuster era*[2] zurückreicht, gerade für die Vermarktung immer mehr an Bedeutung. So verweist die *tagline* des Horrorfilms *An American Werewolf in London*[3] schon 1981 direkt auf ihn: „John Landis – the director of *Animal House* brings you a different kind of animal".[4] Hier und in vielen weiteren Fällen wird ein neuer Film in Trailern und auf Postern mit einem vorherigen Kassenerfolg des gleichen Filmemachers in Verbindung gebracht. *Animal House*[5] ist allerdings einem differenten Genre, der Collegekomödie zuzurechnen – dies stützt Jürgen Felix' Befund, dass sich die Regie zu einer eigenständigen Kategorie entwickelt hat, mit der das heutige Publikum (unabhängig von den bereits lange zuvor etablierten Kategorien Genre und Stars) Filme einschätzt und einordnet.[6]

Auch das 1998 eingeführte Medium der DVD, das innerhalb weniger Jahre die VHS auf dem Kauf- und Verleihsektor vollständig abgelöst hat, folgt auf den

---

[1] Aus Gründen der Lesbarkeit wird auf auf die weibliche Form verzichtet. Indirekt verweist dies allerdings auch auf das Faktum, dass der Regisseursposten eine jener männlichen Bastionen ist, in der Frauen auch heute noch deutlich unterrepräsentiert sind.

[2] Vgl. Justin Wyatt: *High Concept. Movies and Marketing in Hollywood*, Austin 1994.

[3] USA 1981, R.: John Landis.

[4] Quelle: www.imdb.com, Stand: 15.03.2007. In der IMDB finden sich nur wenige Beispiele vor den 1980er Jahren, in denen der Regisseur in der tagline, der Werbezeile zum Film, genannt wird.

[5] USA 1978, R.: John Landis.

[6] Vgl. Jürgen Felix: „Autorenkino", in: ders. (Hg.): *Moderne Filmtheorie*. 2. Auflage, Mainz 2003, S. 13–16.

ersten Blick dieser Betonung der Regie: Zu den beworbenen *special features* zahl-reicher DVDs gehört die Möglichkeit, das Filmbild mit einer oder sogar mehre-ren Audio-Kommentarspuren (*director's commentary*) zu kombinieren, in denen der Regisseur über die Filmherstellung informiert und oft auch eine eigene Les-art des Films anbietet. Der Regisseur wird so zur Instanz erklärt, die über die gültige Interpretation eines Films verfügt. Alternativ kann der Rezipient anhand von – häufig ebenfalls vom Regisseur kommentierten – *deleted scenes* nachvoll-ziehen, welche Szenen es nicht in die letztlich im Kino und auf DVD gezeigte Schnittfassung geschafft haben. Besonderen Erfolg und Aufmerksamkeit bei Filmkritik und Publikum verspricht die (Wieder-)Veröffentlichung eines Films als sogenannter Director's Cut, als vom Regisseur abgesegnete Schnittfassung letzter Hand. Damit wird dem Rezipienten immer öfter nicht die vom Studio nach Testaufführungen oder nach Auflagen der Altersfreigabeinstanzen veröf-fentlichte Kinofassung eines Films, sondern eine neue Schnittfassung des Films angeboten, die vom Regisseur erstellt und/oder autorisiert wurde. Versprochen (und in Filmkritiken entsprechend gefeiert) wird die ursprüngliche Vision des Filmemachers, die sich von der durch Studioeinflüsse kompromittierten Kino-fassung abhebt.

Verstanden werden kann diese Entwicklung als Reaktion auf den Diskurs der Filmwissenschaft und Filmkritik, die schon seit den 1950er Jahren großes Gewicht auf die Person des Regisseurs gelegt haben. Diese historische Positio-nierung soll im Folgenden angesprochen werden, um ihr eine Einordnung des rezenten Phänomens Director's Cut gegenüberzustellen. Dabei ist auch der Fra-ge nachzugehen, welchen Einfluss das neue Trägermedium der DVD auf die Ent-stehung von immer neuen veränderten Filmfassungen hat. Zuletzt soll anhand von Beispielen und Selbstaussagen der Regisseure überprüft werden, ob dieses Phänomen tatsächlich eine Stärkung der von ihm intendierten Filmfassung dar-stellt – oder, diesem ersten Anschein zum Trotz, eben nicht.

1. Vom Auteur zum Director's Cut

Für Filmwissenschaft und Filmkritik gehört die Konzentration auf den Regisseur als eigentlicher kreativer Künstler zu ihren Gründungsdiskursen. Die Idee eines filmischen Autoren, schon in der Stummfilmzeit breit diskutiert, entfaltet seine größte Wirkmächtigkeit in den späten 1950er Jahren, als *politique des auteurs* der Filmzeitschrift *Cahiers du Cinema*. Die Vertreter dieser Zeitschrift wenden sich explizit gegen das französische *cinéma de papa*, das Kino der Kriegs- und Nach-kriegszeit – und stellen zugleich personell die Hauptvertreter der auf dieser Po-lemik beruhenden Filmbewegung der Nouvelle Vague. Mit dem internationalen Erfolg des französischen Films der frühen 1960er Jahre wird auch das dazugehö-rige Auteurkonzept international popularisiert und adaptiert. So transformiert etwa der amerikanische Filmkritiker Andrew Sarris in seinem Aufsatz *Notes on the Auteur theory*[7] die polemischen Überlegungen der *Cahiers* in eine ästhetische Theorie, die für ihn (und seine Zeitgenossen) vor allem strategischen Wert hat: Als Auteur werden nunmehr ausgesuchte Regisseure bezeichnet, die trotz der Produktionsbedingungen des Hollywood-Studiosystems eine identifizierbare persönliche Handschrift entwickeln. Einzelne Filmemacher werden so vom restlichen, seriell gefertigten Mainstream unterschieden und können dadurch davon abgehoben werden. Zugleich ermöglicht es diese Umschrift, zumindest eine Auswahl von Hollywood-Filmen anderen literarischen und bildnerischen Werken vergleichbar zu machen: Das Massenmedium kann so im spezifischen Einzelfall anderen Künsten gleichgestellt werden.[8] Entsprechend spielt dieses Theorem auch bei der internationalen Institutionalisierung einer Filmwissenschaft an den Universitäten ab den 1960er Jahren (zunächst oft als Kunstwissenschaft) eine zentrale Rolle.

Aber schon in den 1970er Jahren, auch in Nachfolge des von Roland Barthes konstatierten *Tod des Autors*[9], schwindet die Rolle des Auteurs in den *film studies*. Das zunehmend von strukturalistischen und poststrukturalistischen Zugängen geprägte wissenschaftliche Interesse[10] verschiebt sich zunächst auf Stars und Genres, dann auf die psychoanalytische Filmtheorie. In Filmkritik und in Cineastendiskursen bleibt es jedoch bei einer starken Konzentration auf den Regisseur als Auteur, was sich immer wieder auf den filmwissenschaftlichen Nachbardiskurs auswirkt.[11] So gibt es etwa in der Genretheorie zahlreiche Monographien, die bestimmte Filmemacher hinsichtlich ihrer Beiträge zu den Konventionen eines Genres (oder gerade aufgrund ihrer Überwindung dieser Konventionen) würdigen. Aber selbst hartnäckige Verfechter des Auteur-Konzepts müssen zunehmend konzedieren, dass – je nach Produktionszusammenhang – auch Produzenten, Drehbuchautoren oder selbst Directors of Photography als mögliche Autoren eines Films in Frage kommen. Der Regisseur gilt damit nur noch als ein Einflussfaktor unter mehreren auf den jeweiligen Film.

---

7   Andrew Sarris: „Notes on the Auteur Theory in 1962", in: *Film Culture* 27 (Winter 1962–63), S. 1–18.

8   David A. Gerstner sieht den Anfang dieser Tradition bereits im beginnenden 20. Jahrhundert: „Like literature before it, film went through the hoops and hurdles of art criticism so as to overcome its vulgar associations with and reputation as mere popular entertainment" (David A. Gerstner: „The practices of authorship", in: ders., Janet Staiger (Hg.): *Authorship and Film*, London/New York 2002, S. 5.

9   Roland Barthes: „Der Tod des Autors", in: Jannidis Fotis u.a. (Hg.): *Texte zur Theorie der Autorschaft*. Stuttgart 2000 (1967), S. 185–193.

10 „As film studies developed in the 1970s, interest in the narrative film, nurtured a decade earlier by auteurism's enthusiasm for popular American movies, began to wane in favor of more formal concerns. Critical interest shifted from the signified of films to the practice of signification, from what a film means to how it produces meaning" (Barry Keith Grant: „Introduction", in: ders. (Hg.): *Film Genre Reader II*, Austin 1995, S. xvi-xvii).

11 So wurde gerade für die 1990er Jahre eine Wiederbelebung der Auteur-Debatte konstatiert; vgl. Toby Miller/Noel King: „Auteurism in the 1990s". In: Pam Cook/Mieke Bernink (Hg.): *The Cinema Book. 2nd Edition*, London 1999, S. 311–14.

Beispielhaft und als Schlusspunkt dieser Entwicklung kann Charles Barrs film-historische Studie *English Hitchcock*[12] genannt werden, da sie mit einem der etab-liertesten der anglo-amerikanischen Auteurs abrechnet. Belton betont den gro-ßen Stellenwert, der den Mitarbeitern, darunter Produzent Michael Balcon und Drehbuchautor Charles Bennett, beim Erfolg von Hitchcocks britischen Filmen zukam, und er schreibt ihnen viele jener Merkmale zu, die in Untersuchungen zu seinem Werk als Merkmale seines Stils identifiziert wurden. Zugleich zeigt Bel-tons Studie, wie sich Hitchcock bereits seit den 1920er Jahren durch geschickte Public-Relations-Arbeit in den Vordergrund zu bringen wusste. Selbst der für die Auteurforschung so zentrale Alfred Hitchcock gerät so in den Rumor einer geschickten Selbstinszenierung, die die Leistungen anderer überdeckt. Entspre-chend muss die Art und Weise, wie auf vielen DVD-Veröffentlichungen gerade die Regisseure in den Mittelpunkt gestellt werden, zumindest aus Sicht der heu-tigen Filmwissenschaft ein wenig atavistisch anmuten.

Auch die Rede von entfernten Filmszenen und der Schnittfassung des Re-gisseurs ist bei weitem kein rezentes Phänomen: Schon früh gewinnen in Film-kritik und Filmgeschichtsschreibung gerade jene Filme mythischen Status, die vom Studio nachträglich verändert wurden, und deren ursprüngliche Schnittfas-sung als verschollen gilt. So bemühten sich Filmarchive jahrzehntelang um eine Rekonstruktion des Stummfilms *Greed*[13], dessen achtstündiger Rohschnitt durch das Studio auf knapp zweieinhalb Stunden reduziert wurde. Zu den weiteren prominenten Opfern von Studioeingriffen zählen Orson Welles' *The Magnificent Ambersons*[14], aber auch John Hustons Antikriegsfilm *The Red Badge of Coura-ge*[15], dessen Produktionsgeschichte eindrucksvoll in einer der frühesten Studien zu Hollywoods Produktionsmechanismen, *Picture* von Lilian Ross[16], nacherzählt wird. Aber auch in der postklassischen Phase Hollywoods gibt es noch berühmte Beispiele: So wurde Terry Gilliams Bürokratiesatire *Brazil*[17] 1985 vom mitprodu-zierenden Hollywoodstudio Universal über ein Jahr zurückgehalten, obwohl der Film in Europa bereits in einer Länge von 142 Minuten aufgeführt worden war. Vorgeblich ging es um eine vertragliche Klausel, nach der Gilliam eine zweistün-dige Fassung abzuliefern habe; allerdings bemühte man sich in der Zwischenzeit ohne Beteiligung des Regisseurs, aus dem vorliegenden Material eine eigene Schnittfassung mit Happy Ending für den us-amerikanischen Markt herzustel-len. Rechtzeitig vor den Oscars setzte Gilliam eine ganzseitige Anzeige in das Branchenblatt Variety, in der er den Präsidenten von Universal direkt adressierte: „Dear Mr. Sheinberg, when are you going to release my film *Brazil*?". Das

---

12 Charles Barr: *English Hitchcock*, London 1999.
13 USA 1925, R.: Erich von Stroheim.
14 USA 1942, R.: Orson Welles.
15 USA 1951, R.: John Huston.
16 Lilian Ross: *Picture*, London 1952.
17 UK/USA 1985, R.: Terry Gilliam.

dadurch ausgelöste Presseecho führte zur Veröffentlichung einer um 10 Minuten gekürzten Kompromissfassung.[18]

Der erste als solcher vermarktete Director's Cut beruht hingegen auf einem Zufall: Als ein Wiederaufführungskino in Seattle 1989 den mittlerweile zum Kultfilm avancierten *Blade Runner*[19] zeigen wollte, schickte Warner Bros. anstelle der Kinofassung versehentlich einen Workprint des Films. Die dabei aufgeführte Filmfassung verfügte noch nicht über das von Harrison Ford gesprochene Voice Over und wies auch inhaltlich deutliche Abweichungen von der 1982 erstaufgeführten Kinofassung auf. Nach dieser als Sensation gefeierten Entdeckung einer vermeintlichen Originalfassung und ihrer Aufführung auf mehreren Festivals begann Warner 1991 damit, den Film, der bei seiner ursprünglichen Kinoauswertung unter den Erwartungen geblieben war, in dieser Version noch einmal als Director's Cut zu vermarkten – ohne jedoch zuvor Kontakt zu Regisseur Ridley Scott aufzunehmen. Nachdem dieser von der Veröffentlichung erfuhr, lehnte er sie öffentlich ab. Daraufhin ermöglichte Warner die Erstellung einer neuen Schnittfassung, die der ehemalige Schnittassistent Les Healey nach Notizen des Regisseurs erstellte. Diese dritte Fassung, die wiederum als *Blade Runner – The Director's Cut* 1992 in die Kinos gebracht wurde, begründete die Tradition der Veröffentlichung alternativer Fassungen, die als Schnittfassung des Regisseurs beworben wurden – nicht aber die Kinoauswertung, vielmehr die Veröffentlichung auf Video bescherte dieser Fassung größeren kommerziellen Erfolg.[20]

2. Die DVD – ein Medienwandel

Zwar zog die Veröffentlichung von *Blade Runner – The Director's Cut* schon Anfang der 1990er Jahre einige Nachfolger mit sich (darunter noch 1992 erweiterte Fassungen von James Camerons Filmen *Aliens* und *The Abyss*), jedoch nimmt die Zahl der als Director's Cut veröffentlichten alternativen Schnittfassungen erst seit der Jahrtausendwende drastisch zu: Von ca. 140 solcherart deklarierter Filmfassungen, die die Internet Movie Database verzeichnet, sind die meisten in den letzten sieben Jahren veröffentlicht worden.[21] Von der Filmkritik wird der überwiegende Teil dieser Neuveröffentlichungen emphatisch – und in den Kategorien der Auteur-Theorie – gefeiert; so schreibt etwa Anthony Leong:

> Fortunately, some directors are now given a second chance to showcase their original vision via the ‚director's cut‘. [...] Through this new venue,

---

[18] Vgl. Jack Matthews: *The Battle of Brazil. Terry Gilliam vs. Universal Pictures. The Fight to the Final Cut of a Film Classic.* Newly rev., exp. ed., New York 2000. Die gekürzte Fassung mit Happy Ending ist im us-amerikanischen Fernsehen gezeigt worden und unter dem Titel *Love conquers all* auch auf dem 3-DVD-Set der US-Firma Criterion enthalten.

[19] USA 1982, R.: Ridley Scott.

[20] Vgl. Paul M. Sammon: *Future Noir. The Making of Blade Runner*, London 1996.

[21] Quelle: www.imdb.com, Stand: 15.03.2007.

directors are able to re-insert footage that was left on the cutting room floor in order to meet running-time constraints or studio imperatives. Director's cuts also give audiences a chance to see what the director believed was important in the film, which is sometimes in sharp contrast to the studio-approved release.[22]

Dass das hier konstatierte Bedürfnis nach Director's Cuts auf Seiten der Rezipienten in den letzten Jahren regelmäßig bedient wird, hängt mit einer radikalen Veränderung der ökonomischen Rahmenbedingungen Hollywoods zusammen: Von Film- und Medienwissenschaft noch weitgehend unbemerkt, unterliegt die us-amerikanische Filmindustrie seit der Jahrtausendwende einem derart umfassenden und einschneidenden Wandel, wie sie ihn seit der Etablierung des Fernsehens in den 1950er Jahren nicht mehr erlebt hat. Diese Veränderungen sind diesmal jedoch nicht von außen, etwa durch ein Konkurrenzmedium wie das Internet ausgelöst worden. Stattdessen handelt es sich um Auswirkungen, die die hinter den meisten Hollywoodstudios stehenden Elektronikkonzerne selbst herbeigeführt haben, indem sie 1997 das neue Trägermedium DVD auf den Markt brachten. Bis weit in die 1990er Jahre hatten sich die Studios mit der Vermarktung von Filmen auf Kaufkassetten zumindest in den USA zurückgehalten, um das gewinnträchtige Filmverleih- und Fernseh-Geschäft nicht zu gefährden. Erst mit der Einführung der DVD und ihrem sukzessiven Erfolg begannen sie, im Verkauf von Filmen für den Heimbereich einen ungeahnten Wachstumsmarkt zu erkennen. Mittlerweile sind allein auf dem deutschen Markt über 35.000 Titel (inkl. Neuausgaben) verfügbar, monatlich kommen zur Zeit über 500 neue Titel und Wiederveröffentlichungen aus den Bereichen Spielfilm und Dokumentation hinzu.[23] Diese Erfolgsgeschichte erreichte 2004 einen ersten Höhe- und Wendepunkt: Erstmals verdienten die Hollywood-Majors den größten Teil ihrer Einnahmen nicht mehr mit Fernsehausstrahlungsrechten, sondern mit dem Verkauf von DVDs. Deren Umsatz erbrachte mit 15 Milliarden Dollar insgesamt 63 % des Gesamtgewinns, während der Aufführungsort Kino auf dem US-Markt nur noch für rund 21 % des Gewinns verantwortlich war. Hinzu kommt, dass den Studios von den Gesamteinnahmen der Kinoaufführungen nur um die 50 % bleiben, während sie am Verkaufserlös einer verkauften DVD mit ca. 70 % beteiligt sind.[24] Dass sich die ökonomischen Interessen Hollywoods in den letzten Jahren verschoben haben, liegt auch darin begründet, dass ein im Kino erfolgreicher Film auf DVD leicht noch einmal das Doppelte einnehmen kann. Aber auch ein

---

22 Anthony Leong: „Director's Cuts: Do they make the cut?". In: *Frontier. The Australian Science Fiction media magazine* (February/March 1999), online unter http://www.mediacircus.net/dc.html (letzte Abfrage am 15.03.2007).

23 Ausgewertet wurde hier die DVD-Datenbank der Website www.dvd-palace.de und die Startlisten der Website www.cinefacts.de (Stand: 15.03.2007). Nicht enthalten sind Veröffentlichungen aus dem Hardcore-Bereich.

24 Jon Gerner: „Box office in a box", in: New York Times Magazine (14.11.2004), online unter http://brandautopsy.typepad.com/brandautopsy/files/box_office_in_a_box_ny_times_article.doc (letzte Abfrage am 15.03.2007).

im Kinogeschäft erfolglos gebliebener Film kann so im Verleih- und Verkaufsgeschäft zumindest seine Kosten wieder einholen.

Entsprechend haben sich die Produktionsbedingungen angepasst: Der in den 1990er Jahren durch das verstärkte Aufkommen von Pay-TV-Angeboten nahezu eingeschlafene *Direct-to-Video*-Markt erfreut sich neuer Beliebtheit. Mittlerweile produzieren nicht mehr nur Independents, sondern auch die Studios eigens Filme nicht mehr primär für die Kinoauswertung, sondern vorrangig mit Blick auf die spätere DVD-Auswertung. Kinoaufführungen dieser Filme, die oft nur in wenigen Absatzmärkten mit geringer Kopienzahl erfolgen, dienen in diesen Fällen vor allem der Vermarktung des – zeitnah erfolgenden – DVD-Starts, verschaffen dem Film zugleich aber den Nimbus eines ‚echten‘ Kinofilms. Und selbst das Starsystem Hollywoods ist im Begriff, sich nach Verwertungsmedien hin auszudifferenzieren: So äußert sich etwa Mike Dunn, der Präsident von 20th Century Fox Home Entertainment, der für den Heimmarkt zuständigen Abteilung, in einem Interview mit der New York Times: „You know, if I could make every movie, I'd put Denzel Washington in every one of them. […] Will Ferrell is another star like that – just huge on DVD. And Gene Hackman. Gene Hackman is like the Good Housekeeping seal on a DVD."[25]

Zur Durchsetzung der DVD beigetragen hat sicherlich die gegenüber VHS verbesserte Bild- und Tonqualität und die bequemere Bedienbarkeit der DVD (darunter die direkte Szenenanwahl und die Wechselmöglichkeiten von Ton- und Untertitelspur) beigetragen. Hinzu kommt die bereits zuvor große Akzeptanz der CD, von der sich die DVD optisch nicht unterscheidet – und wie die CD ist auch die DVD auf PCs abspielbar, ermöglicht damit weitere Aufführungsmodalitäten. Zudem erreichen DVDs eine breitere Käuferschicht als das seit den 1970er Jahren vor allem von Jugendlichen dominierte Kinopublikum. So hat sich parallel zur DVD die heimische Aufrüstung des Fernsehers zum Home Cinema durchgesetzt, inklusive Dolby-Digital-Anlage und optionalem Beamer.

Zentral für den Erfolg einer Veröffentlichung ist aber gerade die Anzahl der enthaltenen Special Features, wie auch Peter Staddon, der Verkaufsleiter von 20th Century Fox Home Entertainment im bereits zitierten Interview konstatiert: „It's interesting to watch someone buy a DVD: The first thing they do is check the back of a new release to see what extras they will get. So they're very important in point of purchase, even if they turn out to be irrelevant once they are brought home."[26] Dieses Zusatzmaterial ist für die Verkaufszahlen derart entscheidend, dass immer häufiger auch von bereits veröffentlichten Filmen eine sogenannte Special Edition erscheint, die mit wesentlich mehr Extras ausgestattet ist als die Erstauflage. Bereits in die frühe Produktionsplanung werden die DVD-Abteilungen der Studios mit einbezogen. Und um die Erstellung von DVD-Extras hat sich mittlerweile eine eigene Zuliefererindustrie entwickelt, die

---

25   Ebd.
26   Ebd.

im Auftrag der Studios schon während der Dreharbeiten die späteren Zusatzmaterialien plant und erstellt. Diese Zusatzmaterialien können im Extremfall bis zur fünffachen Länge des eigentlichen Spielfilms umfassen, wie die DVDs zur *Lord-of-the-Rings*[27]-Trilogie zeigen.

Die Kosten dieser Special Features führen in letzter Konsequenz aber auch zu einer selektiveren Veröffentlichungspolitik der Studios: In den letzten Jahren ist die Anzahl neu erscheinender Titel aus dem sogenannten back catalogue, aus den Archiven der Studios, im Vergleich zu den besser ausgestattete Neuauflagen bereits erhältlicher Filme stark zurückgegangen. Auch auf den High-Definition-Nachfolgemedien der DVD, BluRay und HD-DVD, erscheinen vorrangig Filme, die ihre Marktakzeptanz auf DVD bereits bewiesen haben und die bereits in qualitativ guten Abtastungen vorliegen. Damit werden bestimmte, bereits bekannte Titel kanonisiert, während zahlreiche, insbesondere ältere Titel nicht erscheinen. Da auch Fernsehstationen zunehmend auf die vorliegenden Abtastungen angewiesen sind, entwickelt sich die Auswahl erhältlicher Filmtitel zunehmend zu einer Kanonisierung der Filmgeschichte, bei der zahlreiche Filme in Vergessenheit zu geraten drohen.

3. Filmfassungen und ihre Regisseure

Kanonisiert wird mit der DVD aber auch bei bekannteren Filmen nicht immer die Kinofassung des entsprechenden Films: Wie bereits erwähnt, verspricht es großen Erfolg, auf DVD eine gegenüber der Kinoauswertung veränderte Filmfassung anzubieten. Die in den frühen 1990er Jahren entstandene Idee des Director's Cut erweist sich somit als eine Möglichkeit für die Hollywoodstudios, einen älteren Film als Neuveröffentlichung zu bewerben und zu verkaufen. Und die starke Positionierung des Regisseurs auf den DVDs (im Regiekommentar, Making-Of, etc.) hilft dabei, Interesse für weitere DVDs der gleichen Filmemacher zu wecken. Einigen dieser DVDs ist darüber hinaus ein erläuterndes Statement des Regisseurs beigefügt, in dem dieser den Status der alternativen Filmfassung zu erläutern versucht. Ein Beispiel hierfür ist die Neuausgabe des Films *Alien*[28], der auf dieser DVD in der Kinofassung und in einem eigens angefertigten Director's Cut vorliegt. Wählt man letzteren an, so erläutert Ridley Scott in einem Intro diese Fassung wie folgt:

> Hello, my name is Ridley Scott. I am the director of *Alien*, which now is almost a quarter of a century old. In that time I've changed the original version two or three times, never any dramatic changes, 'cause I think the film we completed at the time was pretty good. I've always been rather

---

[27] *The Lord of the Rings – The Fellowship of the Ring*, USA 2001; *The Lord of the Rings – The Two Towers*, USA 2002, *The Lord of the Rings – The Return of the King*, USA 2003. Regie führte in allen drei Teilen Peter Jackson.

[28] UK/USA 1979, R.: Ridley Scott.

proud of it. But over the years, with the advent of tape, and then of course the digital market, there have been a few adjustments and changes. Most recently I've decided to reintroduce some footage that has never been seen before into this version. And also I made some minor adjustments, 'cause when you look at a film for 25 years you eventually see some little things you'd like to adjust. So I hope you agree with me and I hope you enjoy it.[29]

Scott verteidigt hier zunächst die Kinofassung: Die neue Fassung von *Alien* wird von ihm als Revision des mittlerweile 25 Jahre alten Films durch den 25 Jahre älteren Regisseur annonciert. Dies verweist auf ein wichtiges Kriterium für Director's Cuts: Sie basieren zum einen auf dem noch zur Verfügung stehenden Material, das oft aus einem späten Workprint des Films stammt. Sie sind zum Großteil nachträglich erstellte Variationen eines bereits vorliegenden Films, wobei die Reaktionen des Publikums auf die ursprüngliche Fassung bereits bekannt sind. Ridley Scott selbst begründete diese Tradition mit seiner Überarbeitung von *Blade Runner*: Statt auf den Workprint seiner ursprünglichen Schnittfassung zurückzugreifen, erstellte er, wie bereits erwähnt, eine dritte Fassung. Für das Jahr 2007 ist eine weitere, vierte Schnittfassung des Films annonciert, nunmehr als *Final Cut* betitelt.

Selbst wenn man den Regisseur also zum Alleinverantwortlichen für einen Film erklärt, erlauben es diese Director's Cuts nicht, die ‚ursprüngliche Vision‘ eines Filmemachers zu sehen. Stattdessen handelt es sich um Jahre oder Jahrzehnte später entstandene, neue Fassungen eines bereits vorliegenden Films. Erstellt wurden sie von Personen in einem anderen Lebensabschnitt und in einer historisch differenten Kultur, die zudem ein Vorwissen um die Rezeption ihres Films ermöglicht. Auch Terry Gilliams *Brazil* entspricht diesen Vorgaben: 1996 veröffentlichte die Firma Criterion zwar den Film auf Laserdisc. Dabei griff sie allerdings nicht auf die ohne Probleme verfügbare europäische Kinofassung zurück, sondern ließ Gilliam eine neue Schnittfassung erstellen. Dieser Director's Cut stellt die mittlerweile fünfte Schnittfassung des Films dar.

Dies gilt jedoch nicht nur für Veröffentlichungen älterer Filme: Wie man dem Bonusmaterial des 4-DVD-Sets entnehmen kann, entspricht die nachträglich von Ridley Scott veröffentlichte Director's-Cut-Fassung seines Kinoflops *Kingdom of Heaven*[30] nicht der ursprünglich geplanten Schnittfassung, sondern stellt ebenfalls eine neue, dritte Fassung dar – obwohl die Fertigstellung des Films beim Erscheinen dieser Fassung erst ein Jahr zurücklag. Auch dieser Director's Cut macht somit nicht ein vermeintlich verschwundenes Original verfügbar, sondern vervielfacht die Anzahl der vorhandenen Filmfassungen. Noch deutlicher werden die damit verbundenen Probleme am Beispiel von *Superman II*[31]: Bei den Dreharbeiten zum ersten und zweiten Teil, die ohne Unterbrechung erfolgten, fungierte zunächst Richard Donner als Regisseur. Nach Fertigstellung

---

[29]   Enthalten auf dem DVD-Set *Alien Quadrilogy*, Fox Home Entertainment 2003.
[30]   USA 2005, R.: Ridley Scott.
[31]   USA 1980, R.: Richard Lester.

des ersten Teils entschieden die Produzenten, für den zweiten Teil Änderungen vorzunehmen, und engagierten Richard Lester. Dieser verwendete einige Szenen, bei denen Donner Regie geführt hatte, drehte aber auch einen Großteil neu. 2006 veröffentlichte Warner Bros. unter dem Titel *Superman II: The Richard Donner Cut* eine Rekonstruktion auf DVD, die vorrangig aus Szenen besteht, bei denen Donner Regie geführt hat. Da aber unter seiner Ägide kein Filmende fertig gestellt worden war, entschied man sich dafür, in dieser Fassung den Schluss des ersten Teils (der ursprünglich für die Fortsetzung vorgesehen war) erneut zu verwenden. Die so entstandene Filmfassung entspricht nicht einer Originalfassung, die 1980 hätte erstellt werden können, sondern dokumentiert vielmehr die Unmöglichkeit, einer solchen Fassung nahe zu kommen.

Zurück zu Ridley Scotts Statement: Um seine Überarbeitung zu legitimieren, verweist er zusätzlich darauf, dass *Alien* mit der vorliegenden Fassung nicht zum ersten Mal verändert worden ist. Damit macht Scott auf das Faktum aufmerksam, dass veränderte, alternative Filmfassungen kein neues Phänomen in Hollywood sind. Schon in der Stummfilmzeit wurden in Exportfassungen für den europäischen Markt Szenen umgestellt oder, wie im Beispiel der 1927 entstandenen Anna-Karenina-Verfilmung *Love*[32] mit Greta Garbo, das für den amerikanischen Markt gedrehte Happy Ending durch einen – dem Roman entsprechenden – tragischen Schluss ersetzt. In den 1930er und 1940er Jahren war es üblich, einen Film für seine Wiederaufführung stark zu kürzen, um ihn so als zweiten Film eines Doppelprogramms einsetzen zu können. Aber auch politische Entwicklungen wurden berücksichtigt; so wurde Frank Capras *Lost Horizon*[33] bei seiner Wiederaufführung im Jahr 1942 gekürzt und mit einem Vorspann versehen, der die Handlung in Bezug zum aktuellen Kriegsgeschehen stellte.

Jenseits dieser populären und gut dokumentierten Fälle ist es gerade die Filmveröffentlichung auf DVD, die auch das breite Publikum auf das zuvor eher Filmhistorikern und Filmarchivaren bekannte Problem der Vielzahl international differenter Filmfassungen[34] aufmerksam gemacht hat. Ältere Filme weisen oftmals Lücken in der deutschen Synchronisation auf, die bei Verwendung internationaler Bildmaster durch den Originalton mit Untertiteln oder durch Nachsynchronisation ersetzt werden müssen. Gelegentlich, wie im Falle von Hitchcocks *Psycho*[35], ist es aber auch die deutsche Fassung, in der Einstellungen länger sind

---

[32] USA 1927, R.: Edmund Goulding.

[33] USA 1937, R.: Frank Capra.

[34] Vgl. Joseph Garncarz: *Filmfassungen. Eine Theorie signifikanter Filmvariation*, Frankfurt a.M. 1992.

[35] USA 1960, R.: Alfred Hitchcock. Die deutsche Video- und die alte Fernsehfassung weist drei markante Abweichungen zur us-amerikanischen Fassung auf: Norman Bates beobachtet in der deutschen Fassung Marion Crane dabei, wie sie ihren schwarzen BH auszieht. Nach der Duschszene fehlt der US-Fassung eine Einstellung auf Normans blutverschmierte Hände. Auch der Mord an Detektiv Arbogast ist gekürzt. Mittlerweile wird auch im deutschen Fernsehen das DVD-Master gesendet, das diese zusätzlichen und verlängerten Szenen nicht beinhaltet; vgl. www.ofdb.de.

als es die us-amerikanische Fassung vorsieht. Dadurch, dass die deutsche DVD, aber auch die neueren Fernsehausstrahlungen hier auf das internationale Master zurückgreifen, ist die in Deutschland bislang bekannte Fassung nunmehr ersetzt worden. Die Vielzahl unterschiedlicher Filmfassungen ist mittlerweile zum beliebten Diskussionsgegenstand im Internet geworden; so widmet sich das deutsche Filmdatenbank-Projekt www.ofdb.de spezifisch der Auflistung differenter Fassungen, während die Website www.schnittberichte.com ausführlich bebilderte Vergleiche bietet.

Die von Scott erwähnten Veränderungen umfassen aber auch die Auswertung eines Kinofilms im Fernsehen und auf Video. Filme wurden und werden für diese Märkte verändert, um sie an das ehemalige Standardbildformat 4:3 des Fernsehens anzupassen. Insbesondere die – als Konkurrenz zum Fernsehen aufgekommenen – Breitwandfilme müssen dabei intensiv nachbearbeitet werden. So wird in der sogenannten Pan&Scan-Technik bei der Abtastung des Filmbildes jeweils ein Bildausschnitt ausgewählt. Dabei entstehen z.T. neue Kamerabewegungen, in jedem Fall aber neue Kadrierungen des Filmbildes. Zwar behalten die meisten DVD-Veröffentlichungen nunmehr das Kinoformat bei, aber auch bei der digitalen Abtastung werden Eingriffe vorgenommen, die das Filmerlebnis verändern. So wird häufig die vorliegende Filmtonmischung für den Heimmarkt neu überarbeitet, bei monauralen Filmen wird zudem eine Neuabmischung vorgenommen, damit alle Kanäle der mittlerweile weit verbreiteten Dolby-Digital-5.1-Anlagen bedient werden. Auch diese hinzukommende Räumlichkeit des Tons erzeugt neue semantische Effekte, die den Toneindruck des Kinofilms stark beeinflussen können.

Director's Cuts und verlängerte Filmfassungen auf DVD fügen sich in dieser Sicht nahtlos in die lange Tradition ein, Filme an differente Aufführungskontexte anzupassen, in diesem Fall den veränderten Sehgewohnheiten der Heimkinonutzer und den Ansprüchen der DVD-Käufer, gegenüber dem reinen Kinofilm ein *surplus* zu erhalten. Neu ist dabei lediglich die offensive Vermarktung dieser Veränderungen, die letztlich eine Auteur-Perspektive in Frage stellt: Mehrere parallel existierende Filmfassungen lassen die Frage nach der Validität der einzelnen Fassung entstehen. Wichtig kann beispielsweise für eine historische Fragestellung sein, welche der Fassungen jene ist, die von der Kritik und dem Publikum gesehen wurden. Zudem entsteht durch das große Angebot von DVD-Veröffentlichungen mittlerweile ein großer finanzieller Druck, auch für solche Filme eine alternative Fassung anzubieten, die schon in der Kinofassung der Schnittfassung der Regisseure entsprachen. Gerade das Etikett Director's Cut kann dabei täuschen: Noch 1998 äußerte sich William Friedkin anläßlich der 25th-Anniversary-DVD von *The Exorcist*[36], er sei sehr zufrieden mit seiner Filmfassung und sehe keinen Änderungsbedarf. Nur zwei Jahre später brachte Warner allerdings eine neue Schnittfassung in die Kinos, die in Deutschland als Direc-

---

[36] USA 1973, R.: William Friedkin.

tor's Cut beworben wurde. Aus den Extras der dazugehörigen DVD geht aber deutlich hervor, dass es sich hier vielmehr um eine Schnittfassung handelt, die dem nahe kommen will, was sich die Produzenten des Films (darunter der Autor der Buchvorlage) vor 25 Jahren vorgestellt hatten.

In letzter Zeit nehmen die Label, unter denen veränderte Filmfassungen beworben werden, stark zu. So verweist etwa die Ergänzung *unrated* darauf, dass in der neuen Filmfassung Material enthalten ist, das entgegen der ursprünglichen Altersfreigabe im Kino gewalttätiger oder sexuell freizügiger ist – wie etwa den Kommentaren zu den vorgeblich unzensierten Fassungen von *American Pie 2* und *American Wedding*[37] zu entnehmen ist, wurde hier dieses Material eigens für die DVD-Fassung produziert. Auch bei *Alien vs. Predator Unrated*[38] wurde erst für die zweite DVD-Auflage in einigen Szenen Blut mittels Computergraphiken hinzugefügt. Zudem mehren sich in den letzten Jahren Filmfassungen, die unter dem Label Extended Edition vertrieben werden. Auch bei den drei HERR DER RINGE-Filmen von Peter Jackson liegen Extended Editions vor, die die neunstündige Kinolaufzeit aller drei Teile um insgesamt 2 Stunden verlängert. Begründet wird diese zweite Fassung von Jackson in seinem Audiokommentar ausdrücklich mit dem Hinweis auf die heimischen Aufführungsbedingungen, die eine längere Laufzeit als positiven Faktor erscheinen lassen; er selbst bevorzuge allerdings weiterhin die Kinofassungen. Oft handelt es sich bei Extended Editions aber um Filmfassungen, die lediglich die zuvor bereits auf DVD enthaltenen Deleted Scenes wieder in den Film einarbeiten, unabhängig davon, von wem die Entfernung dieser Szenen letztlich ausing. Dass diesen Fassungen das Etikett Director's Cut fehlt, macht deutlich, dass hier primär das Interesse der Produzenten an einer weiteren Veröffentlichung der Filme im Vordergrund steht. In letzter Zeit mehren sich denn auch die Veröffentlichungen, auf denen sich die Regisseure kritisch-distanziert zur nunmehr verlängerten Filmfassung äußern, die sie nichtsdestotrotz präsentieren. So leitet Jean-Pierre Jeunet, Regisseur des vierten Teils der *Alien*-Reihe, Alien: Resurrection, die erweiterte Filmfassung mit den folgenden Worten ein:

> The special edition version you're going to watch is not a director's cut, because the director's cut was the version you watched in theatres in 1997. And I remember I was very happy and very proud about that so it wasn't necessary for me to make a director's cut. But usually we try to make different endings, and I remember we made a different main credits. And that's maybe a good reason for you fans to watch, to understand what we tried to make.

Jeunet macht nicht nur deutlich, dass die neue Fassung nicht seine gewünschte Schnittfassung ist: Er verweist zugleich darauf, dass im Prozess des Filmema-

---

[37] *American Pie 2*, USA 2001, R.: James B. Rogers; *American Wedding*, USA 2003, R.: Jesse Dylan.
[38] USA 2004, R.: Paul W.S. Anderson.

chens oftmals viele verschiedene Filmfassungen gleichzeitig konzipiert werden, so dass bei Nichtgefallen des Testpublikums auf alternatives Material zurückgegriffen werden kann. Die Planung differenter Filmfassungen ist somit bereits in der Produktionsphase vorgesehen. Aber auch die – im Vergleich zu *Alien* deutlich kürzere – Einleitung Ridley Scotts zur Extended Edition seines Oscar-Gewinners *Gladiator*[39] ist von großer Prägnanz:

> Hi, I'm Ridley Scott, and what you're about to see if you press play is the extended version of Gladiator. It is not the Director's Cut. The Director's Cut is the length that went out to the movie theatres, the one you've already seen probably. This has a lot of scenes in it that were removed during the editing process and might be worth seeing.[40]

Weitaus verräterischer als die zurückhaltenden Worte, die die zusätzlichen Szenen als lediglich eventuell sehenswert einschätzen, ist das Mienenspiel Scotts: Wirkt er beim Director's Cut von *Alien* noch begeistert von den Möglichkeiten, eine weitere Filmfassung seines Films vorstellen zu können, so kommuniziert er hier mit schräger Kopfhaltung, verschränkten Armen und ausladenden Gesten eine deutliche Abwehrhaltung zur vorliegenden Fassung.

In filmhistorischer Perspektive stimmt besonders bedenklich, dass durch den Vertrieb alternativer und verlängerten Filmfassungen häufig die ursprüngliche Kinofassung vom Markt verschwindet. So geschehen im Fall von Francis Ford Coppolas *Apocalypse Now*[41], von dem auf DVD zur Zeit nur noch die 2000 erstellte *Redux*-Fassung erhältlich ist. Aber auch gerade Restaurierungen älterer Filmtitel wie *Lawrence of Arabia*[42] oder Walter Murchs umstrittene Neufassung von *Touch of Evil*[43] ersetzen im Kino, im Fernsehen und auf DVD die ursprüngliche Kinofassung. Wie problematisch dies sein kann, macht ein weiteres Beispiel deutlich: 1993 wurde Sam Peckinpahs *Pat Garrett and Billy the Kid*[44] in einer neuen, als Director's Cut vermarkteten Schnittfassung in die Kinos gebracht, die vom ursprünglichen Cutter und vom Drehbuchautor erstellt worden war. Kurze Zeit später aber fand sich im Nachlass Peckinpahs ein Workprint seiner eigenen Schnittfassung, bevor ihm das Studio den Film entzog. Diese stimmte nun aber in kaum einer Szene mit dem bereits veröffentlichten, vermeintlichen Director's Cut überein – viel öfter aber mit dem Schnittrythmus der Kinofassung des Films.

---

[39] USA 2000, R.: Ridley Scott.
[40] Enthalten auf der DVD Gladiator Extended Edition, Universal 2005.
[41] USA 1979, R.: Francis Ford Coppola.
[42] UK 1962, R.: David Lean.
[43] USA 1958, R.: Orson Welles.
[44] USA 1973, R.: Sam Peckinpah.

4. Die Aporie des Auteurs im DVD-Zeitalter

Die kommerziell motivierte Nachfrage nach verlängerten Filmfassungen hat also keineswegs dazu geführt, dass sich die Macht der Regisseure über die zu veröffentlichte Filmfassung verbessert hat: In den Kinos laufen weiterhin die vom Studio abgesegneten Filmfassungen, erst im Nachhinein kann es dazu kommen, dass Einsprüche des Regisseurs berücksichtigt werden. Zwar sind Regisseure jetzt integraler Bestandteil der Veröffentlichung ihrer Filme, sie schreiben sich über Audiokommentare, Making-Ofs etc. in die DVDs mit ein. Je umfangreicher dieses Bonusmaterial aber ist, desto unvermeidbarer ist es, dass dem Rezipienten auch klar wird, wie gering der Bereich ist, den der Regisseur bei einer modernen Filmproduktion überhaupt noch überblicken kann, und wie groß der Anteil anderer Beteiligter ist.

Die bisherigen Ausführungen zeigen, dass schon die alleinige Existenz unterschiedlicher Filmfassungen, aber auch ihre Umsetzung auf dem gegenwärtigen Filmmarkt nur umso deutlicher die eindeutige Urheberschaft des Regisseurs als Filmautors in Frage stellt. Viel eher macht es Sinn, das Phänomen des Director's Cut, das die Intention im Titel zu beschwören scheint, vielmehr im foucaultschen Sinne als Beispiel für die Funktion Autor zu verstehen: „Ein Privatbrief kann einen Schreiber haben, er hat aber keinen Autor; ein Vertrag kann wohl einen Bürgen haben, aber keinen Autor. [...] Die Funktion Autor ist also charakteristisch für Existenz-, Verbreitungs- und Funktionsweise bestimmter Diskurse in einer Gesellschaft."[45] Director's Cuts sind ebenfalls diskursbegründend, sie verschaffen dem Regisseur eine prominente Rolle in der Filmvermarktung – zugleich bringen alternative Filmfassungen in letzter Konsequenz aber das Konzept eines alleinverantwortlichen Filmschöpfers, der seine Intention in den Film einbringt, endgültig zum Verschwinden.

Manchen Filmemachern gelingt es allerdings, durch ihren kreativen Umgang mit den Möglichkeiten der DVD dieses Verschwinden einer eindeutigen Autorintention auszustellen: Wählt man etwa auf der DVD zum rückwärts erzählten *neo noir Memento*[46] den Audiokommentar des Regisseurs Christopher Nolan an, so verkündet dieser in den letzten 15 Minuten dem Zuhörer seine Interpretation der verschachtelten Ereignisse des Films. Allerdings wählt die DVD bei jedem Ansteuern des Audiokommentars zufällig eine von vier Audiospuren an – und auf jeder dieser vier Spuren bietet Nolan eine andere Lektüre des Films an.

---

[45] Michel Foucault: „Was ist ein Autor?". In: ders.: Schriften zur Literatur Bd. 3, Frankfurt a.M. 1988 [1969], S. 17f.
[46] USA 2000, R. Christopher Nolan.

Rahmen, Hüllen, Kleider und das Phantasma der Durchsichtigkeit.
Verschwindende Medien in Stifters *Nachsommer*

Franziska Schößler

Ähnlich wie Goethes Roman *Die Wanderjahre* könnte man Stifters *Nachsommer*[1] als Archivroman bezeichnen – er versammelt, gut historistisch, Texte von kanonisierten Autoren,[2] zitiert gewichtige Schriften von Aristoteles, Goethe, Winckelmann, Alexander von Humboldt, Hegel und anderen, meist jedoch ohne die Referenzen und die Brüche in der narrativen Textur zu markieren. Die Allusionen werden vielmehr in den homogenen Sprachfluss des *Nachsommers* integriert, der vielfach gegen die rhetorische Regel der variatio verstößt und zu abstrakten Formulierungen neigt. Der Roman adaptiert die Zitate in sprachlicher Hinsicht, so dass ihre historische Signatur und die Filiationen der Hypotexte verschwinden. Über die Büchersammlung des Vaters heißt es zum Beispiel: „Er sagte, daß in anderen [Büchern] das enthalten sei, was die Menschen in vielen Jahren von der Welt und von anderen Dingen, von ihrer Einrichtung und Beschaffenheit in Erfahrung gebracht hätten." (16, I)[3] Das Kompendium menschlichen Wissens – bezeichnenderweise paraphrasiert der Erzähler unmittelbar im Anschluss Aristoteles, wenn es heißt, dass die Bücher auch das enthalten, „was sich hätte zutragen können" (16, I) –, das Kompendium menschlichen Wissens also, das der *Nachsommer* zusammenstellt, überführt die Überlegungen vergangener Zeiten in ein

---

[1] Relevant für die Stifter-Forschung der letzten Jahrzehnte scheint mir Begemanns Untersuchung, die die „dekonstruktive Prägnanz der Stifterschen Texte" sinnfällig werden lässt; Christian Begemann: *Die Welt der Zeichen. Stifter-Lektüren*, Stuttgart, Weimar 1995, S. 346. Zu den Untersuchungen, die die Selbstreferenz der Texte betonen, vgl. Thomas Keller: *Die Schrift in Stifters „Nachsommer". Buchstäblichkeit und Bildlichkeit des Romantextes*, Köln, Wien 1982; Eva Geulen: *Worthörig wider Willen. Darstellungsproblematik und Sprachreflexion in der Prosa Adalbert Stifters*, München 1992; Franziska Schößler: *Das unaufhörliche Verschwinden des Eros. Sinnlichkeit und Ordnung im Werk Adalbert Stifters*, Würzburg 1995.

[2] Zur Funktion von Sekundärordnungen und Sammlungen in der biedermeierlichen Literatur vgl. u.a. Hans Dietrich Irmscher: *Adalbert Stifter. Wirklichkeitserfahrung und Sprachreflexion in der Prosa Adalbert Stifters*, München 1971; Günther Weyelt: „Literarisches Biedermeier II. Die überindividuellen Ordnungen", in: Elfriede Neubuhr (Hg.): *Begriffsbestimmung des literarischen Biedermeier*, Darmstadt 1974, S. 84–99.

[3] Die Angaben in Klammern beziehen sich auf folgende Ausgabe: Adalbert Stifter: „Der Nachsommer", in: Alfred Doppler und Wolfgang Frühwald (Hg.): *Adalbert Stifter. Werke und Briefe. Historisch-kritische Gesamtausgabe*, Bd. 4.1, 4.2, 4.3, Stuttgart, Berlin, Köln 1997, 1999, 2000.

synchrones Archiv jenseits der Geschichte, das freilich eine historische Signatur hat.

Die zahlreichen Referenzen transportieren gleichwohl unkontrollierbares Wissen, das insbesondere ein zentrales Projekt des *Nachsommers* unterwandert, nämlich Begehren, Körperlichkeit und Leidenschaft zu dissimulieren. Es gelingt selbstverständlich auch dem tendenziell monosemierenden Text Stifters nicht, die aufgerufenen Kontexte stillzustellen, vor allem nicht die erotischen Phantasien des traditionsreichen Statuen-Motivs, das für die klassischen Antike-Evokationen ebenso einschlägig ist wie für die romantische Beschwörung menschlicher Nachtseiten. Versucht Stifters Roman das Begehren zu domestizieren, so vermag er sich nicht vollständig gegen die Phantasien seiner Zitate zu immunisieren. An den Rändern, verschoben in polysemische Signifikate und auch buchstäblich am Rand erschriebener Bilder, drängt sich das Erotische der Prätexte in den Roman hinein, wie im Folgenden an drei Beispielen gezeigt werden soll: an den Bezügen zu Goethes *Schweizer Briefen*,[4] zu Eichendorffs Novelle *Das Marmorbild*[5] und zu Winckelmanns Statuen-Diskurs.[6]

Ein zweiter Abschnitt geht dem von den Stifterschen Figuren betriebenen Projekt nach, Kunstwerke unterschiedlichster Gattungen und Materialität in Anlehnung an Hegels *geistiges Wort* zum reinen Ausdruck zu erheben, zu einem Ausdruck, der sich (scheinbar) jenseits der Medien artikuliert und so zum Wesen deklariert werden kann. Doch um das Kunstwerk als Geist behaupten zu können, müssen auf obsessive Weise Hüllen, Überzüge und Rahmen geschaffen werden, in buchstäblicher Weise ebenso wie auf der narrativen Metaebene. Die Figuren des *Nachsommers* arbeiten unablässig daran, Medien als Materialität zum Verschwinden zu bringen, und zwar in einer unendlichen Bewegung, wie sie Joseph Vogl beschrieben hat: Der enthüllte Kern (der Statue, des Gemäldes, des Romans) erscheint paradoxerweise als neue Hülle und trägt so der prinzipiellen Abwesenheit der Idee der Schönheit (im platonischen Sinne) Rechnung. Die

---

[4] Stifter hat sich bekanntlich ausdrücklich zum Nachfolger Goethes erklärt; vgl. dazu u.a. Helga Bleckwenn: *Stifter und Goethe. Untersuchungen zur Begründung und Tradition einer Autorenzuordnung*, Frankfurt a.M., Bern 1977.

[5] Der Bezug zu Eichendorff ist bislang unter dem Vorzeichen des Kontrastes behandelt worden; Christian Hoffmann: *Die Liebesanschauung in Stifters „Nachsommer"*, Linz 1993. Hoffmann ordnet Stifters Frauenbild einer apolinischen Religiosität zu, während in Eichendorffs Text die Dämonie des Heidnischen verhandelt werde. M.E. kann diese Trennlinie nicht in dieser Eindeutigkeit gezogen werden. Zu dem Motiv der Statue vgl. auch Hannelore Schlaffer: „Mutterbilder, Marmorbilder. Die Mythisierung der Liebe in der Romantik", in: *Germanisch-Romanische Monatsschrift* 36 (1986), S. 304–319, bes. S. 313f.

[6] Vgl. dazu Ludwig Arnold: *Stifters „Nachsommer" als Bildungsroman. Vergleich mit Goethes „Wilhelm Meister" und Kellers „Grünem Heinrich"*, Diss., Gießen 1983; Manfred Majstrak: *Das Problem von Individuum und Gemeinschaft in den großen nachklassischen Bildungsromanen Stifters und Kellers*, Diss., Bonn 1954; Otto Friedrich Bolnow: „Der Nachsommer und der Bildungsgedanke des Biedermeier", in: G. Haselbach, G. Hartmann (Hg.): *Beiträge zur Einheit von Bildung und Sprache im geistigen Sein. Festschrift für Ernst Otto*, Berlin 1957, S. 14–33; ebenso Hoffmann: Die Liebesanschauung in Stifters *Nachsommer*, S. 34f.

multiplen Akte der Enthüllung als Entdeckung des Wesens treiben die unhintergehbare Verschleierung hervor bzw. die Einsicht, dass der Kern ein Effekt seines
medialen Ausdrucks ist.[7] Der Roman legt mithin das Paradox jeglicher hermeneutischer Lektürepraxis offen, dass allein das Materielle den Eindruck von Tiefe, von Wesenhaftigkeit und Wahrheit produziert und dass das Ringen um den
Geist Materialität entstehen lässt.

I. Die Präsenz des Abwesenden: Verschobene Körperphantasien

Der Naturforscher Heinrich Drendorf erweitert seine botanischen Studien, die
er mit großer Systematik in Anlehnung an Alexander von Humboldts Physiognomie der Pflanzen betreibt,[8] zu zoologischen Betrachtungen, als er bei seinen
Streifzügen durch die Wälder einen toten Hirsch an einem Wasser findet. Das
Tier, dessen Augen „noch in einem schmerzlichen Glanz glänzen" (37, I) – die
Tautologien verdanken sich wohl der Imitation wissenschaftlicher Terminologie
–, eröffnet ihm den Forschungsbereich der menschlichen wie tierischen Gestalt;
die abstrakte Begrifflichkeit entscheidet sich auch hier nicht zwischen den Bereichen. Heinrich beklagt mit Nachdruck die „Vernachlässigung der leiblichen
wirklichen Gestalt" (38, I), die ihm nun als Inbegriff der Schönheit entgegentritt
und ihm neben der Zoologie auch das Reich der Ästhetik eröffnet. Mit diesem
Interesse an der „Gestalt" stellt sich Heinrich zum einen in die Tradition eines
physiognomischen Denkens, das Alexander von Humboldt ebenso vertraut war
wie Goethe. Heinrich interessiert sich dieser Lehre gemäß nicht für die inneren
Merkmale der Phänomene, sondern für das, was Humboldt als „Physiognomie
der Pflanzen" bezeichnet hat,[9] für ihre sinnlich wahrnehmbare Gestalt, die als

---

[7] Joseph Vogl: „Der Text als Schleier. Zu Stifters *Nachsommer"*, in: *Jahrbuch der deutschen
Schillergesellschaft* 37 (1993), S. 298–312.

[8] Vgl. dazu Tobias Bulang: „Die Rettung der Geschichte in Adalbert Stifters *Nachsommer"*,
in: *Poetica* 32 (2000), S. 373–405, S. 376f. Wolfgang Frühwald: „Wie eine versteinerte Trä-
ne'. Adalbert Stifters Naturgefühl", in: Johann Lachinger, Regina Pintar, Christian Scha-
cherreiter, Martin Sturm (Hg.): *Sanfte Sensationen: Stifter 2005. Beiträge zum 200. Geburtstag Adalbert Stifters,* Linz 2005, S. 29–34, S. 33; ebenso Franziska Schößler: „Der
Weltreisende Alexander von Humboldt in den österreichischen Bergen. Das naturwissenschaftliche Projekt in Adalbert Stifters *Nachsommer"*, in: Sabina Becker, Katharina Grätz
(Hg.): Ordnung – Raum – Ritual. Adalbert Stifters artifizieller Realismus, Heidelberg
2007, S. 261–285.

[9] „Zur Bestimmung dieser Typen [seiner 16 Haupttypen; Anm. v. Verf.], von deren individueller Schönheit, Verteilung und Gruppierung die Physiognomie der Vegetation eines
Landes abhängt, muß man nicht (wie in den botanischen Systemen aus andern Beweggrün-
den geschieht) auf die kleinsten Fortpflanzungs-Organe, Blütenhüllen und Früchte, sondern nur auf das Rücksicht nehmen, was durch Masse den Totaleindruck einer Gegend in-
dividualisiert. [...] [D]er botanische Systematiker trennt eine Menge von Pflanzengruppen,
welche der Physiognomiker sich gezwungen sieht, miteinander zu verbinden." Alexander
von Humboldt: *Studienausgabe. Sieben Bände,* hg. v. Hanno Beck, Bd. V: Ansichten der

Ausdruck innerer Strukturen, des inneren Wesens, gilt.[10] Zum anderen jedoch kann dieser emphatische Blick auf eine im Glanz erscheinende Gestalt diaphanisch auf eine Goethesche Urszene erotischer Attraktion transparent gemacht werden, auf eine Episode, die die Schönheit der menschlichen Gestalt zelebriert und von einem homosexuellen Begehren erzählt.

Entwirft der *Nachsommer* eine Szene am Wasser, beschwört er die schöne Gestalt eines „gefallenen Helden" – der Hirsch wird anthropomorphisiert –, geht es um eine erste eindrückliche Begegnung mit Schönheit, wie sie in der Statue als ästhetisches Pendant Nataliens kulminiert,[11] und assoziiert die Schönheit lichtvollen Glanz (wie es die plotinische Tradition kennt), so finden sich diese Determinanten in Goethes *Schweizer Briefen* präfiguriert.[12] Der Tagebuchschreiber entdeckt in der viel zitierten Passage, die Goethe selbst noch einmal in den *Wanderjahren* aufruft und umschreibt, sein Interesse an der Gestalt, für ihn eine ähnliche Wissenslücke wie für Heinrich: „Vom Meisterstücke der Natur, vom menschlichen Körper, von dem Zusammenhang, der Zusammenstimmung seines Gliederbaues habe ich nur einen allgemeinen Begriff, der eigentlich gar kein Begriff ist. Meine Einbildungskraft stellt mir diesen herrlichen Bau nicht lebhaft vor."[13] Es folgt ein Erlebnis, das die schöne Gestalt – hier des Menschen – erfahrbar macht. Es heißt in den *Briefen aus der Schweiz*:

> Ich veranlaßte Ferdinanden zu baden im See; wie herrlich ist mein junger Freund gebildet! welch ein Ebenmaß aller Teile! welch eine Fülle der Form, welch ein Glanz der Jugend, welch ein Gewinn für mich, meine Einbildungskraft mit diesem vollkommenen Muster der menschlichen Natur bereichert zu haben![14]

Bezeichnet Heinrich in Stifters *Nachsommer* sein Objekt als „edlen gefallenen Helden", betont er den Glanz der Augen und erklärt er: „Das Thier gefiel mir so, daß ich seine Schönheit bewunderte" (37, I), so bildet Goethes Szene eines lustvollen Blickes auf den männlichen (lebendigen) Körper – auch bei Goethe eine Initiation in die Schönheit – den palimpsestischen Subtext zu Stifters Beschreibung, die jedoch die erotische Dimension, ja selbst das Menschliche ausklammert. Ausgerechnet eine Partie, die die Tödlichkeit des wissenschaftlichen Blicks und das petrifizierende ästhetische Programm des Stifterschen Romans enthüllt,

---

Natur. Erster und zweiter Band, hg. und kommentiert von Hanno Beck, Darmstadt 1987, S. 184.

[10] Diese Auffassung übernimmt Humboldt von Lavater, der in seinem *Essai sur la Physiognomie* anregt, die ganze Natur physiognomisch aufzufassen.

[11] Vgl. dazu Rita Morrien: *Sinn und Sinnlichkeit. Der weibliche Körper in der deutschen Literatur der Bürgerzeit*, Köln, Weimar, Wien 2001, S. 334f.

[12] Johann Wolfgang Goethe: „Briefe aus der Schweiz", in: ders.: *Sämtliche Werke nach Epochen seines Schaffens, Münchner Ausgabe*, Bd. 4.1: Wirkungen der Französischen Revolution 1791–1797, hg. v. Reiner Wild, München, Wien 1988, S. 630–644, S. 630.

[13] Ebd., S. 640.

[14] Ebd.

vergegenwärtigt einen Text, der von Erotik, menschlichen Körpern und Begehren erzählt.[15] Allerdings verschwinden Homoerotik und Begehren, wie sie die Goethe-Episode aufruft, nicht vollständig aus Stifters Text. Denn die enge Freundschaft zwischen Gustav und Heinrich, in der Forschung zuweilen als homoerotische Beziehung gedeutet, verweist in einer verborgenen Filiation auf diese Initiationsszene.

Die Schönheit der Gestalt wird an späterer Stelle noch einmal zum Thema, wiederum in Verbindung mit dem Animalischen. Gustav und Heinrich stellen – während ihrer gemeinsamen Schwimmübungen – nicht nur die Goethesche Badeszene im *Nachsommer* verschiedentlich nach, sondern Heinrich vergleicht die Schönheit Gustavs, die ihn zunehmend fasziniert, mit der von Tieren, so dass die Hirsch-Episode erneut eingespielt wird. Bei Heinrichs zweitem Besuch im Rosenhaus heißt es über Gustav:

> Er stand sehr schön neben mir da, und gegen die rauhe Art der Natur, die noch kein Laub kein Gras keinen Stengel keine Blume getrieben hatte, sondern der Jahreszeit gemäß nur die braunen Schollen die braunen Stämme und die *nackten* Zweige zeigte, war er noch schöner, wie ich oft beim Zeichnen bemerkt hatte, daß zum Beispiele Augen der Thiere in struppigen Köpfen noch *glänzender* erschienen, und daß feine Kinderangesichtchen, wenn sie von Pelzwerk umgeben sind, noch feiner aussehen [Herv. v. Verf.]. (213, I)

Heinrich beschreibt die Schönheit des Knaben ästhetischen Gesetzen gemäß als Kontrastwirkung, wobei in den Naturrahmen aus Ästen diejenige Nacktheit einwandert, die in Goethes Schilderung im Angesicht des Körpers dominiert. Und Heinrich vergleicht die Schönheit des Knaben mit der von Tieren, ähnlich wie ihm der Hirsch als schöne glanzvolle Gestalt erschienen war – besonders das kaum gebrochene Auge des Tieres spricht ihn an. Diese Episode korrespondiert der initiatorischen Szene in den Wäldern, doch setzt den Knaben an die Stelle des Tieres. Entfaltet der Roman in additiver Manier eine Vielzahl von Begegnungen, die Schönheit erfahrbar machen, und sind auch die Figuren, allen voran Natalie, von ästhetischen Substituten umstellt, die ausschließlich die Leerstelle der Schönheit dokumentieren, so umkreisen insbesondere die Erfahrungen mit Gustav die Goethesche Urszene, versuchen jedoch, das erotische Moment auszulöschen, das in Spuren gleichwohl präsent bleibt.[16]

15 Vgl. Joachim W. Stork: „Eros bei Stifter", in: Hartmut Laufhütte, Karl Möseneder (Hg.): *Adalbert Stifter. Dichter und Maler, Denkmalpfleger und Schulmann*, Tübingen 1996, S. 135–156; Sabine Schmidt: „Adalbert Stifters *Nachsommer*: Subjektive Idealität. Heinrich Drendorfs Selbstkonstitution im Spiegel seiner Selbstdefinition", in: Gudrun Loster-Schneider (Hg.): *Geschlecht – Literatur – Geschichte I*, St. Ingbert 1999, S. 84–104, S. 98f.

16 Vgl. zu diesen Aufschüben der Sichtbarkeit, die der Ästhetisierung des weiblichen Körpers dienen, Morrien: Sinn und Sinnlichkeit, S. 337f. Kinzel begründet diesen Aufschub mit der wissenschaftlichen Ausbildung des Protagonisten. Lernt Heinrich als Naturforscher Merkmale zu dechiffrieren, so muss er diesen Blick überwinden, um die merkmallose Schönheit erkennen zu können; Ulrich Kinzel: *Ethische Projekte. Literatur und Selbstgestal-*

Dass sich Stifters *Nachsommer* nicht gegen seine Hypotexte und die Tradition, die er aufruft, zu immunisieren vermag, lässt sich auch im Kontext der antiken Statue zeigen, die das Zentrum von Stifters genealogischem Roman markiert und sowohl die ästhetische Bildung des Adepten abschließt als auch – durch die Ehe mit Natalie, dem kaum lebensvolleren Pendant der antiken Statue – die Integration in die Risachsche Familie ermöglicht. Mit der Statue, einem patriarchal konfigurierten ästhetischen Frauenkörper,[17] ist eine traditionsreiche Figur aufgerufen, die sowohl in klassisch-antikisierenden, als auch in romantischen Programmen eine zentrale Rolle spielt. Stifters *Nachsommer* schließt, oberflächlich betrachtet, an erstere an, indem er sich an Winckelmanns Ästhetik orientiert, doch zeigt sich in Spuren auch die dämonisch-betörende Version der lebendigen Statue, wie sie die romantischen Autoren, Brentano ebenso wie Eichendorff, umgesetzt haben.[18] Stifters Szenario greift ambivalent codierte Topoi des Statuen-Motivs auf: die Verlebendigung der Statue durch das Licht – als Ausdruck für Erkenntnis[19] –, ebenso die Blitze, die einerseits auf die Antike verweisen, wie Hannelore und Heinz Schlaffer gezeigt haben,[20] andererseits jedoch auf die Horrorphantasien der Romantiker, insbesondere auf Eichendorffs Erzählung *Das Marmorbild*. Heinrich erklärt im *Nachsommer*:

> Ich hatte eine Empfindung, als ob ich bei einem lebenden schweigenden Wesen stände, und hatte fast einen Schauer, als ob sich das Mädchen in jedem Augenblicke regen würde. Ich blickte die Gestalt an und sah mehrere Male die röthlichen Blitze und die graulich weiße Farbe auf ihr wechseln. (75, II)

In Eichendorffs Novelle heißt es bei dem letzten Besuch Florios, der mit der Befreiung von der heidnischen Venusfigur endet: „Gegenüber stand eine Reihe marmorner Bildsäulen, über deren reizende Formen die schwankenden Lichter lüstern auf und nieder schweiften".[21] Bei Eichendorff ziehen dann düstere Gewitter auf, die die belebte Venus wiederum in Stein verwandeln:

---

tung im Kontext des Regierungsdenkens. Humboldt, Goethe, Stifter, Raabe*, Frankfurt a.M. 2000, S. 440f. Zum Er- und Verkennen von Schönheit vgl. auch Erk Grimm: „Vorspiel zum Glück: Heinrich Drendorfs *Nachsommer*", in: *Vasilo* 39 (1990), Folge 3 und 4, S. 25–39, S. 32f.

[17] Vgl. Schößler: Das unaufhörliche Verschwinden des Eros, S. 43f.

[18] Schmidt bezeichnet Stifter als einen Autor, der der Romantik „entläuft"; Jochen Schmidt: *Die Geschichte des Genie-Gedankens in der deutschen Literatur, Philosophie und Politik 1750–1945*, Bd. 2, Darmstadt 2. Aufl. 1988, S. 83. Vgl. dazu auch Franziska Schößler: „Zwischen romantischer Dämonie und traumatisierender Massenerfahrung: Zu Stifters Erzählung *Der Waldsteig*", in: *Aurora* 62 (2002), S. 113–125.

[19] Vgl. Morrien: Sinn und Sinnlichkeit, S. 342.

[20] Hannelore Schlaffer, Heinz Schlaffer: „Die Restauration der Kunst in Stifters *Nachsommer*", in: dies.: *Studien zum ästhetischen Historismus*, Frankfurt a.M. 1975, S. 112–120, S. 117f.

[21] Joseph von Eichendorff: „Das Marmorbild", in: Wilhelm Kosch, August Sauer, Hermann Kunisch, Helmut Koopmann (Hg.): *Sämtliche Werke des Freiherrn Joseph von Eichendorff*.

Das Gewitter schien indeß immer näher zu kommen [...]. Ein langer Blitz erleuchtete so eben das dämmernde Gemach. Da fuhr Florio plötzlich einige Schritte zurück, denn es war ihm, als stünde die Dame starr mit geschlossenen Augen und ganz weißem Antlitze und Armen vor ihm.[22]

Was Eichendorff als Horrorvision in Szene setzt, begleitet von Sturmgebraus und tobenden Gewittern, das reduziert sich in Stifters Roman auf das Motiv der Blitze, die den Steinleib überziehen, ihn jedoch gleichfalls beleben und das Grauen zumindest als semantische Spur wahren. Von Schauern ist die Rede, die freilich auch dem dominanten Erhabenheitsprogramm entsprechen, und von „graulich[er]" Farbe, die das Grauen zumindest auf Signifikantenebene vergegenwärtigt. Die romantische Tradition, die Phantasie „tödlichen Grauens"[23], bleibt also durchaus präsent und irritiert den antikisierenden Gestus des Romans, wobei insbesondere das mythologische Bildprogramm für die heimliche Präsenz des verdrängten Eros sorgt. Auch die Grottennymphe zum Beispiel konserviert dämonisch-unheimliche Elemente, wie Peter von Matt gezeigt hat. „Mögen diese Naturgottheiten noch so sehr zum reinen Dekor verkommen sein und solches auch hier nicht ganz verleugnen, die Aufweckung der Nymphe zum leuchtenden Medium der Sexualität ist zugleich eine Aufweckung des ursprünglich Gefährlichen, das der Mythos ihr einst zuschrieb".[24] Nach Hederich durchfährt denjenigen, der der Nymphe begegnet, der Wahnsinn. Und Risachs Anekdote, die das Mimesis-Postulat einmal mehr zur Anschauung bringen soll – er berichtet von Bauern, die im Museum auf Zehenspitzen an einem marmornen Jüngling vorbeischleichen (75, II) –, ruft die laszive Gestalt eines schlafenden Fauns auf.[25] Der Roman Stifters legt mithin die Mechanismen jeglicher intertextueller Arbeit frei: Zum einen versucht er, sich in die Genealogie großer Autoren einzuschreiben – Humboldt, Goethe, Winckelmann –, zum anderen werden die Zitate in das grundlegende Domestikationsprogramm eingepasst und entsprechend transformiert. Gleichwohl bleiben die ausgesparten Kontexte in Spuren präsent, und die traditionsreichen, mehrfach codierten Motive (wie das der Statue) setzen trotz (und auch wegen) des Versuchs ihrer Monosemierung erotische Konnotationen frei.

Der klassisch-antikisierende Gestus des *Nachsommers* wird noch dazu durch seinen zentralen Gewährsmann selbst, durch Winckelmann, irritiert. Heinrich lässt seinen eindringlichen Blick auch auf den Gewändern der Statue verweilen:

Historisch Kritische Ausgabe, Bd. 5,1, Berlin, Köln 1998, S. 70. Diese Belebung der Statue geht im Übrigen auf die beliebte Praxis im 18. Jahrhundert zurück, museale Landschaften durch Fackelzüge zum Leben zu erwecken.

[22] Ebd., S. 71.

[23] Ebd., S. 72.

[24] Peter von Matt: *Liebesverrat. Die Treulosen in der Literatur*, München, Wien 1989, S. 149. Die Gestalt irritiert vor allem durch die Fremdheitserfahrung Heinrichs und ihre Nähe zum Unreinen, die der Text evoziert.

[25] Vgl. Moritz Enzinger: *Gesammelte Aufsätze zu Adalbert Stifter*, Wien 1967, S. 79.

„Das Kleid war eher eine schön geschlungene Hülle als ein nach einem gebräuchlichen Schnitte Verfertigtes. Es erzählte von der reinen geschlossenen Gestalt, und war so stofflich treu, daß man meinte, man könne es falten, und in einen Schrein verpacken." (74, II) Es scheint sich um eines jener Gewänder zu handeln, die Winckelmann mit großer Emphase preist, weil sie den nackten Körper vergegenwärtigen und an diesem selbst gefertigt sind. Seine *Gedanken über die Nachahmung der Griechischen Werke in Malerei und Bildhauerei* lassen sich bekanntlich auch als Körperphantasien lesen, denn er spricht begeistert von der Draperie der Vestalen, von der edlen Freiheit und sanften Harmonie des Ganzen, das „den schönen Kontur des Nackenden" nicht versteckt:[26]

> Die griechische Draperie ist mehrenteils nach dünnen und nassen Gewändern gearbeitet, die sich folglich, wie Künstler wissen, dicht an die Haut und an den Körper schließen, und das Nackende desselben sehen lassen. Das ganze oberste Gewand des griechischen Frauenzimmers war ein sehr dünner Zeug; er hieß daher Peplon, ein Schleier.[27]

Winckelmanns offensives Lob auf die Nacktheit und die Transparenz der Gewänder übernimmt Stifter nicht. Allerdings führt diese Wertung ein Nachleben in der Vorstellung Heinrichs, das Kleid schlicht zu entfernen. Die Nacktheit, die Winckelmanns Text emphatisch beschwört, ist also nur in indirekter Weise präsent und wird durch das rekurrente Mimesis-Postulat zusätzlich dissimuliert. Zudem imaginiert Heinrich die „reale" Frau, die die Statue aufruft, also Natalie, durch eine weitere intertextuelle Referenz als abwesende, lässt den erscheinenden Leib wieder verschwinden, und zwar durch eine Verschiebung des medialen Systems. Heinrich fühlt sich im Angesicht der Statue an Nausikaa erinnert, die den scheidenden Odysseus auffordert: „Gedenke mein!" Die physische Präsenz der Statue, ihre zumindest angedeutete Nacktheit, die sich dem Bezug zu Winckelmann verdankt, wird imaginativ durch eine antike Erzählung der Abwesenheit und des Abschieds aufgehoben.[28] An die Stelle der steinernen Statue tritt in der Imagination Heinrichs ein Text, der die Abwesenheit des Referenten im Schriftzug auch inhaltlich umsetzt. Stifters Roman setzt mithin eine irisierende Bewegung zwischen Enthüllung als Sichtbarkeit des Kerns und Abwesenheit in Gang – eine Bewegung, die letztlich an keinem Objekt zur Ruhe kommen kann. Der Körper ist ein verhüllter, der (durch die Transparenz des Kleides) enthüllt wird. Der Leib der Statue erinnert jedoch zugleich an Nausikaa, eine Figur, die als Textgestalt nicht über einen präsenten Körper verfügt, sondern ausdrückli-

---

[26]   Johann Joachim Winckelmann: „Sendschreiben über die Gedanken von der Nachahmung der griechischen Werke in der Malerey und Bildhauerkunst", in: ders.: *Kunsttheoretische Schriften I*, Faksimileneudruck der zweiten vermehrten Auflage (Dresden 1756), Baden-Baden 1962, S. 19.

[27]   Ebd.

[28]   Morrien weist darauf hin, dass auch die Homersche Episode von der Einweisung eines Mannes in die männliche Welt der Phäaken durch eine Frau, durch Nausikaa, erzählt; Morrien: Sinn und Sinnlichkeit, S. 345f.

cher als die Statue (die freilich auch Text ist) ein Schriftzeichen bleibt und sich noch dazu als Abwesende entwirft – als Schatten, der den scheinbar enthüllten Leib der Statue verflüchtigt.

Diese Bewegung wiederholt sich auf inhaltlicher Ebene, wenn Risach den Leib zur Hülle der Seele erklärt. Auch Risach rekurriert auf Winckelmann, wenn er erklärt, dass ähnlich wie das Gewand den Körper erscheinen lasse, der Körper die Seele veranschauliche: „Wie es mit dem Gewande ist, ist es auch mit dem Körper, der das Gewand der Seele ist, und die Seele allein kann ja nur der Gegenstand sein, welcher der Künstler durch das Bild und Gleichnis des Leibes darstellt." (90, II) Der Körper, das Materielle, wird in dieser programmatischen Aussage vergeistigt und zum mimetischen Ausdruck der Seele erklärt. Diese (unendliche) Übersetzung von Körper in Geist folgt, wie noch zu zeigen sein wird, der Hegelschen Vision des Wortes, das als geistiges Medium von allen Schlacken des Materiellen befreit ist. Deshalb ist bei Stifter davon die Rede, dass das Gewand von der reinen Gestalt der Statue „erzähle". Das Erzählen ist ein Medium ohne Medium, jenseits der Materialität – so will es zumindest Hegel und mit ihm der *Nachsommer*, der allein durch das Verschwinden des Materiellen (als Textualität, Stoff oder Körper) seinem radikalen Mimesis-Programm gerecht werden kann.

Auch Winckelmanns Statuen-Diskurs wird im *Nachsommer* von seinen erotischen Konnotaten (scheinbar) befreit. Winckelmann behandelt die Statue bekanntlich offensiv als realen Körper. Er führt beispielsweise aus:

> Die [...] Meisterstücke zeigen uns eine Haut, die nicht angespannt, sondern sanft gezogen ist über ein gesundes Fleisch, welches dieselbe ohne schwülstige Ausdehnung füllet, und bei allen Beugungen der fleischlichen Teile der Richtung derselben vereiniget folgt. Die Haut wirft niemals, wie an unsern Körpern, besondere und vom Fleische getrennte kleine Falten.[29]

Winckelmann sondert seinerseits körperliche Defekte im Namen des Ideals aus, macht sie jedoch auch anschaulich – Menninghaus behandelt den Antikenforscher nicht von ungefähr in seinem Buch über den Ekel.[30] Winckelmann spricht über die edlere Verbindung der Teile, das reiche Maß der Fülle der schönen griechischen Körper, „ohne magere Spannungen und ohne viel eingefallenen Höhlungen unsrer Körper".[31] Bei Stifter verschwinden diese konkretisierenden Körperphantasien im Namen der Seele, des Geistes. Doch in Spuren vergegenwärtigt sich die Sinnlichkeit der aufgerufenen Prätexte: in der Transparenz des Kleides und in der imaginierten Nacktheit des Körpers. Stifters Text evoziert also Körper und Materialität, um sie im reinen Ausdruck verschwinden zu lassen, doch ist damit eben auf seinen „Stoff" angewiesen.

---

[29] Winckelmann: Sendschreiben, S. 11.
[30] Winfried Menninghaus: *Ekel. Theorie und Geschichte einer starken Empfindung*, Frankfurt a.M. 1999, S. 78f.
[31] Winckelmann: Sendschreiben, S. 12.

Diese Verknüpfung von Geist, Schrift und Körper findet auch in dem Schreibschrein Risachs seinen Ausdruck, der mit demjenigen bestückt ist, was Stifters Text obstinat ausspart, nämlich mit Körpern, die ebenfalls auf die romantische Tradition erotischer Körperphantasien verweisen. Denn der Schrein, der den Prozess der Distanzierung und Entmaterialisierung durch die Schrift reflektiert und Bedingung des Geistes ist, konfrontiert Heinrich mit einer der bedrohlichsten Weiblichkeitsrepräsentationen der Romantik, mit dem Meerweibchen, mit der Melusine, die Schwester der Grottennymphe. Über den Schreibtisch heißt es:

> Die beiden größten Gestalten zu den Seiten der Thür waren starke Männer, die die Hauptsimse trugen. Ein Schildchen, das sich auf ihrer Brust öffnete, legte die Schlüsselöffnungen dar. Die zwei Gestalten an den vorderen Seitenkanten waren Meerfräulein, die in Übereinstimmung mit den Tragfischen jedes in zwei Fischenden ausliefen. Die zwei lezten Gestalten an den hintern Seitenkanten waren Mädchen in faltigen Gewändern. Alle Leiber der Fische sowohl als der Säulen erschienen mir sehr natürlich gemacht. (88, I)

Der Schreibschrein, der auf die Produktion einer zweiten entkörperlichten Ordnung verweist,[32] lässt Heinrich ein erstes Mal den weiblichen Körper sehen, und zwar den Leib von Melusinen, wie sie in der Romantik als Inbegriff der Verführung beschworen wurden. Bei Stifter erscheinen diese als petrifizierte Gestalten, doch das unterschlagene Körperliche überflutet den Text an dieser Stelle durch den rekurrenten Begriff „Körper" – wiederholt ist vom „Körper" des Schreibschreins die Rede.[33] Der Ort der Vergeistigung, an dem das reine Wort produziert wird, ist buchstäblich mit Körpern bestückt, und auch die Beschreibung fixiert sich auf den Begriff und Inbegriff des Sinnlichen. Zu überlegen wäre zudem, ob Stifters Schreibschrein auf Goethes Melusinen-Märchen referiert[34]: Bei Goethe ist das transportable Kästchen, das topographisch wie poetologisch das Zentrum der Novelle markiert, zugleich ein Schloss und mit einem Röntgen-Schreibtisch vergleichbar, wie er im 18. Jahrhundert Furore machte. In diesem Schloss haust ein „Zwerg", der eine Melusine ist – der Schreibtisch und die Inkarnation fabelhafter Weiblichkeit gehen eine Allianz ein, um Autorschaft zu initiieren, das heißt auf der immanenten Ebene der *Wanderjahre* das Erzählen des Rotmantels. Bei Stifter wird der „erotische Schreibschrein" in die Obhut des Ersatzvaters Risach gegeben, doch der Zusammenhang von Schrift und Weiblichkeit auf den Spuren von Goethes erotischem Wanderer reformuliert. Auch bei Stifter setzt allein der Körper als Materialität die Phantasien vergeistigender

---

[32] Vgl. dazu auch Gerhard Neumann: „Schreibschrein und Strafapparat. Erwägungen zur Topographie des Schreibens", in: Günter Schnitzler (Hg.): *Bild und Gedanke. Festschrift für Gerhart Baumann zum 60. Geburtstag*, München 1980, S. 385–401.

[33] Insbesondere nach der Begegnung mit Natalie wird obsessiv von dem „Hauptkörper des Gartens" (91, I) oder dem „Holzkörper" gesprochen oder aber von Zeichnungen, die sich durch die kluge „Hinstellung jedes Körpertheiles" auszeichnen (109, I).

[34] Vgl. dazu ebenfalls Neumann: Schreibschrein und Strafapparat, S. 387f.

Entmaterialisierung frei – die Schrift muss Körper evozieren, um sie in unendlichen Bemühungen in Geist zu verwandeln, der immer nur Körper bleibt.

II. Der Leib des Geistes: Hegel

Verschwindet der menschliche Körper tendenziell aus dem *Nachsommer*, so zeichnet sich eine scheinbar konträre Geste ab: die der Enthüllung, die einen ungehinderten Blick auf die Kunstkörper zulässt und als Erscheinen des Inneren, des Wesens, inszeniert wird. Der *Nachsommer* führt verbuchstäblichte Operationen einer hermeneutischen Arbeit vor, die den Schein von Präsenz, Wahrheit und Geist herstellt, indem Materialität bzw. Medialität abgetragen wird. Was Hegel für das poetische Wort unterstreicht, dass es nämlich ein geistiges Medium sei und auf Materie verzichten könne – eine Definition, die Risach übernimmt –, dominiert in verbuchstäblichter Form (und damit materialisiert) die ästhetisch-restaurativen Tätigkeiten der Figuren: Wiederholt geht es um die Entfernung von Hüllen, von Übertünchungen, von undurchsichtigen Oberflächen. Ziel ist die Transformation aller Kunstformen in das Immaterielle des Wortes, das dem Roman als Schrift per se zur Verfügung steht. Risach erklärt in Anlehnung an Hegel, dass alle Künste an einen Stoff gebunden seien:

> die Musik an den Ton und Klang, die Malerei an die Linien und die Farbe, die Bildnerkunst an den Stein das Metall und dergleichen, die Baukunst an die großen Massen irdischer Bestandteile, sie müssen mehr oder minder mit diesem Stoffe ringen; nur die Dichtkunst hat beinahe gar keinen Stoff mehr, ihr Stoff ist der Gedanke in seiner weitesten Bedeutung; das Wort ist nicht der Stoff, es ist nur der Träger des Gedankens, wie etwa die Luft den Klang an unser Ohr führt. Die Dichtkunst ist daher die reinste und höchste unter den Künsten. (39, II)

Das Wort kann – so auch Hegel – als Medium in seiner Bedeutung verschwinden, kann den Materialcharakter von Sprache als ihre Medialität überwinden und reiner Geist sein. Hegel hält fest: „Die Dichtkunst ist die allgemeine Kunst des in sich freigewordenen, nicht an das äußerlich-sinnliche Material zur Realisation gebundenen Geistes, der nur im inneren Raume und der inneren Zeit der Vorstellungen und Empfindungen sich ergeht".[35] Weist die Gattungshierarchie Hegels eine historisch-utopische Dimension auf, wenn er die vollständige Spiritualisierung der Kunst in der durchsichtigen Imagination des Geistes (als Denken) prognostiziert, so versucht der *Nachsommer* diesem utopischen Programm zu folgen, indem auch Künste wie die Architektur und die Malerei in spirituelle, entmaterialisierte Formen überführt werden. Der *Nachsommer* versucht mithin denjenigen Zustand einer entstofflichten Kunst zu erreichen, den Hegel entwor-

---

[35]   Georg Friedrich Wilhelm Hegel: „Vorlesungen über die Ästhetik", Bd. 1, in: ders.: *Werke*, Bd. 13, Frankfurt a.M. 1970, S. 123.

fen hat – auch die Entsinnlichung alles Körperlichen entspricht diesem Projekt, das jedoch nicht aufgeht: Die Versuche, Kunstobjekte zu vergeistigen, lassen eine Vielzahl an Rahmen, Hüllen und Verschleierungen entstehen, also genau das Materiale, das abgearbeitet werden soll. Bereits der wuchernde Rahmen des Romans selbst, der die „Ursprungsgeschichte" ganz an den Schluss drängt und jeglicher ästhetischer Proportion zwischen Rahmen und Zentrum widerspricht – orientiert man sich an dem immanenten Bildprogramm des *Nachsommers* –, führt diese Aporie vor. Das Bestreben Risachs und seiner Gehilfen besteht also darin, sämtliche Kunstgegenstände von ihren materiellen Schlacken, von der „Versinnlichung des Geistes", wie es bei Hegel heißt,[36] zu befreien und in den Zustand der Durchsichtigkeit, der Sichtbarkeit und damit Geistigkeit zu erheben – Logos und Optik sind in der abendländischen Tradition bekanntlich eng verbunden. Ziel der restaurativen Tätigkeiten ist eine Geistigkeit, wie sie das Wort als Medium der „Innerlichkeit"[37] paradigmatisch vertritt. Der literarische Text Stifters verbuchstäblicht also in gewissem Sinne das philosophische Projekt Hegels, konkretisiert es und treibt so seine Aporien hervor.

Die antike Statue wird beispielsweise in einer sorgfältigen „Operation", die an der Ferse beginnt, von ihrer Gipshülle befreit, um in ihrer reinen Form erscheinen zu können. Freigelegt wird der „edle Kern", der „undenkbar lange Jahre in der schlechten Hülle" gesteckt hat (82, II). Was jedoch als Entfernung einer Hülle erscheint – mit Messern und Lappen –, und die Vergeistigung als Entfernung eines Mediums in Szene setzt, das produziert nicht nur eine intensivierte Sichtbarkeit, sondern auch die Sinnlichkeit des Körpers. Nicht nur das Licht als geistiges Fluidum (und Bedingung des Blickes) lässt „alle Schwingungen und Schwellungen der Gestaltung" (80, II) sichtbar werden, sondern die weichen wollenen Tücher, die den Leib abreiben, lassen den „glänzendsten Marmor" entstehen, so dass „durch Licht und Schatten die feinste und zarteste empfundene Schwingung sichtbar wurde" (82, II). Der Marmor, der wiederholt als durchsichtiger Stein beschworen wird (124, II), kann seine Körperlichkeit nicht ablegen, im Gegenteil: Gerade seine Sichtbarkeit qua Geistigkeit produziert Sinnlichkeit.

Auch die Restauration des alten Marienbildes zielt auf diese „Reinheit", auf „Schmelz" und die „Durchsichtigkeit" der Farben (107, II), die Risach als historische Wahrheit proklamiert und die die buchstäbliche Funktion des Bildes als Hülle, als Umschlag überwindet. Ein Soldat hatte in die bemalte Leinwand seine Wäsche und seine alten Kleider eingewickelt, hatte das Bild als Packleinwand benutzt, als Hülle um Hüllen, die nun dem reinen Bild, dem geistigen Ausdruck, weichen. Auch hier setzt der Text den Vorgang der Enthüllung buchstäblich in Szene und wiederholt die Vergeistigung auf inhaltlicher Ebene, indem die abgebildete Marienfigur ihre Augen zum Himmel erhebt und so als allegorisches Wesen erscheint. Damit gerät der Text jedoch wiederum in eine Aporie. Denn der

---

[36] Ebd.
[37] Ebd., S. 122.

Blick Marias in den Himmel, den Risach und seine Freunde im *Nachsommer* ausdrücklich diskutieren, ruft eine Debatte auf, die Goethe mit den Romantikern führte. Es heißt in seiner Schrift *Über die Gegenstände der bildenden Kunst*, die die allegorische Kunst zugunsten der symbolischen herabsetzt: „Widerstrebend und unstatthaft für die bildende Kunst sind alle diejenigen Gegenstände, welche nicht sich selbst aussprechen, nicht im ganzen Umfange, nicht in völliger Bedeutung, vor den Sinn des Auges gebracht werden können"[38], und dazu zählen vornehmlich biblische Sujets. Denn die christlichen Darstellungen seien vom Betrachter lediglich im Rückgriff auf die biblische Geschichte, also in einem reflexiven Akt zu entschlüsseln. Dieses allegorisierende Verfahren kritisiert Goethe mit Nachdruck:

> Nach ihm [Raffael; Anm. v. Verf.] scheinen die meisten Künstler gar nicht mehr auf den symbolischen Charakter der Gestalt gedacht zu haben, sie achteten es für hinreichend, jeder Figur ein Zeichen zu geben, und mit denselben, wie mit Zahlpfennigen zu spielen, sie hielten die Symbole zusammengenommen für eine Zeichensprache, die Figuren im Einzelnen für Buchstaben, und glaubten damit alles ohne Ausnahme vorstellen zu können.[39]

Goethe bevorzugt insbesondere die Marienfiguren von Raffael – auf diesen Künstler verweist auch Risach –, die den Blick geradeaus richten und damit sinnlich-symbolisch angelegt sind, als Inbegriff der Mutterliebe, nicht jedoch als himmlische bzw. allegorische Gestalten. Merkwürdig ist, dass Risach Goethes Diktum aufnimmt und damit den defizitären Status seines mühsam restaurierten Bildes unterstreicht: „Daß die Mutter, deren Mund so schön ist, die Augen gegen Himmel wendet, sagt mir nicht ganz zu." (111, II) Und in Anlehnung an Goethes Allegorie-Kritik führt er aus: „Der Künstler legt in eine Handlung, die er seine Gestalt vor uns vornehmen läßt, eine Bedeutung, von der er nicht machen kann, daß wir sie in der bloßen Gestalt sehen." (111, II) Das Gemälde Risachs ist demnach im Sinne Goethes kein symbolisches, sondern ein allegorisches, das durch das Wissen des Betrachters ergänzt werden muss, weil seine Bedeutung im Sinnlichen nicht aufgeht. Diese Vergeistigung, die gegen den Goetheschen Symbolbegriff verstößt, entspricht jedoch dem Programm des *Nachsommers*, Sinnlichkeit und Materialität auszulöschen, um an ihre Stelle

---

[38] Johann Wolfgang Goethe: „Über die Gegenstände der bildenden Kunst", in: ders.: *Sämtliche Werke nach Epochen seines Schaffens, Münchner Ausgabe*, Bd. 6.2: Weimarer Klassik 1798–1806, hg. v. Victor Lange, Hans J. Becker, Gerhard H. Müller, John Neubauer, Peter Schmidt, Edith Zehm, München, Wien 1988, S. 27–68, S. 55.

[39] Ebd., S. 67. Diejenigen religiösen Motive, die Anerkennung finden, werden von Goethe tendenziell entchristianisiert. So wird die Madonna in Goethes Kunstschrift zum Inbegriff der reinen Mutterliebe erhoben und gilt damit als „symbolische Darstellung". Goethe führt aus, Maria verlöre an Innigkeit, „an dem Anziehenden und Rührenden für uns, wenn sie in ihrem menschlichen Zustande anders als eine liebende Mutter dargestellt erscheint"; ebd, S. 45.

Geist und Durchsichtigkeit treten zu lassen. Proklamierte Goethe-Nachfolge und das Projekt der Vergeistigung lassen sich an dieser Stelle nicht zur Deckung bringen, zumal der üppige Rahmen des Marienbildes das verdrängte Sinnliche obsessiv vergegenwärtigt, mit erhabener Arbeit, mit Blumen, ja sogar mit Teilen der menschlichen Gestalt versehen ist und so den „Geist des Gemäldes" konterkariert.

Das Bestreben im *Nachsommer*, das Materielle zum Verschwinden zu bringen, dominiert auch die wissenschaftlichen und kunstgewerblichen Aktivitäten der Figuren. Vom Lautersee beispielsweise stellt Heinrich ein Bild her, „in welchem sich die Berge, die den See umstanden, sichtbar auch unter der Wasserfläche fortsezten und nur durch einen tieferen Ton gedämpft waren" (72, II). Die opake Oberfläche wird durchsichtig, jedoch in einem Abbild, dem noch dazu kompensatorische Funktion zukommt. Denn der Lautersee ist augenscheinlich ein Substitut, an dem das Verborgene (der menschlichen Seele) transparent werden soll. Ist für Heinrich der schöne Gustav ein Inbegriff der „Güte und Reinheit" (72, II), so kann er seine wachsende Zuneigung zu dem Knaben nicht entschlüsseln. Die Vermessung des Lautersees, dessen Name Programm ist, verheißt stellvertretend Sichtbarkeit und die Erkenntnis eines (buchstäblichen) (Seelen-)Grundes: „Ich hatte im vorigen Jahre angefangen, seine Tiefe an verschiedenen Stellen zu messen, um ein Bild darzustellen, in welchem sich die Berge, die den See umstanden, sichtbar auch unter der Wasserfläche fortsezten, und nur durch einen tieferen Ton gedämpft waren." (72, II) Die Sichtbarkeit des Sees tritt an die Stelle der menschlichen Undurchschaubarkeit, doch eben nur in einem Abbild (aus Abbildern). Zudem demonstriert dieses Abbild erneut die „Unentscheidbarkeit" zwischen Kern und Rahmen, denn der durchsichtige See, das Zentrum des Naturphänomens, wird auf die umstehenden, rahmenden Berge hin transparent, ermöglicht als verschwindendes Medium den Blick auf die „Fassung" des Kerns, auf die Felsen, die damit ins Zentrum rücken.

Auch bei den Edelsteinen, die ein Freund Heinrichs verkauft, geht es ausdrücklich darum, „die Fassung zu vergeistigen" (169, II), so dass das Medium nicht in Erscheinung tritt. Der Freund Heinrichs erklärt, dass er und seine Kompagnons den natürlichen Weg wählen, „die Fassung im Stoffe edel und in der Gestalt auf das Einfachste zu machen, so daß die Schönheit der Steine oder der Perlen allein es ist, was herrscht, und der Anker, an dem es haftet, sich verbirgt" (170, II). Die Fassung als Medium wird dissimuliert. Und Mathilde entschließt sich, die Tünche von den Wänden ihres Hofes zu entfernen, die Steine bloß zu legen (221, II), um den „ursprünglichen" Stoff sichtbar werden zu lassen, der nichtsdestoweniger Stoff ist. Die Baukunst, das Kunstgewerbe, die Bildhauerei und die Malerei sollen in Stifters *Nachsommer* also der höchsten der Künste, dem durchsichtigen, entmaterialisierten Wort angepasst werden, das Materielle soll verschwinden, wobei sich die poetische Sprache selbst, der *Nachsommer* als Text, des „schlackenlosen Wortes" bedient. Stifters Roman versucht denjenigen Zustand zu evozieren, in dem die Kunst ganz Geist geworden ist und auf den

Stoff verzichtet. Diesem Programm wird auch der menschliche Körper unterworfen, dessen Schönheit kein Begehren erregen darf. Doch der Effekt dieses Übersetzungsverfahrens von Körper in Geist ist, dass die Figuren vornehmlich an der Multiplikation von Reproduktionen arbeiten, die das Stoffliche vermehren, dass sie Materialität und Medialität herstellen, auch indem die freigelegten Leiber in einem unendlichen Aufschub neue Hüllen sind. Der befreite Kern bleibt Hülle und ist ein Effekt von Verhüllungen. Stifters Roman konkretisiert das Hegelsche Programm der Vergeistigung und führt so den unaufhebbaren Verweisungszusammenhang von Körper (Zeichen) und Geist (Bedeutung) vor.

Großstadt und Menschenmenge.
Zur Verarbeitung gouvernementaler *Data* in Schillers *Die Polizey*

Torsten Hahn

Im Folgenden wird es mir um eine Form dessen gehen, was Joseph Vogl als „Ästhetisierung der Policey"[1] bestimmt hat. Im Zentrum meiner Ausführungen steht ein Dramenentwurf Friedrich Schillers; dieser konzipiert um 1800 ein Trauerspiel und eine Komödie mit dem Titel *Die Polizey*. Das Trauerspiel soll das Ganze der Großstadt Paris sowie den Umbruch der Ständegesellschaft auf die Bühne bringen und ihr Held beziehungsweise das handlungsbestimmende Moment soll die titelgebende *Polizey* sein. Schon die Grundzüge dieses Plans kennzeichnen diesen als ausuferndes Projekt, das die Möglichkeiten der Bühne der Zeit wie auch die Grenzen der Ästhetik zu sprengen droht – es lässt sich fragen, ob es der Tod des Dichters 1805 ist, der eine Ausführung verhindert, oder ob dem Projekt eine Nicht-Ausführbarkeit inhärent ist. Was mich an diesem Projekt im Rahmen des durch die Tagung und den vorliegenden Band vorgegebenen Themas interessiert, ist Schillers Konturierung eines Verdachts, der mit dem Verschwinden von Menschen korreliert ist. Dieser Verdacht lässt sich, so mein Vorschlag, als Medium verstehen, in dem die Komplexität der Großstadt so reduziert werden kann, dass ein Formgewinn im Kunstwerk überhaupt möglich wird. Den Konnex aus Verdacht und Verschwinden, den ich zunächst klären möchte, stellt Schiller in seinem Dramenentwurf direkt her, und zwar durch eine in ihrer informativen Spärlichkeit merkwürdige Kausalreduktion: „Eine Person wird verdächtig, weil sie sich unsichtbar gemacht."[2]

Diese Kopplung von Verdacht und Verschwinden und ihre wechselseitige Generierung will ich zu klären versuchen, indem ich, in einem ersten Teil, einen Ausschnitt der Staatstheorie der Zeit und der Machtformationen nachzeichne, die diesen Diskurs unterfüttern. Dabei wird der Polizeistaat als ideale Konfiguration eines Raumes sichtbar, in dem nichts verloren gehen oder verschwinden können soll. Anschließend wird es mir bei der Interpretation von Schillers zwischen 1799 und 1804 entstandenem Dramenentwurf vor allem darum gehen auf-

---

[1] Joseph Vogl: „Staatsbegehren. Zur Epoche der Policey", in: *Deutsche Vierteljahrsschrift*, 74. Jg. (2000), S. 600–626, hier: S. 615.

[2] Friedrich Schiller: „Die Polizey", in: ders.: *Werke und Briefe in zwölf Bänden*, hg. v. Otto Dann u.a., Bd. 10: Dramatischer Nachlass, hg. v. Herbert Kraft/Mirjam Springer. Frankfurt a.M. 2004, S. 85–102, hier: S. 101f. Im Folgenden wird der Dramenentwurf direkt im Text nachgewiesen.

zuzeigen, wie das ästhetische Projekt den aus dem Polizeistaat resultierenden Verdacht für kunstförmige Kommunikation nutzt. Abschließend werde ich im dritten und letzten Teil noch kurz auf die Verlängerung der Konstellation aus „Poesie und Polizei"[3] (Robert Darnton) beziehungsweise Verdacht und Verschwinden im 19. Jahrhundert eingehen.

I. Polizeistaat (um 1800)

Der Begriff der Polizei, der namensgebend für Schillers Dramenentwurf ist, hat in der Sattelzeit einen signifikanten Umbruch erlitten.[4] Die Bedeutung des Begriffs hat sich verschoben; bezeichnete er einst die Kunst der guten Regierung und Verwaltung, nimmt er im frühen 19. Jahrhundert jenen, wie Foucault es in den Vorlesungen zur Gouvernementalität nennt, „rein negativen Sinn"[5] an, der uns heute geläufig ist. Im 16., 17. und 18. Jahrhundert meinte *Polizey* ein Ensemble von Techniken der Regierungskunst; die *Polizey* war, so Foucault, gedacht als „Existenzbedingung der Urbanität"[6], und ihr Ziel war die Transformation dieser Urbanität in einen ideal parzellisierten und einfachen Raum der Trennung und

---

[3]   Robert Darnton: *Poesie und Polizei. Öffentliche Meinung und Kommunikationsnetzwerke im Paris des 18. Jahrhunderts*. Frankfurt a.M. 2002. Darnton untersucht die Verbreitung von Schmähgedichten in Netzwerken; diese „Kommunikationskanäle" (S. 36) können nachgezeichnet werden, da die Polizei versucht, den eigentlichen Autor aufzufinden, was angesichts der Komplexität des Netzwerks und der Metamorphosen der Botschaft nicht gelingen kann (vgl. S. 31). Diese Kommunikationskanäle und ihre Relais bilden ein „riesige[s] Kommunikationssystem, das sich vom Versailler Palast bis zu den möblierten Zimmern der ärmeren Schichten von Paris ausdehnte." (S. 76) Die mit Literatur beschäftigte *Polizey* verzeichnet auch Schillers Dramenentwurf. Es soll sowohl „die Freiheit der *Satyre*" behandelt werden als auch eine „Scene Argensons mit einem Philosophen und Schriftsteller [...]. Discussion der Frage ob man die *Wahrheit* laut sagen dürfe" (S. 89), vor das Publikum gebracht werden. Die Personenregister enthalten dann auch den „Schreiber oder Clerc" sowie den „Broschürenschreiber" (S. 90).

[4]   Vgl. zu der Bedeutungsverschiebung (und Einengung) des Begriffs sowie der Institutionalisierung der Polizei, die damit einhergeht, Franz-Ludwig Knemeyer: Art. „Polizei", in: Otto Brunner, Werner Conze, Reinhart Koselleck (Hg.): *Geschichtliche Grundbegriffe. Historisches Lexikon zur politisch-sozialen Sprache in Deutschland*, Bd. 4, Stuttgart 1978, S. 875–897, besonders S. 886–888. Bis zum Anfang des 18. Jahrhunderts zielt der Begriff grob auf die Herstellung und den Erhalt der guten Ordnung, im 18. Jahrhundert wird er zunehmend auf eine spezifische Behörde angewendet, die es dann mit Überwachung und Bestrafung der Bürger zu tun hat.

[5]   Michel Foucault, *Geschichte der Gouvernementalität I: Sicherheit, Territorium, Bevölkerung. Vorlesungen am Collège de France 1977–1978*, hg. v. Michel Sennelart. Frankfurt a.M. 2004, S. 507. Vgl. dazu auch Pasquale Pasquino: „Theatrum Politicum. The Genealogy of Capital – Police and the State of Prosperity", in: *The Foucault Effect. Studies in Governmentality. With two lectures by and an interview with Michel Foucault*, ed. by Graham Burchell/Colin Gordon/Peter Miller. Chicago 1991, S. 105–118.

[6]   Foucault, Geschichte der Gouvernementalität I, S. 483.

Isolierung. Foucault schreibt: „Aus der Stadt etwas Ähnliches wie ein Kloster zu machen und aus dem Königreich etwas Ähnliches wie eine Stadt, das ist der große Traum der Disziplinierung, der im Hintergrund der Polizei schwebt."[7]

Diesen Traum verarbeitet Johann Gottlieb Fichte in seiner Theorie von Staat und Ökonomie, wie sie in der *Wissenschaftslehre* von 1796 und *Der geschlossene Handelsstaat* von 1800 entworfen wird – und an der sich die epistemischen Bedingungen von Schillers Dramenentwurf gut ablesen lassen. Die Schrift zum *Handelsstaat* ist besonders durch die Figur der „Schliessung des Handelstaates"[8] gekennzeichnet. Die Formatierung des Vernunftstaates als geschlossenes Gebilde, in dem die Kommunikationswege mit dem Außen unterbrochen sind, resultiert unter anderem aus dem Versuch, jedem Staat eine zumindest dauernd ausgeglichene Bilanz hinsichtlich seiner Geldmenge und – vor allem – hinsichtlich seiner Bevölkerung zu garantieren, denn hier drohen dem Staat stetige Verluste.

In Fichtes Visier gerät daher der Welthandel als dauernde Bedrohung der durch Zahl und Statistik erfassten Größe *Bevölkerung*. Der Welthandel konfrontiert den Staat mit der Möglichkeit einer „Entvölkerung"[9] seines Territoriums; es wird vor allem für ärmere Staaten wahrscheinlich, dass Bevölkerungszahlen stetig schwinden, statt dass sich, wie es das Ziel einer jeden guten *Polizey*, oder genauer, mit dem Begriff des 18. Jahrhunderts, jeder guten *Bevölkerungspolizey*, ist, die physischen Kräfte stets mehren.[10] Die auf eine Kontrolle der *Bevölkerung*, ihrer Zahl, Mehrung und Hegung zielende *Polizey* ist insofern auch ein Teil jener biopolitischen Offensive, die die moderne Machtformation auszeichnet.

Mit der Drohung der kräftezehrenden Entvölkerung ist also direkt das Gebiet der Polizei berührt, deren Hauptgegenstand, noch einmal mit Foucault, die „Zahl der Menschen" und „die quantitative Entwicklung der Bevölkerung im Verhältnis zu den Ressourcen und den Möglichkeiten des Territoriums, das diese

---

7   Foucault, Geschichte der Gouvernementalität I, S. 489f.

8   Johann Gottlieb Fichte: „Der geschlossene Handelsstaat. Ein philosophischer Entwurf als Anhang zur Rechtslehre und Probe einer künftig zu liefernden Politik" [1800], in: ders.: *Werke*, hg. v. Immanuel Hermann Fichte. Bd. III: Zur Rechts- und Sittenlehre I. Berlin 1971, S. 387–513, hier S. 484.

9   Fichte, Der geschlossene Handelsstaat, S. 464.

10 Vgl. z.B. Johann Heinrich Jung-Stilling: *Lehrbuch der Staats-Polizey-Wissenschaft*. Leipzig 1788 (Nachdruck 1970), S. 72 (§ 180): „Je mehrere physische Kräfte im Staat zum einzelnen und allgemeinen Besten würken, desto mehr wächst die einzelne und allgemeine Glückseeligkeit; eins verhält sich wie das andere. Wenn also die Polizey dafür sorgen muß, daß sie keine Kraft verliert, so ist ihre Pflicht auch eben so gros, den Anwachs derselben auf alle Weise zu befördern; und das geschieht durch die Bevölkerungs-Polizey." Vgl. ebd. (§ 181) zum Kampf der Staaten um fremde Bevölkerungsteile, den Fichte schlichten beziehungsweise beenden will. Für Jung-Stilling ist es eine klare polizeiliche Aufgabe, dafür zu sorgen, dass die Bevölkerung anderer Staaten angesaugt wird: „Die Mittel wodurch man die zweckgemäße Bevölkerung befördert, sind 1) solche, wodurch die inländische Volks-Menge vermehrt wird, nemlich die Heurathen; und 2) solche, wodurch man Ausländer auf eine rechtmäßige Weise anzieht."

Bevölkerung bewohnt"[11], ist. *Polizey* meint „ein positives Wissen um das Leben des Staates als Leben der Bevölkerung"[12], mit jedem Verlust von Teilen der Bevölkerung schwindet Leben aus dem Staat, unkontrollierter Welthandel ist also eine Art staatlicher Schwindsucht. Einem solchen Verlust vorzubeugen, das Verschwinden also zu stoppen, ist somit Polizeisache.[13]

Der gegen den Verlust von Menschen an die Umwelt des Staates vorbeugenden *Schliessung* steht nun noch eine Kontrolle der Bewegungen der Bevölkerung im Staat zur Seite, die jede Person künstliche Spuren hinterlassen lässt. Diese Technik hatte Fichte schon früher in den „*Polizeigesetzen*"[14] expliziert, die die *Wissenschaftslehre* von 1796 darlegt. Der Zugriff des Staates auf den Bürger und im Idealfall die gesamte Bevölkerung muss stets möglich sein. Niemand soll für unbestimmte Zeit aus der Aufsicht des Staates verschwinden können. Insofern ist, so Fichte,

> [d]ie Hauptmaxime jeder wohleingerichteten Polizei [...] nothwendig folgende: *jeder Bürger muss allenthalben, wo es nöthig ist, sogleich anerkannt werden können, als diese oder jene bestimmte Person:* keiner muss dem Polizeibeamten unbekannt bleiben können. Dies ist nur auf folgende Weise zu erreichen. Jeder muss immerfort einen Pass bei sich führen, ausgestellt von seiner nächsten Obrigkeit, in welchem seine Person genau beschrieben sey; und dies ohne Unterschied des Standes. [...] Kein Mensch werde an irgend einem Orte aufgenommen, ohne dass man den Ort seines letzten Aufenthalts, und ihn selbst durch diesen Pass, genau kenne.[15]

Gegen *polizeylichen* „Muthwillen" gesichert sein soll allerdings, wie um dem Bürger den entspannungsrelevanten Feierabendspaß nicht gänzlich zu vergällen, das „unschuldige Vergnügen, das aus der Unbekanntheit entstehen kann"[16]; Kontrollen werden nur im nicht weiter spezifizierten Verdachtsfall tatsächlich durch-

---

[11] Foucault, Geschichte der Gouvernementalität I, S. 466.

[12] Vogl, Staatsbegehren, S. 604.

[13] Diese Blockierung des Verschwindens ist nur eine Seite der polizeilichen Maßnahmen. Sie wird ergänzt durch die Förderung der Reproduktion. Diethelm Klippel hat in einem kürzlich erschienenen Aufsatz noch einmal die Regulierung von Ehen durch die „Familienpolizei" hervorgehoben. Der staatliche Zugriff auf die Privatsphäre ist eine um 1800 noch gängige Praxis. Aufgabe der Familienpolizei war die Förderung der Bevölkerungsvermehrung durch die Erwirkung von Eheschließungen; die Diskussion schloss auch die Möglichkeit ein, Heiratsunwillige durch verschiedenste Repressalien in den Stand der Ehe zu zwingen. Andererseits kam es zur Proklamation der Errichtung von Beischlafhäusern, was naturgemäß kirchlichen Widerstand hervorrief. Vgl. Diethelm Klippel: „Familienpolizei. Staat, Familie und Individuum in Naturrecht und Polizeiwissenschaft um 1800", in: Sibylle Hofer/ders./Ute Walter (Hg.): *Perspektiven des Familienrechts. Festschrift für Dieter Schwab zum 70. Geburtstag*, 15. August 2005. Bielefeld: Gieseking 2005, S. 125–141.

[14] Johann Gottlieb Fichte: „Grundlage des Naturrechts nach Principien der Wissenschaftslehre" [1796], in: ders.: *Werke*, hg. v. Immanuel Hermann Fichte. Bd. III: Zur Rechts- und Sittenlehre I. Berlin 1971, S. 1–385, hier: S. 294.

[15] Fichte, Grundlage des Naturrechts, S. 295.

[16] Fichte, Grundlage des Naturrechts, S. 295f.

geführt (und in diesem Verdacht liegt, wie sich gleich zeigen wird, zugleich das Problem). Ökonomische Transaktionen hingegen dulden kein Inkognito, hier hat der bürgerliche Spaß ein Ende. Um Betrug im Rahmen von Wechselbriefen etwa vorzubeugen, muss man eine jede beteiligte „Person wiederfinden"[17] können, ihre Möglichkeiten zu verschwinden müssen so weit wie möglich minimiert werden. Potentiell ist die Kontrolle zwecks Identifizierung ständig möglich, nur ihre Aktualisierung wird temporär aufgehoben. Das Auffinden von Personen im Territorium des Staates gestaltet sich für den Philosophen einfach:

> Es ist in unserer Polizeiverfassung ohnedies keinem erlaubt, von einem Orte ab zureisen (er kann unter dem Thore angehalten werden) ohne dass er den Ort bestimme, wo er zunächst hinzureisen gedenkt, welches in dem Register des Ortes, und in seinem Passe bemerkt wird. Er wird an keinem anderen Orte angenommen, als an dem im Passe bemerkten. Bei seiner Abreise von diesem Orte steht er wieder unter denselben Regeln, und man findet sonach seine weitere Spur.[18]

Gerade Großstädte drohen die kleinstädtisch anmutenden Bedingungen dieses Kontroll- und Verortungsfurors nun aber hoffnungslos zu überfordern. In den Ballungszentren herrscht ein ständiges Kommen und Gehen, allein schon um die Märkte zu beschicken, die das Leben in den Großstädten garantieren. Hier ist das Verschwinden einfacher und die Mühen der *Polizey* Verschwundene(s) wiederzufinden ungleich größer. Diese Lücke und die sich daran anschließende Eskalation der polizeilichen Observanz nutzt nun Schiller in seinem Dramenentwurf *Die Polizey*. Dabei setzt Schiller, so möchte ich vorschlagen, die nach solchen Vorgaben gut über den Bürger, seine Bewegungen, Transaktionen usw. informierte *Polizey* ein, um einen ästhetischen Effekt zu erzielen, den rund 100 Jahre zuvor, oder genauer: 1707, in Alain-René Lesages Roman *Le diable boiteux* noch ein Teufel selbst zu bewerkstelligen geholfen hatte. Hier hat also, in der Ablösung des Teufels durch die *Polizey*, ein merkwürdiger Schichtwechsel stattgefunden: Denn worum es in beiden Fällen geht, ist, eine Perspektive zu generieren, um die Stadt und ihre Bewohner in den Grenzen des Kunstwerks Form gewinnen zu lassen. Schiller zielt aber mit der Beobachtung der Großstadt zusätzlich auf die Darstellung von Komplexität, das heißt auf den Umbruch im gesellschaftlichen Differenzierungstyp, der um 1800 augenfällig wird und zugleich auch bühnentauglich gemacht werden soll. Gerade diese emergierende Komplexität ist aber nun genau das, was die Beobachtung der Formation Moderne so schwierig macht. In einer Gesellschaft wie der modernen, die „ohne Spitze und ohne Zentrum"[19] operiert, in der also die Instanz, die das Ganze repräsentie-

---

[17] Fichte, Grundlage des Naturrechts, S. 297.

[18] Fichte, Grundlage des Naturrechts, S. 297f.

[19] Niklas Luhmann: *Die Gesellschaft der Gesellschaft.* Frankfurt a.M. 1997, S. 803.

ren könnte, evakuiert ist oder, für das 18. Jahrhundert, mehr und mehr evakuiert wird, entsteht ein gravierendes Beschreibbarkeitsproblem.[20]

Erfolgsversprechender Alternativkandidat zum schwindenden Zentrum wird die *Polizey* als eine Instanz, die längst neben die sichtbare Form der Souveränität getreten war und die seit dem 17. Jahrhundert das Leben des Staates organisiert und vor allem eine Beobachtungstechnik ist. Durch sie und ihre statistisch formatierte Bevölkerungskontrolle werden die zentralen Konflikte und die Realität einer Gesellschaft aber wiederum in einem Feld der Komplexität verteilt und als „unüberschaubare Fülle von Daten"[21] repräsentiert. Wenn es also Schillers Projekt ist, mit der Thematisierung der Großstadt Paris im Drama die Modernität der bürgerlichen Gesellschaft sowie Umbrüche im gesellschaftlichen Differenzierungstyp selbst bühnentauglich zu machen,[22] ist die *Polizey* ein vielversprechender Kandidat. Erstens gelingt es so, den in der modernen Gesellschaft vorherrschenden Machttyp erscheinen zu lassen – der sich allerdings eher als Melange denn als monolithischer Block zeigt. Zweitens ist es gerade diese Macht, die moderne Komplexität beobachtet und damit zugleich produziert.[23] Das Problem Komplexität scheint lösbar zu sein, wenn man sich genau an die Instanz wendet, die für deren Produktion maßgeblich mitverantwortlich zu sein scheint, denn dann liegt die Vermutung nahe, dass eben diese Instanz auch den Schlüssel zur Reduktion eben dieser Komplexität bereithält. Als *Tool* der Komplexitätsreduktion entpuppt sich dann, so möchte ich im Folgenden zeigen, der mit der *Polizey* gekoppelte Blick des Verdachts. Weiterhin werden die verschiedenen in der *Polizey* sedimentierten Machttypen, die, wie Schiller deutlich macht, jeweils ihr eigens Interesse daran haben, das Verschwinden der Bevölkerung aufzuhalten, Thema werden.

II. Das Medium *Verdacht*

Trotz seiner Kürze enthält der Entwurf, wie erwähnt, gleich zwei Möglichkeiten des Umgangs mit dem *Polizey*-Sujet: Es findet sich ein Plan für ein Trauerspiel und für eine Komödie.[24] Erstere visiert die Großstadt Paris und die gesellschaft-

---

20 Schillers Dramenentwurf zeigt also, wie noch in der Epoche des königlichen Souveräns andere Mächte diesen an den Rand drängen und ein anderes System emergiert. Der Souverän selbst wird in Schillers Entwurf nur einmal angesprochen und dann nur als Subjekt einer Funktion, die die Polizei einrichtet und verwaltet: „Paris ist ein Gefängniß, es ist in der Gewalt des Monarchen, er hat hier eine Million unter s. Schlüßel." (S. 92)

21 Vogl, Staatsbegehren, S. 604.

22 Vgl. Karl-Heinz Hucke/Olaf Kutzmutz: „Entwürfe, Fragmente", in: Helmut Koopmann (Hg.): *Schiller-Handbuch*, Stuttgart 1998, S. 523–546, hier: S. 527.

23 Vogl bezeichnet die *Policey* als „Ort, an dem Kontingenz gleichermaßen beobachtet und reduziert, festgestellt und gesteuert wird". Vogl, Staatsbegehren, S. 61.

24 Frank Suppanz: *Person und Staat in Schillers Dramenfragmenten. Zur literarischen Rekonstruktion eines problematischen Verhältnisses.* Tübingen: 2000, versteht den dualen Entwurf

liche Differenzierung an, letztere die Kleinstadt und ihre Möglichkeit, durch Passkontrollen die Bürger zu erschrecken und die Schließung wörtlich zu vollziehen, von der der Erfolg polizeilicher Unternehmungen bei Fichte abzuhängen scheint.[25] Der Auftrag an die Tragödie, die im Zentrum meiner Ausführungen steht, lautet: „Paris, als Gegenstand der Polizey, muß in seiner Allheit erscheinen, und das Thema erschöpft werden." (88) Die Gegenstandsbestimmung ist ebenso kurz und knapp wie, von ihrem Inhalt her, von kaum zu überschätzenden Ausmaßen. Zugleich enthält sie aber ein Verständnisproblem, denn es bieten sich gleich mehrere Lesarten an, wobei das Problem an der eingeschobenen Beifügung hängt: Was genau meint *als Gegenstand der Polizey*?: Soll Paris, da es der Gegenstand eines Stücks mit dem Titel *Die Polizey* ist, in seiner Allheit erscheinen – oder geht es darum, dass dasjenige Paris, das Gegenstand der Institution *Polizey* ist, in seiner *Allheit* erscheinen soll? Die einfachste Lösung hieße, *als Gegenstand der Polizey* im Sinne von *als Gegenstand des (intendierten) Dramas* zu verstehen. Allerdings kann diese Möglichkeit ausgeschlossen werden, da eine solche Wiederholung des Titels im Entwurf einmalig wäre. Gegen den Bezug auf den Namen des Stücks spricht die Knappheit des Notats; die Ausführlichkeit der Wendung *als Gegenstand der Polizey* stellte in dieser Lesart eine Redundanz dar – und von solchen ist der Entwurf gänzlich frei. Weiterhin ließe sich argumentieren, dass hier keine Einschränkung vorläge, da es eben die polizeilichen Statistiken sind, die allererst eine solche *Allheit* der Bevölkerung und Waren, der Bestände und der verschiedensten Zirkulationen sowie der „[p]hysischen und moralischen Kräfte"[26] hervorbringen, da gerade die *Polizey*, als Staatswissenschaft, die verschiedensten Aufgaben umfaßt.[27] So unterscheidet Jung-Stilling in seinem Lehrbuch der *Staats-Polizey-Wissenschaft* unter anderem in die „Polizey der bürgerlichen Handlungen", die „Landwirthschafts-Polizey", die „Fabriken-Polizey"[28] usw., da jedes gesellschaftliche Segment eigener Regulierung und Steuerung bedarf. In diesem Verständnis ließe sich von einer Hervorbringung eines Ganzen sprechen, das auf diesem Komplexitätsniveau allererst von der *Polizey* generiert wird. Auch diese Lesart greift aber meines Erachtens nicht, da Schiller

---

als „Bemühen [...], ein Stoff- und Gattungsexperiment zur Darstellung eines Gesellschaftspanoramas zu nutzen", wobei er dieses für „gescheitert" erklärt (S. 168). Vgl. für diese gesamte Interpretation S. 144–169.

[25] Vgl. zur Kleinstadt als Handlungsort der Komödie Schiller, Die Polizey, S. 95: „Es kann die Furcht in eine kleine Stadt, während der Messe, kommen, daß sich eine Bande Räuber darinn aufhalte." Vgl. zur Schließung der Tore ebd., S. 101: „Der Befehl an den Thoren, daß jeder angehalten werden soll, erschreckt 2 biß 3 Partheien."

[26] Jung-Stilling, Staats-Polizey-Wissenschaft, S. 16.

[27] Vgl. zur Genealogie der Bürokratisierung der Macht und der Rolle der permanenten Verdatung im Regierungswissen, die beständige Bestandsaufnahmen impliziert Bernhard Siegert: „Perpetual Dommsday", in: ders./Joseph Vogl (Hg.): *Europa. Kultur der Sekretäre*. Zürich/Berlin 2003, S. 63–78. Die damit verbundene gravierende Schwierigkeit lautet wie folgt: „Jedes Datum ist zugleich immer schon Verfallsdatum." (S. 77)

[28] Jung-Stilling, Staats-Polizey-Wissenschaft, S. 16.

eine Einengung vornimmt, wie sie der Begriffswandel um 1800 dann forcieren wird. Schiller bezieht sich, dies wurde schon im Kommentar zur hier benutzten Ausgabe hervorgehoben, auf das besondere Polizeirecht, also nicht die allgemeinen Aufgaben der Polizei. Dieses erstreckt sich vor allem auf die Aufgaben der Sicherheits- und Wohlfahrtspolizei. Erstere besorgt die Abwehr von Gefahr, gelte diese nun Personen oder deren Eigentum, und letztere zielt auf Ungesundheit, Sittenwidrigkeit, häusliche Unordnung.[29] Diese Besonderung wird nun noch weiterhin dadurch verstärkt, dass Schillers Gegenstand Paris ist. Zwar ist auch *la police* grundsätzlich als „gouverner les hommes, les rendre heureux en vue de l'intérêt general"[30] bestimmt, zugleich aber ist das Amt des *lieutenant général de police* ein durchaus spezifisches Machtsystem: dieser gilt als „l'œil du roi'"[31], das alles sieht: „il regarde tout"[32]. Um ein solches Blickregime zu unterhalten, sind Kundschafter und Agenten notwendig, die den Stadtraum infiltrieren, beobachten und das Gesehene berichten.[33] Diese Agenten oder *inspecteurs* besuchen nun vor allem die Orte, an denen Störungen der Normalität, der Sitte usw. zu erwarten sind, sie mischen sich mit Vorliebe in die Demimonde oder das, was als solche gilt:

> [L]eurs tâches s'accordent mieux que celles du commissaire au côté voyeur, rapporteur, gazetier, diseur de scandales et de nouvelles demandées à la police par le roi. Personnage d'intrigues, le plus souvent sans scrupules, s'insinuant partout pour s'informer. Les ‚mauvais lieux', cabarets, garnis, maisons de rendez-vous, assemblées illicites sont leurs endroits préférés. [...] Sans uniforme et porteurs de cannes, ils se promènent à pied [...], ce qui leur permet de mieux traquer cette masse, qu'on dit indifférenciée, de faiseurs de tours, charlatans, filles de rues, domestiques, cochers et charretiers, objets craints et toujours portés principaux responsables des troubles de la rue.[34]

Mit der so formatierten *Polizey* als Zentralinstanz zeichnet das Drama eben das nach, was diese Augen sehen – und dies meint vor allem die dunkle Seite der Städte. Die *Allheit* ist also eine durchaus besondere: Sie bezieht sich auf die Welt der Norm- und Regelverstöße. Dass Schiller sich für seinen Entwurf auf Louis-Sébastien Merciers populäre Großstadtbeschreibung *Tableau de Paris* (1781–1788) bezieht,[35] ändert diesen Befund nicht, sondern verstärkt ihn noch: Gerade

---

29 Vgl. den Kommentar zum Dramenentwurf in Schiller, Dramatischer Nachlaß, hier S. 743.
30 Arlette Farge: Art. „Police", in: Michel Delon (Hg.): *Dictionnaire Européen des Lumières*. Paris 1997, S. 884–889, hier: S. 884; für den Hinweis auf den Artikel danke ich Linda Simonis.
31 Farge, Art. Police, S. 886.
32 Farge, Art. Police, S. 888.
33 Vgl. Farge, Art. Police, S. 888: „S'il est l'œil du roi, il a besoin que se multiplie son regard dans toutes les directions, avec la certitude d'être obéi et entendu."
34 Farge, Art. Police, S. 889.
35 Vgl. den Kommentar zum Dramenentwurf in Schiller, Dramatischer Nachlass, S. 723.

bei Mercier lässt sich, so Arlette Farge, ein im obigen Sinne bestimmter polizeilicher Blick feststellen.[36]

Der Zuschauer soll nun, so will es der Dramenentwurf, gleich zu Beginn in das Zentrum dieses Blickregimes geführt werden. Es soll kein Zweifel daran bleiben, dass die *Polizey* alles sieht. Schiller schreibt:

> Die Handlung wird im Audienzsaal des Polizeylieutenants eröfnet, welcher seine Kommis abhört und sich über alle Zweige des Polizeygeschäfts und durch alle Quartiere der großen Hauptstadt weitumfaßend verbreitet. Der Zuschauer wird sonach schnell mitten ins Getreibe der ungeheuren Stadt versetzt und sieht zugleich die Räder der großen Maschine in Bewegung. Delatoren [also Denunzianten] und Kundschafter aus allen Ständen. (87)

Wozu dies alles dient, wird in einer Auflistung der „Geschäfte der Polizey" (88) beantwortet, wobei Punkt sechs der kleinen Liste die Aufgaben am treffendsten zu bestimmen scheint. Er lautet in aller Allgemeinheit und Vagheit: „Wachsamkeit auf alles was verdächtig ist." (88)

Dies ist paradoxerweise so klar wie rätselhaft, denn was genau ist eigentlich verdächtig? Der Verdacht, wie ihn das Stück bestimmt, ist einer aus der Perspektive der *Polizey*, durchaus konform zu den Ausführungen Fichtes. Verdächtig wird, wie gleich am Entwurf zu zeigen sein wird, wer zu verschwinden droht beziehungsweise wessen Spur dauerhaft verloren werden könnte. Damit werden die Mittel der Observanz und der Identifizierung auf das Äußerste herausgefordert.

Insofern ist es die Institution *Polizey*, die gemäß der eigenen diskursiven Formatierung den Verdacht generiert, dass alles und jeder zu verschwinden droht beziehungsweise sich zu entziehen sucht. Das Potential der polizeilichen Beobachtung ist enorm und grenzt an Allmacht. Im Entwurf heißt es: „Die Polizey erscheint hier in ihrer Furchtbarkeit, selbst der Ring des Gyges scheint nicht vor ihrem alles durchdringenden Auge zu schützen." (91) Oder, wie um keine Zweifel an der Präzision der Personenportraits aus Worten und damit den von Fichte ausgeführten Kontrolltechniken der *Polizey* aufkommen zu lassen: „Das Signalement eines Menschen, den die Polizey aufsucht, ist bis zum Unverkennbaren treffend." (93)

Das Initialmoment der *Polizeyaktionen*, der Vorfall also, der die *Polizey* herausfordert und ihre spezifische Macht sichtbar macht, ist denkbar unbestimmt, es heißt einfach: „Die Polizey wird durch jemand aufgefodert, sich zu Entdeckung irgend einer Sache in Bewegung zu setzen" (87). Daraufhin „verspricht" der Chef der *Polizey*, Argenson, – eine Figur, die den berüchtigten Marc-René

---

[36] Vgl. Farge, Art. Police, S. 886: „Les observations de Louis Sébastien [sic!] Mercier procèdent un peu de cette même attitude: observer le peuple sous ses aspects les plus ordinaires, voire les plus scandaleux, pour mieux percevoir ce qui relève d'une vraie menace pour l'ordre social, ou ce qui renverse les idées bourgeoises de la morale ou de la dignité." Auf dieser Grundlage lässt sich das Zitat von Joseph Vogl vervollständigen, mit dem vorliegender Text einsetzt, denn neben der „Ästhetisierung der Policey" zeigt sich, so Vogl, auch eine „Verpolizeilichung der Ästhetik". Vogl, Staatsbegehren, S. 615.

d'Argenson (1652–1721), *lieutenant général de la police* unter Ludwig XIV, zum Vorbild hat – „nachdem er sich gewiße Data hat geben laßen, [...] im Vertrauen auf seine Macht einen glücklichen Erfolg" (87). Wörter wie *jemand* und *irgendetwas* deuten nun nicht eben darauf hin, dass Schiller sehr am Anlass der Aktion interessiert war. Es klärt sich aber auf, worum es dabei geht, wenn das eigentlich Unfassbare geschieht. Denn zunächst einmal „verliert" „Argenson nach langem Forschen die Spur des Wildes und sieht sich in Gefahr, sein dreist gegebnes Wort doch nicht halten zu können." (91) Eine Person wird also gesucht und diese droht, spurlos zu verschwinden. Es kommt aber noch schlimmer. Im Entwurf heißt es weiter: „Ein verloren gegangener Mensch beschäftigt die Polizey. Man kann seine Spur vom Eintritt in die Stadt bis auf einen gewißen Zeitpunkt und Aufenthalt verfolgen, dann aber verschwindet er." (91) Dieses Verschwinden ist das Moment, das den Verdacht eskalieren lässt, so dass schließlich „ganz *Paris* durchwühlt" (92) wird. Der Zusammenhang findet sich als explizite Bestimmung in der Behandlung der *Polizey* im Rahmen der Gattung Komödie. Hier heißt es, wie schon anfangs zitiert, kurz: „Eine Person wird verdächtig, weil sie sich unsichtbar gemacht." (101f.) Verdacht und Verschwinden sind also fest gekoppelt, wer immer schwierig aufzufinden ist, erregt den Verdacht der *Polizey*, und wer verdächtig ist, erscheint als Person, die zu verschwinden droht.

Mit dem Beharren auf dem Individuum, das nicht verschwinden oder verloren gehen darf, bestimmt sich die *Polizey* als Machtformation, die neben ihren disziplinatorischen Funktionen noch eine andere Seite hat. Diese andere Seite findet sich, das Thema *Macht* bringt dies mit sich, wiederum bei Foucault definiert, und zwar als „pastorale Macht"[37]. Die Wendung bezeichnet einen Machttyp, der „in die abendländische Welt über das Relais der christlichen Kirche eingeführt worden ist."[38] Sie ist eine „individualisierende Macht"[39], was zunächst im Widerspruch zur Fixierung auf die abstrakte Zahl und die Gesamtheit der Bevölkerung, die ja typisch für die *Polizey* ist, zu stehen scheint. Aber: Was die *pastorale Macht* ausmacht, das ist die Eigenschaft des guten Hirten, kein Schaf zu verlieren, keines aus seiner Herde verschwinden zu lassen. Der Hirte steht damit vor dem Dilemma, das Wohl des Ganzen und des Einzelnen zugleich im Auge zu behalten. Die Frage ist, lohnt es sich, die Herde allein zu lassen, um ein verirrtes Schaf wiederzufinden? Bei Foucault liest sich das so:

> [E]s stimmt, daß der Pastor die gesamte Herde lenkt, doch er kann sie nur in dem Maße richtig lenken, wie ihm kein einziges Schaf entgehen kann. Der Pastor zählt die Schafe, er zählt sie morgens, wenn er sie auf die Wiese führt, er zählt sie abends, um zu wissen, ob sie tatsächlich da sind, und er versorgt sie eines nach dem anderen. Er tut alles für die Gesamtheit seiner Herde, doch gleichermaßen tut er alles für jedes einzelne Schaf der Herde. Und hier erreichen wir dieses berühmte Paradox vom Hirten [...]. [...]

---

[37] Foucault, Geschichte der Gouvernementalität I, S. 191.
[38] Foucault, Geschichte der Gouvernementalität I, S. 193.
[39] Foucault, Geschichte der Gouvernementalität I, S. 191.

[D]er Hirte [muß] ein wachsames Auge auf alles und auf jedes haben, *omnes et singulatim*, genau das, was das große Problem sowohl der Machttechniken im christlichen Pastorat als auch der, nennen wir sie, modernen Machttechniken sein wird, so wie sie in den Bevölkerungstechnologien gestaltet sind [...]. *Omnes et singulatim.*[40]

Dieser Bezug auf die Gesamtheit der zu führenden Herde und das einzelne Individuum bestimmt auch Schillers *Polizey*, nur dass hier das Paradox durch eine Eigenart der *Polizey* abgelenkt wird, die, wie der um das Versprechen jeden finden und alles aufklären zu können nicht verlegene Argenson, Arroganz mit Ehrsucht verbindet. Die pastorale Sorge um das einzelne Individuum muss erst reaktiviert werden, dann aber wird sie ihm wieder zur *sakralen* Pflicht – womit auch der Bezug auf das Heilige in Schillers *Die Polizey* präsent ist. Im Dramenentwurf heißt es: „Argenson macht sich wenig aus den Individuen, aber sobald die Ehre der Polizey im Spiel ist, dann ist ihm das unwichtigste Individuum heilig und fodert alle seine Sorgfalt auf." (89) Die *Ehre der Polizey* gerät dann in Gefahr, wenn jemand in der Masse zu verschwinden droht und sich dem Blick der Kontrollmacht entzieht.[41] Es ist also gerade das Verschwinden, das zur Verstärkung der Individualisierung führt; man könnte auch sagen: Individuen sind Funktionen des polizeilichen Verdachts. Auch mit Blick auf die Analyse und das Verständnis der Macht ist die Modernität von Schillers Entwurf wohl kaum zu bestreiten.

Der Verdacht ist also fest mit dem Verschwinden gekoppelt; es ist aber vor allem auch ein Verdachtstyp, der, so zumindest mein Vorschlag, ästhetisch als Medium funktionalisiert wird, um die Stadt beziehungsweise die Bevölkerung der Stadt im Kunstwerk Form gewinnen zu lassen. Die Stadt erscheint dann als Objekt der *Polizey* auf der Suche nach allem, was verloren geht oder verschwindet, sie wird zum Raum für Spuren. Alles muss verortet und auffindbar sein. Noch so nebensächliche Dinge, die gewöhnlich spurlos verschwinden, sind ebenso wichtig wie alles andere, da es darum geht, dass nichts verschwinden darf, beziehungsweise dass alles, was verschwindet, die Aufsicht der *Polizey* bedroht. In Schillers Worten: „Fiacres sind numeriert. Was man darinn liegen läßt, ist wie-

---

[40] Foucault, Geschichte der Gouvernementalität I, S. 191f.
[41] Auf die „Symbiose von alten und neuen Machtstrukturen" (Kraft/Springer: Schiller, Dramatischer Nachlass, S. 725) verweist auch das Nachwort zum Dramenentwurf, wobei die Formulierung auf die sich zeigende Verbindung von ständischer und bürgerlicher Macht gemünzt ist; sie lässt sich meines Erachtens aber auch in den generellen Machttypen selbst nachweisen. Dass es sich bei dem Paris des Entwurfs um die Darstellung eines Disziplinarregimes handelt, deuten etwa Formulierungen wie „Paris ist ein Gefängniß" (92) an. Auch das spezifisch von der Disziplinarmacht hervorgebrachte Milieu der Delinquenz (vgl. Michel Foucault: *Überwachen und Strafen. Die Geburt des Gefängnisses*. Frankfurt a.M. 1976, S. 365–371) fehlt nicht: „Man duldet kleine Filoux und läßt unbedeutende Diebstähle geschehen, um den größern auf die Spur zu kommen." (93) Ebensowenig vergisst Schiller die Erwähnung der inflationären gegenseitigen Observanz in Disziplinarregimen: „Polizeyspionen werden wieder durch andre beobachtet." (93)

der zu bekommen." (92) Dieser Verdacht eignet sich als literarisches Mittel, um eine Großstadt im Kunstwerk Form gewinnen zu lassen; Form verstanden als feste Kopplung zuvor lose verbundener Elemente – man erinnere sich an die überkomplexen Datenmengen. Es findet eine Auswahl aus einem Möglichkeitsraum statt; der Verdacht treibt zur Aktualisierung einiger Möglichkeiten an, anderes wird ausgeblendet. Diese Grenzziehung im Möglichkeitsraum sorgt allererst für Darstellbarkeit. Die Daten und Beschreibungen, die Schiller Merciers *Tableau de Paris* entnehmen konnte, lassen sich verknüpfen und linearisieren, da ein entdecktes Verbrechen zum nächsten führt. Die Polizei oder genauer der polizeiliche Verdachtstyp ist so das Okular, mit dem Ausschnitte des komplexen Systems Großstadt darstellbar gemacht werden können. Der polizeiliche Filter in der Aufsicht auf die Großstadt bündelt die verschiedenen Stränge und verknüpft das heterogene Material, wie er es zugleich im Nacheinander des Investigationsprozesses darstellbar macht. Da das Drama die Differenzierung der Gesellschaft zum Thema hat,[42] ist die Polizei das Subjekt, das Einheit in der Differenz stiftet,[43] indem die gesamte Gesellschaft im Medium des Verdachts erscheint. Dies entspricht Schillers Anweisung für sein Trauerspiel: „Es ist eine ungeheure Maße von Handlung zu verarbeiten und zu verhindern, daß der Zuschauer durch die Mannichfaltigkeit der Begebenheiten und die Menge der Figuren nicht verwirrt wird. Ein leitender Faden muß da seyn, der sie alle verbindet, gleichsam eine Schnur an welche alles gereiht wird" (87). An diesem Punkt, am Anfang des Entwurfs, zieht Schiller noch zwei alternative Möglichkeiten in Betracht: „[S]ie müßten entweder unter sich, oder doch durch die Aufsicht der Polizey miteinander verknüpft seyn" (87). Schließlich ist es diese *Aufsicht* oder der generelle Verdacht, den das Verschwinden von Bürgern aus der Observanz der Polizei nach sich zieht, der diese Einheit stiftet.

Indem der polizeiliche Blick in das Kunstwerk kopiert wird, um Einheit zu stiften und die Komplexität der Gleichzeitigkeit in das Nacheinander eines Ablaufs, der Entdeckung, die schrittweise erfolgt, zu transformieren, kommt es zu einer ähnlichen Realitätsverzerrung wie im 1707 erschienenem Roman *Le diable boiteux* von Alain-René Lesage, dessen Gegenstand Madrid ist. In dieser Erzählung war die, mit einer Formulierung Niklas Luhmanns, „Beobachtungstechnik des Teufels"[44] das Medium, in dem die Großstadt für einen staunenden Studenten Form gewinnen konnte. Was sich dem Studenten zeigte, war eine Reihe von kleinkriminellen, gewalttätigen bis amoralischen Szenen. Dies ist nicht überraschend: Denn der Teufel ist darauf bedacht, die Ordnung der Schöpfung zu beobachten und ihre Makel, Schwächen und Flecken zu offenbaren. Was in diesem Medium Form gewinnt, wird verzerrt sein; die Gesellschaft ist in ihre eigene

---

42   Vgl. Kraft/Springer: Schiller, Dramatischer Nachlass, S. 726.
43   So auch Suppanz, Person und Staat, S. 152: „Die Polizei repräsentiert den Staat, hat aber dramaturgisch die Funktion, ein Bild der Pariser Gesellschaft zu perspektivieren und darstellbar zu machen."
44   Luhmann, Gesellschaft der Gesellschaft, S. 848.

Grimasse transformiert. Was aber durch diese Vorgabe zugleich installiert wird, ist ein Fluchtpunkt, der der Großstadtdarstellung Perspektive gibt. Die Verzerrung ist der Preis der Beseitigung des Darstellbarkeitsdefizits, das komplexen Systemen wie Großstädten eigen ist. Dies gelingt auch durch die Beobachtungstechnik der Polizei, aber auch sie ist ein eigenwilliges Medium, das sich nicht widerstandslos und verlustfrei instrumentalisieren lässt. Wollte Schiller, wie im Entwurf programmatisch postuliert wird, Paris *in seiner Allheit* zeigen, meint dies nun vor allem jene Seite, die auf die ein oder andere Art moralisch affiziert ist und von der bürgerlichen Normalität abweicht. In Schillers Worten: „So wird ganz *Paris* durchwühlt, und alle Arten von Existenz, von Verderbniß etc werden bei dieser Gelegenheit nach u. nach an das Licht gezogen." (92) Dieses Licht ist das des Verdachts, was in ihm Kontur gewinnt, muss dunkel sein – es zeitigt die gleichen Effekte wie das Licht, mit dem Lesages hinkender Teufel die bürgerlichen Häuser flutet.

Im Anschluss an Schillers Licht-Metapher kann der Verdacht, der hier sehen lässt oder sehen macht, was es auf dieser Grundlage zu beobachten gibt, weiter bestimmt werden. Es handelt sich um ein als Wahrnehmungsmedium camoufliertes Kommunikationsmedium, das einen restringierten Vorrat von Formen koppelt, da es nur das zulässt, was von der Polizei beobachtet werden kann, und das heißt „alle, die Gesellschaft störende, Mißbräuche" (88). So gewinnt eine in Schuld und Unschuld aufgeteilte Welt Kontur; noch einmal in der Programmatik des Entwurfs: „Die äusersten Extreme von Zuständen und sittlichen Fällen kommen zur Darstellung, und in ihren höchsten Spitzen und charakteristischen Punkten. Die einfachste Unschuld wie die naturwidrigste Verderbniß" (92). Die Stadt kann im Medium Verdacht erscheinen, aber eben nur zu dem Preis, das sich alles gemäß polizeilicher Unterscheidungen zeigt.

III. Verdacht, Kontrolltechnologie und Literatur: *eine* Verlängerung in das 19. Jahrhundert

Die vor allem auch literarischen Spuren dieses produktiven Verdachts lassen sich weiter verfolgen, wobei die Evolution dieser Darstellungsstrategie mit der der Möglichkeiten der Kontrollmacht korreliert ist. Gerade Mitte des 19. Jahrhunderts wird die Kopplung aus Verdacht und Verschwinden Erfolge feiern. Dies liegt auch und vor allem in der Evolution der Medien begründet. Fichtes oben kurz skizzierte Phantasie reichte dahin, bei „wichtigen Personen" das sprachliche Signalement im Pass durch ein „wohlgetroffenes Portrait" aufzurüsten, da nämlich „die bloss wörtlichen Beschreibungen einer Person immer zweideutig bleiben"[45]. Dieser Traum wird natürlich bald nicht mehr als ein erkennungsdienstlicher Albtraum sein können; die Anthropometrie, später die Daktyloskopie und

---

[45] Fichte, Grundlage des Naturrechts, S. 295.

vor allem die Fotografie werden diese Lücke in der verortenden Identifizierung schließen.[46] Mit dem Fortschritt der Technologie verschärft sich aber zugleich der Verdacht, davon berichtet Walter Benjamins Baudelaire-Studie und darin vor allem das dem *Flaneur* gewidmete Kapitel. Die Kopplung aus Verdacht und Verschwinden wird nach Schillers Experiment mit dem *Polizey*-Sujet so augenfällig, dass Benjamin kurz und knapp bemerken kann: „Ein Mann wird in dem Maße verdächtiger als er schwerer aufzutreiben ist."[47]

Indem er den Flaneur und den Detektiv der Poeschen Kriminalerzählung kurzschließt, eröffnet Benjamin den Blick auf die grundlegende Rolle des Verdachts in der Literatur des 19. Jahrhunderts: Die einen machen sich verdächtig, so der Flaneur und für Benjamin auch Baudelaire, andere verdächtigen, was dann vor allem in der Detektivgeschichte realisiert wird. In Poes *A Man of the Crowd*, einer Detektivgeschichte, in der der „umkleidende Stoff, den das Verbrechen darstellt, [...] weggefallen"[48] ist, und die daher umso unverstellter das Eigentümliche dieses Typs von Erzählung präsentiert, ist es, so Benjamin, allein das immer drohende Verschwinden eines Mannes in der Menge, das ihn für den Erzähler zum Inbegriff des Verbrecherischen macht.[49] Gerade weil technische Maßnahmen ein Verschwinden in der Anonymität immer schwieriger machen, muss jeder Versuch, in der Menge aufzugehen, sei er real oder nur als solcher von Kontrollmaschinen registriert, einen umso tiefer angesiedelten Verdacht auslösen. Der Polizeistaat des 19. Jahrhunderts wird wie sein Vorgänger angefeuert von dem „Bestreben, durch ein vielfältiges Gewebe von Registrierungen den Ausfall von Spuren zu kompensieren, den das Verschwinden der Menschen in den Massen der großen Städte mit sich bringt"[50], – nur ist er wesentlich besser informiert. Was dann bleibt, ist der Verdacht, der sich an alles und jeden heften kann, sobald sich ein Individuum dem Blick der um wirksame Medienensembles bereicherten Macht zu entziehen droht. Ästhetisch wird durch seine Implementierung im Kunstwerk ein Medium gewonnen, in dem die Großstadt und die Menschenmenge auf interessante Weise Form gewinnen können.

---

[46] Vgl. dazu Walter Benjamin: „Charles Baudelaire. Ein Lyriker im Zeitalter des Hochkapitalismus", in: ders.: *Gesammelte Schriften*, hg. v. Rolf Tiedemann/Hermann Schweppenhäuser, Bd. I, 2: Abhandlungen. Frankfurt a.M. 1974, S. 509–690, hier: S. 550: „Technische Maßnahmen mußten dem administrativen Kontrollprozeß zu Hilfe kommen. Am Anfang des Identifikationsverfahrens, dessen derzeitiger Stand durch die Bertillonsche Methode [das anthropometrische System zur Personenidentifikation also, T.H.] gegeben ist, steht die Personalbestimmung durch Unterschrift. In der Geschichte dieses Verfahrens stellt die Erfindung der Photographie einen Einschnitt dar. [...] Die Photographie ermöglicht zum ersten Mal, für die Dauer und eindeutig Spuren von einem Menschen festzuhalten. Die Detektivgeschichte entsteht in dem Augenblick, da diese einschneidenste aller Eroberungen über das Inkognito des Menschen gesichert war."

[47] Benjamin, Baudelaire, S. 550f.

[48] Benjamin, Baudelaire, S. 550.

[49] Vgl. Benjamin, Baudelaire, S. 550f.

[50] Benjamin, Baudelaire, S. 549f.

Zwischen Eifel und Providence – Rhetorik(en) des Verschwindens bei Alfred Andersch als Stationen literarischer Sinnfindung

Detlef Haberland

Alfred Andersch verstand sich selbst als ein Autor des Konkreten, Metaphorik war ihm verhasst. Aus dieser poetologischen Grundeinstellung erklärt sich seine lebenslange Hinwendung zur deskriptiven Versicherung literarischer Realität, seine Abneigung gegen jede Form der übertragenden Inbezugsetzung.[1] Gleichwohl, Anderschs Anliegen ist es nicht, ein stringentes philosophisches Gebäude aufzubauen, seine literarische Benutzung von Theorien und Philosophemen ist sehr unterschiedlich. Was für jeden Leser aber sofort sichtbar ist – und das ist wohl auch ein Grund für Anderschs Popularität, die schon früh einsetzte –, ist seine klare Positionierung: Er schreibt gegen politische Gewalt und Unterdrückung, er kritisiert soziales Fehlverhalten und er nimmt Partei für einen eindeutigen Stil. Nun wäre Andersch, enthielte sein Werk denn nur Aspekte dieser Art, nur ein politischer Pamphletist mittlerer Qualität, dessen Arbeiten einzig eine sozialhistorische Belegfunktion zukäme. Inkongruenzen, Brüche und Sprünge der mit poetischer Zielsetzung geschriebenen Arbeiten auf die Brüche und Ungereimtheiten des eigenen Lebens zurückzuführen und daran zu messen, muss methodisch als überholt und moralisch als Beckmesserei erscheinen.[2] Ließe sich

---

[1] Siehe dazu die Auseinandersetzung mit Anderschs Werk unter dem Gesichtspunkt der philosophischen Stringenz von Josef Quack: „Alfred Andersch, ein literarischer Nominalist", in: Neue Deutsche Hefte, 32. Jg. (1985), H. 4, S. 717–732. – Eine umfassende Auseinandersetzung mit der sich vielfach überschneidenden Andersch-Literatur wurde in diesem Text nicht geführt, da der im folgenden ausgebreitete Zusammenhang nicht oder nur rudimentär erfaßt wird. Als Materialbasis nützlich sind gleichwohl: Erhard Schütz: *Alfred Andersch*, München 1980 (Autorenbücher, Bd. 23); Volker Wehdeking: *Alfred Andersch*, Stuttgart 1983 (Sammlung Metzler, M 207); Ders. (Hg.): *Zu Alfred Andersch*, Stuttgart 1983 (LGW-Interpretationen, Bd. 64); Stefan Reinhardt: *Alfred Andersch. Eine Biographie*, Zürich 1990.

[2] So, äußerst polemisch, W.G. Sebald: „Between the Devil and the Deep Blue Sea. Alfred Andersch. Das Verschwinden in der Vorsehung", in: Lettre International. Europäische Kulturzeitung, H. 20 (1. Vj. 1993), S. 80–84; erneut in: Ders.: *Luftkrieg und Literatur. Mit einem Essay zu Alfred Andersch*, Frankfurt a.M. 2001, S. 111–147. Wie wenig tragfähig Sebalds zum Teil argumentatorisch wenig überzeugender und kaum ausreichend belegter Rundumschlag ist, zeigt sich bereits an einem Beispiel. Sebald schreibt: „[...] ist doch *Der Ruf* ein wahres Glossarium und Register faschistischer Sprache. [...] festzuhalten jedoch ist, daß die linguistische Korrumpierung, die Verfallenheit an das leere, zirkuläre Pathos, nur das äußere Symptom ist einer verdrehten Geistesverfassung, die auch in den Inhalten sich

Dichtung (wie jede andere Kunstform) auf diese Weise „erklären", könnte die Theoriegeschichte der Literaturwissenschaft seit dem Positivismus als ungeschrieben betrachtet werden.

Dass auch Zeitgeschichte und Politik durchaus als geeignete Gegenstände hochkomplexer Dichtung sein können, zeigt die Literatur aller Zeiten. Dies muss am Beispiel Anderschs nicht noch einmal entfaltet werden. Vielmehr muss es zunächst irritieren, wenn sich in seinen Texten Aussagen finden, die mit den vordergründig dargestellten historischen Zusammenhängen (etwa Nationalsozialismus, Krieg, Nachkriegszeit) so gar nicht in einen logischen Konnex zu bringen sind. Das Erklärungsmuster – dass entweder der Autor ungenau gearbeitet habe oder solchen Stellen ein Verweischarakter innewohnt, der eine vom mainstream abweichende, und daher den common sense differenzierenden Deutung seiner Werke erlaubt –, dies läßt sich, denkt man an Andersch als außerordentlich überlegt schreibenden Autor, zugunsten des letzteren Arguments entkräften.

Die folgenden Überlegungen zum Thema des Verschwindens in Texten Anderschs verstehen sich daher dezidiert zunächst als paradigmatische Spurensuche, mit dem Ziel, diese von dem Verdacht der ausschließlichen Rechtfertigungsstrategie zu befreien und damit als komplexe poetische Gebilde zu betrachten; die Ausführungen sind deshalb nicht im Sinne einer Motiv- oder Symbolsuche zu verstehen, mit der kleine erzählerische Partikel vor dem Hintergrund etwa einer besonderen Überlieferung zum Sprechen gebracht werden sollen.

Der Titel dieser knappen Überlegungen spielt zunächst natürlich überdeutlich auf den „Roman-Entwurf" *Mein Verschwinden in Providence*[3] an. Allerdings stellte sich bei der Lektüre weiterer Texte Anderschs eben immer deutlicher heraus, dass „Verschwinden" noch etwas ganz anderes meint als die physische Abwesenheit von Figuren gegenüber anderen Figuren des Textes (oder auch gegenüber dem Leser), dass eine solche Matrix, das sei hier bereits angedeutet, die fast Anderschs gesamtes Werk strukturiert, in ganz eminenter Weise seine Erzähltechnik und damit seine Aussageintentionen bestimmt. In diesem Sinne lassen sich Strukturen des Verschwindens als sinntragende Konstituenten seiner wichtigen Texte herausarbeiten.

---

niederschlug." Ebenda, S. 82. – Der Herausgeber des *Ruf*, Gustav René Hocke, zeichnet aus eigenem Erleben ein ganz anderes Bild der Lagersituation und -publikation: Ermordungen von nicht-nationalsozialistischen Kriegsgefangenen waren an der Tagesordnung und zwangen die Redaktion der neuen Zeitung zur Vorsicht. Unter anderem führt Hocke aus: „Mein Leitartikel in der ersten Nummer des *Ruf* hieß: *Die inneren Mächte.* Ich hatte ihn bewußt ‚zahm' gehalten, denn die Amerikaner hatten uns vor zur scharf antinazistischer Kritik gewarnt. [...] Die Realitäts-Zufuhr, das war auch mir klar, mußte [...] in kleinen Dosen erfolgen." In: *Gustav René Hocke. Im Schatten des Leviathan. Lebenserinnerungen 1908 – 1984.* Hg. u. komm. v. Detlef Haberland, München, Berlin 2004, S. 245.

³   Erstdruck 1971.

Einleitend sei ein Blick auf einen der wenigen theoretischen Texte Anderschs geworfen, den Essay *Die Blindheit des Kunstwerks*.[4] In ihm setzt er sich mit den Theorien Albrecht Fabris und Gottfried Benns auseinander. An zentraler Stelle fügt er eine Bemerkung Adornos aus einer Studie über Valéry in seine Argumentation ein, die wie folgt lautet: „Der Vollzug des dem Kunstwerk selbst streng immenenten geistigen Prozesses heißt zugleich: Blindheit und Befangenheit des Kunstwerks überwinden."[5] Es ist in diesem Zusammenhang nicht die vom Urheber dieser Äußerung, Adorno, intendierte Aussage von Bedeutung, sondern die Art wie Andersch diesen Kernsatz interpretiert; er schreibt dazu:

Es kann also die Autonomie, das Für-sich-Sein einer Welt der Kunst nicht geben. Sie ist eine von vielen Formen der Erkenntnis, freilich eine der vornehmsten. Nur indem Kunst sich auf den alles Erkennen voraussetzenden Begriff der Wahrheit bezieht, erfüllt sie die Aufgabe, die Gesellschaft geöffnet zu halten. Freiheit, die Bedingung der Kunst, ist nur in einer die Bemühung um die Wahrheit offen haltenden Gesellschaft möglich. So mag Kunst von allem abstrahieren – und ihre Abstraktion vom Inhalt ist heute noch eine Erscheinungsform des Wahren –, von der Wahrheit selbst abzusehen, ist ihr, ihrem Wesen nach, unmöglich. In der totalen Unwahrheit der geschlossenen Gesellschaft verstummt sie.[6]

Die „offene" oder „geöffnete Gesellschaft" ist nach Anderschs Auffassung die, die „die Negation ihrer selbst zuläßt".[7] Andersch propagiert also eine Kunst, die ästhetisch und politisch an den Rand des Möglichen geht, das heißt, die die Freiheit der Gesellschaft ausschöpft. Damit sind Kunstwerke aktiv am Prozess der gesellschaftlichen Dialektik beteiligt, indem sie die „Blindheit", also das sich selbst genügende L'art pour l'art überwindet. „Literatur ist Arbeit an den Fragen der Epoche", schreibt Andersch, „auch wenn sie dabei die Epoche transzendiert."[8] Das ist genau das, was die Kritik von Max Bense über Peter Demetz bis Thomas Mann denn auch an diesem Autor feiert: Die konsequente literarische Durchmusterung sozialer, politischer, ideologischer Verhaltensweisen – durchaus mit erkennbarem Gegenwartsbezug – mit dem Ziel, die Blindheit auch des sozialen L'art pour l'art, mit anderen Worten: ideologisches Verhalten darzustellen und in der Darstellung zu überwinden. Dies wäre literature engagée, das Gegenteil jeden „kalligraphischen" Schreibens – hier ist Andersch mit seinem Mitbegründer der Zeitschrift *Der Ruf* in den amerikanischen Kriegsgefangenenlagern, Gustav René Hocke, einig.[9] Was also vorgefunden werden müsste, wäre, dem eigenen Eingeständnis Anderschs nach, in der erzählerischen die politische Prosa, die solche „Blindheiten" aufdeckt.

---

4 Erstdruck 1956.
5 In: Alfred Andersch: *Essayistische Schriften 2*, Zürich 2004 (Gesammelte Werke, Bd. 9), S. 224–237; hier S. 234.
6 Ebenda.
7 Ebenda, S. 224.
8 Ebenda, S. 236.
9 Leviathan (wie Anm. 2), S. 247.

Ein derartiges Postulat verdient es untersucht zu werden. Als erster Gegenstand dient eine der frühen Erzählungen Anderschs *Die Letzten vom ‚Schwarzen Mann‘*.[10] Es geht um die ehemaligen Soldaten Karl Roland und Mike, die in einem nicht gesprengten Bunker in der einsamen Schneeifel wohnen, über die selbst die Einheimischen sagen, es sei eine „schauerliche Gegend".[11] So weit traditionell und auch vielleicht nicht allzu ungewöhnlich. Die beiden Freunde kommen auf dem Weg zu ihrem Zuhause an dem Skelett eines Wehrmachtssoldaten vorbei:

> Der Schädel schimmerte aus dem Moosgrund zu ihnen empor. Die Uniform war ganz zerfallen. [...] Unter dem Schädel fand er das in Wachstuch geschlagene Soldbuch und blätterte darin. Er hatte es selbst in das Tuch eingefaltet, damit man den Gefallenen identifizieren konnte, wenn man ihn fand. Er ließ die Taschenlampe aufblinken und besah zum tausendsten Male sein eigenes Gesicht. So hatte er vor zwölf Jahren ausgesehen, als man ihn eingezogen hatte. ‚Karl Roland' stand darunter und in der Spalte Zivilberuf „Student".[12]

Auch Mike hat offensichtlich einem unbekannten Toten durch sein Soldbuch seine Identität gegeben. Die Erzählung endet offen: „Wie in beinahe jeder Nacht spielten sie auch in dieser ein paar Stunden Siebzehn und Vier und tranken Whisky in kleinen Schlucken, ehe sie zu Bett gingen."[13]

Was Andersch thematisiert, ist ein von den Akteuren selbst inszeniertes, gezieltes Auslöschen ihrer Identität, ein Verschwinden ihrer staatlich festgestellten Personen durch Weitergabe ihrer Ausweise an unbekannte Tote. Nicht nur ihre Identitäten sind für die Gesellschaft, mit deren Vertretern sie hin und wieder zusammentreffen, ausgelöscht, sondern für sie selbst ist das Leben in der Hocheifel ein Leben, das nicht mehr durch soziale und geographische Konventionen gedeckt ist. Roland empfindet analog beim Blick über den „Ozean von flachen Tälern und Wäldern"[14] ein paradoxes Gefühl: Er

> liebte Grenzen, weil an ihnen die Länder unsicher wurden. Sie verloren sich in Wäldern, zerfransten sich in Karrenwegen, die plötzlich aufhörten, in Radspuren, in Fußpfaden, unterm hohen gelben Gras, das niemand schnitt, in Sümpfen, Ödhängen, Wacholder, verrufenen Gehöften, Einsamkeit, Verrat und Bussardschrei.[15]

Die Gesellschaft in Gestalt des Pfarrers von Brandscheid spielt aber nicht mit und bestätigt nicht den Tod der beiden Soldaten mit Mikes und Karls Soldbü-

---

[10] Erstdruck 1951.
[11] Alfred Andersch: *Erzählungen 1*, Zürich 2004 (Gesammelte Werke, Bd. 4), S. 319–324; hier S. 319.
[12] Ebenda, S. 324.
[13] Ebenda.
[14] Ebenda, S. 320.
[15] Ebenda, S. 320f.

chern. Dann erst wären sie wirklich frei. Es bleibt beim Siebzehn und Vier-Spielen und Whisky-Trinken. Anhand von Textstellen wie diesen wird ersichtlich, dass die Freiheit von Karl und Mike in der Schneeifel eben nicht strukturiert ist. Sie leben ohne Identität in einem „Ozean" der Landschaft und außerhalb der Gesellschaft, ohne Sinngebung und Ziel.

Der Erzähler gibt keinerlei Hinweis darauf, welche Motive Karl und Mike dazu bewogen haben, der sich neu formierenden Gesellschaft den Rücken zu kehren und nach Kriegsende nicht in sie zurückzukehren. Die „Halluzinationen",[16] die der Pfarrer von Brandscheid bei Karl vermutet, reichen als Begründung bei weitem nicht.

Man könnte natürlich mit Treichel formulieren, dass Andersch „gerade in der antinarrativen Programmatik eine Verwandtschaft zum Phänographen der ‚Blätter und Steine' ausgemacht und damit zugleich auf die Schnittstelle verwiesen [hat], an der eine ‚nominalistische' Ästhetik im Sinne Anderschs ideologische Oppositionen ästhetisch unterläuft."[17] Treichel macht eine solche These aber nicht am Erzählwerk Anderschs nachvollziehbar, sondern wählt dazu den Reisebericht *Hohe Breitengrade* von 1984, der natürlich eine andere deskriptive Qualität hat als eine fiktive Erzählung.[18]

Wenn man jedoch schon „Nominalismus" für Anderschs Texte in Anspruch nimmt, dann vielleicht eher mit der Erzählung *Ein Auftrag für Lord Glouster*,[19] in der eine Figur der Gegenwart auf Nicolas, den siebten Graf Glouster trifft, der im französischen Feldzug Heinrichs V. spurlos verschwand und 1445 starb, wie dieser ihm mitteilt.[20] Die Erscheinung Glousters erweist sich in den letzten Sätzen der Erzählung als Spuk, da sein Gesprächspartner plötzlich allein auf dem Platz steht. Lord Glouster belehrt sein Gegenüber zuvor über die Relativität der Welt: „Die Ideen sind nichts als Worte, verstehen Sie, wenn man damit mal anfängt, kann man mit den Realien machen, was man will – dann ergibt sich alles andere von selbst.' ‚Dann kann man die Welt verändern', bestätigte der Doktor."[21] Allerdings macht Andersch diese scholastische Denkfigur nicht weiter fruchtbar, denn ob wirklich etwas „Neues in der Luft"[22] liegt, muss offen bleiben, denn der Leser wird aus der Geschichte entlassen einerseits mit der objektiven Tatsache, dass der Platz, auf dem der Doktor sich befindet, leer ist, andrer-

---

16 Ebenda, S. 323.

17 Hans Ulrich Treichel: *Auslöschungsverfahren. Exemplarische Untersuchungen zur Literatur und Poetik der Moderne*, München 1995, S. 17. Es kann hier nicht im Einzelnen auf die Deutungen Treichels eingegangen werden, deren Kohärenz zum Teil problematisch erscheint.

18 Ebenda, S. 141–166.

19 Erstdruck 1951; hier zitiert nach *Erzählungen 1* (wie Anm. 12), S. 325–331.

20 Er desertiert nicht, wie Dieter Lamping meint, sondern hat einen Auftrag von Jeanne D'Arc erhalten. Siehe den Kommentar zur Erzählung von dems., in ebenda, S. 593.

21 Ebenda, S. 330.

22 Ebenda, S. 331.

seits, dass er als etwas „eigensinnig"[23] bezeichnet wird. Die Leerstelle, die Glouster zurück lässt, bleibt zunächst unausgefüllt, die Welt, in der der Doktor weiterleben muss, bleibt noch „blind" im Sinne der Definition Anderschs – die Erscheinung Glousters verändert die Welt noch nicht wirklich, das Neue, das in der Luft liegt, bleibt uneingelöst. Weil Glouster an den Nominalismus glaubt, ist er in der Lage, an die Wiederkehr der Jeanne D'Arc zu glauben, die ihn beauftragt hat, ihre Wiederkehr vorzubereiten.[24]

Was zunächst etwas minimierend unter dem Titel einer „Geistergeschichte" firmiert,[25] erweist sich aber doch als komplexeres Miteinander der verschiedenen Aussageebenen als zunächst angenommen. Die Leerstelle, die Glouster durch sein Verschwinden herstellt, ist nicht das absolute Nichts, sondern enthält in sich das schon vorgeformte Versprechen, den Kampf wieder aufzunehmen. Anders als in *Die Letzten vom „Schwarzen Mann"*, wo die soziale Leerstelle durch nichts ausgefüllt wird, wo weder Kampf noch gesellschaftlicher Aufbau in irgendeiner Form sprachlich kritisiert werden. Demgegenüber schafft Andersch in der Glouster-Erzählung eine Struktur, die über die Rhetorik der Gespenstergeschichte hinausgeht. Hier werden mindestens durch das sprachliche Versprechen Verbindlichkeiten in die Zukunft eingegangen, wenn auch nicht eingelöst. Der Nominalismus Glousters ist tatsächlich der der Scholastik und nicht der der Moderne,[26] indem er die „Entsprechung zwischen Begriff und Sache, die auf einer Art inhaltlicher Abbildung beruht, negiert.[27] Gerade in der Glouster-Erzählung widerspricht sich Andersch mit Vorsatz selbst, indem er hinter einem peniblen Realismus (den er an Ernst Jünger bewundert) die Grundstruktur einer mehrsinnigen Sinngebung für die Welt behauptet. Derartiges wäre mit dem scholastischen, auf Aristoteles gegründeten Realismus-Begriff nicht möglich (Übereinstimmung von Ding und Begriff). An dieser Stelle spätestens muß an dem „Philosophen" Andersch gezweifelt werden, der in seinem späten Essay ‚*Art is about buttons*'[28] schreibt:

> Im philosophischen Sinne fühle ich mich als extremer Nominalist. Universalia sunt nomina. Down with Plato! Nicht einmal den Begriff des Begriffs lasse ich gelten, der Begriff ist für mich nichts als flatum vocis, ein stimmlicher Hauch. Es gibt nur Dinge, Sachen [...] Daher meine Vorliebe für Beschreibung.[29]

---

[23] Ebenda.

[24] Ebenda, S. 330.

[25] „Geistergeschichte von der Grenze" lautete der Untertitel des Hörspiels, das Andersch nach seiner Erzählung gestaltete. In: Ebenda, S. 590.

[26] Siehe dazu den Artikel ‚Nominalismus', in: Joachim Ritter u. Karlfried Gründer (Hg.): *Historisches Wörterbuch der Philosophie*, Bd. 6, Darmstadt 1984, Sp. 874–888.

[27] Ebenda, Sp. 875.

[28] Erstdruck 1978. Zitiert nach: Alfred Andersch: *Essayistische Schriften 3*, Zürich 2004 (Gesammelte Werke, Bd. 10), S. 515–526.

[29] Ebenda, S. 516f.

Gerade weil Anderschs vorgeblich intendierte erzählerische Grundstruktur (nur Beschreibung) logisch problematisch ist (vom hermeneutischen Gesichtspunkt einmal vollkommen abgesehen), ist der Komplex „Verschwinden" von signifikanter Bedeutung. Er allein öffnet innerhalb der Handlung eine Bedeutungsebene, die über die mit dem literalen Sinn verbundene Intention hinaus weist.

Anderschs erster Roman *Sansibar oder der letzte Grund*[30] hat als zentrales Thema die Rettung der Holzplastik „Der lesende Klosterschüler" sowie, durch die Verkettung der Ereignisse damit verbunden, die Rettung einer jungen Jüdin aus dem kleinen Ort Rerik über die Ostsee nach Schweden. In diesem Roman sah die Kritik Andersch auf seiner bisherigen Höchstform angelangt.[31] Vor allem wird die Stringenz gerühmt, mit der er sein Thema sprachlich und konzeptionell umsetzt. Das soll an dieser Stelle nicht in Frage gestellt werden. Vielmehr scheint die Forschung insgesamt tendenziell dem Urteil zu folgen, dass dieser überaus populäre gewordene Roman primär aus dem Geist der politischen Agitation oder aus dem des Widerstands seine Bedeutung erhält. Auch wenn unbestritten ist, dass der Roman durch die Auseinandersetzungen des kommunistischen Agenten Gregor mit sich, mit seinem Auftrag und mit seiner Position im Nationalsozialismus deutliche politische Motivierungen erhalten hat, lässt sich zu Recht anzweifeln, ob denn dies für die grundlegende Motivation wirklich ausreicht. Besteht die „Besonderheit der ästhetischen Präsentation" tatsächlich „aus der konsequenten Organisation des Ganzen auf die Durchführung einer politisch und moralisch gerechtfertigten Aktion"?[32] Auch wenn die Rettung der Jüdin und der Plastik vor dem Zugriff der Nationalsozialisten im Zentrum stehen, so hat man sich doch der gedanklichen Grundstruktur zu vergewissern, die diesen Handlungen zugrunde liegen.

Die Plastik steht im Innenraum der Kirche, den Gregor wie folgt wahrnimmt:

Im Gegensatz zum Außenbau war das Innere der Kirche weiß gestrichen. Die Oberfläche der weißen Wände und Pfeiler war nicht glatt, sondern bewegt und rauh, da und dort vom Alter grau oder gelb geworden, besonders dort, wo sich Risse zeigten. Das Weiß ist lebendig, dachte Gregor, aber für wen lebt es? Für die Leere. Für die Einsamkeit. Draußen ist die Drohung, dachte er, dann kommt die rote Scheunenwand, dann kommt das Weiß, und was kommt dann? Die Leere. Das Nichts. Kein Heiligtum. Diese Kirche ist zwar ein guter Treff, aber sie ist kein Heiligtum, das Schutz gewährt.[33]

An diesem Ort findet auch das abschließende Gespräch zwischen Pfarrer und Gregor statt. Es ist keine Frage, dass für den Pfarrer dieser Raum mit einem

---

[30] Erstdruck 1957. Zitiert nach: Alfred Andersch: *Sansibar oder der letzte Grund. Die Rote*, Zürich 2004 (Gesammelte Werke, Bd. 1), S. 1–183.

[31] Zitiert in ebenda, S. 485–487.

[32] Ursula Reinhold: *Alfred Andersch. Politisches Engagement und literarische Wirklichkeit*, Berlin 1988 (Literatur und Gesellschaft), S. 130.

[33] Andersch, Sansibar, S. 49.

anderen Sinn als für Gregor gefüllt ist. Auch die Jüdin erlebt ihn anders als Gregor.

Das Bild vom Nichts und Weiß wird auf einer anderen Ebene fortgeführt:

> Und die Stille im Pfarrhaus war nur ein Abbild der Stille in der Kirche, der Stille in der ganzen Stadt gewesen, aber noch nie hatte er die Stille so unerträglich gefunden. Stille war übrigens das falsche Wort. Irgendwo hatte er einmal gelesen, daß die Ingenieure jetzt in der Lage waren, „schalltote" Räume zu konstruieren. Das war die richtige Bezeichnung. Die Stadt, die Kirche und das Pfarrhaus waren zu einem schalltoten, echolosen Raum geworden, seitdem die Anderen [die Nationalsozialisten, D.H.] gesiegt hatten. Nein, nicht seitdem die Anderen gekommen waren, sondern seitdem Gott sich entfernt hatte.[34]

Nunmehr ist deutlich eine ganz andere Ebene der Auseinandersetzung erreicht. Mit einem Mal wird vordringlich nach der Begründung des Lebens, nach der des So-Seins gefragt bzw. dieses wird in einen Kontext gestellt, der durchdrungen ist von einem metaphysischen Plus ultra. Dieses Plus Ultra wirkt als Struktur durch den gesamten Roman hindurch. Das kündigt sich schon gleich zu Beginn des Romans an, wenn Gregor vom Kircheninnenraum, noch kritisch eingestellt, sagt: „Die Kirche war ein wunderbarer weißer, lebendiger Mantel. Es war seltsam, daß der Mantel ihn wärmte [...], aber daß die Kirche mehr wäre als ein Mantel, darüber machte Gregor keine Illusionen. Sie konnte vielleicht vor der Kälte schützen, aber nicht vor dem Tod."[35]

Der „schalltote" weiße Raum könnte doch noch mehr bedeuten, was der Leser zunächst jedoch noch nicht weiß.

Was bedeutet aber das so prononciert vorgetragene und immer wieder betonte Weiß des Kirchenraumes? In seinen *Graphischen Thesen* von 1977 formuliert Andersch: „Aber jetzt nicht fortsetzen: Weiß = Leer = Frei [...] Die Linien einer Zeichnung beschreiben die Umrisse von Leere. Leere kennt keine Grenzen. Die Zeichnung setzt sie. Graphik denkt das Undenkbare – die Gliederung des Nichts. Sie macht aus dem Nichts Etwas."[36] Das Weiß ist zwar unstrukturierte Leere, das Nichts, die Abwesenheit von etwas, aber es ist auch Freiheit; es wird nur durch eine von außen hinzutretende Begrenzung zu etwas Bestimmten. Der

---

[34] Ebenda, S. 114.

[35] Ebenda, S. 49.

[36] Zitiert nach Klaus R. Scherpe: „Alfred Anderschs Roman ‚Winterspelt' – deutscher Militarismus und ästhetische Militanz", in: Irene Heidelberger-Leonard, Volker Wehdeking (Hg.): *Alfred Andersch. Perspektiven zu Leben und Werk. Kolloquium zum achtzigsten Geburtstag des Autors in der Werner-Reimers-Stiftung, Bad Homburg v.d.H.* Opladen 1994, S. 131–141; hier S. 132. „Weiß ist ihm [Andersch, D.H.] in Anlehnung an Melvilles weißen Wal Moby Dick zur Symbolfarbe des Bösen schlechthin geworden." Damit wird eine gleichermaßen stringente wie differenzierte Deutung dieses Phänomens verfehlt. Siehe: Alfons Bühlmann: *In der Faszination der Freiheit. Eine Untersuchung zur Struktur der Grundthematik im Werk von Alfred Andersch*, Berlin 1973 (Philologische Studien und Quellen, Bd. 72), S. 21; der Zusammenhang auf S. 21–23.

weiße Kirchenraum erhält vor allem für die Hauptfiguren des Romans eine Bedeutung, die über die Fortführung des Plots hinausgeht. Die Schicksale von Judith, Helander und Gregor werden in je eigentümlicher Weise transzendiert. Die Jüdin Judith gewinnt hier den Ausgangspunkt für die Rettung ihres Lebens – unter christlichem Zeichen.[37] Helander verliert seine Feigheit und seine gottabgewandte Einstellung; er erschießt einen „der Anderen" aus der blitzartigen Erkenntnis heraus: „Gott läßt mich schießen, weil er das Leben liebt."[38] Und für Gregor wird in dem Kirchenraum ein wesentlicher Zug seines Lebens jenseits der Parteilinie klar:

> [...] er wußte wieder, warum er hier war, auch der Genosse Klosterschüler gehörte nicht zu ihnen, ergehörte zu Gregor, er gehörte zu denen, die in den Texten lasen, aufstanden und fortgingen, er gehörte in den Club derer, die sich verschworen hatten, niemandem mehr zu gehören.[39]

Betrachtet man unter dieser Voraussetzung die Rettung von Mensch und sakralem Kunstwerk vor der puren Gewalt, so wird deutlich, daß Andersch die Diskussion über Kommunismus, Hilfsbereitschaft, Verrat und Wunder auf der Grundlage eines dialektischen Widerspruchs darstellt: Der weiße und schalltote Raum ist mehrfach besetzt und nicht nur einsinnig, wie Gregor meint. Da die Rettung trotz größter Widrigkeiten gelingt, wird seine Deutungsversion, daß sich Gott entfernt hätte, ausdrücklich negiert. Gerade diese Relativität des Weiß, das Verschwinden der Kontur, deren Platz die Leere einnimmt, wird zum Zeitraum der Sinnfindung – nicht für alle Figuren des Romans, aber für den Leser.[40]

Es soll an dieser Stelle, wenn auch nur am Rande, so doch darauf hingewiesen werden, dass das Weiß als strukturelle Leere und als Verschwinden von farblichem Sinn auch in Anderschs Roman *Winterspelt*[41] in Form eines Gemäldes von Paul Klee mit dem leicht veränderten synäthetisierenden Titel „Polyphon umgrenztes Weiß" eine Rolle spielt. Als Substruktur zur vordergründig ausgebreiteten Verrats-Aktion des Majors Dincklage enthüllt sie einiges Wesentliches über Sinn und Transzendenz in einer einwertigen Welt. Dies bedürfte allerdings einer ausgreifenderen Untersuchung, als sie hier möglich ist. – Zwei Texte, der Roman *Die Rote*[42] und an *Mein Verschwinden in Providence*,[43] ermöglichen die Darstellung einer ganz anderen Kategorie der literarischen Nicht-Existenz bei Andersch.

Im Mittelpunkt des Romans *Die Rote* steht die deutsche Dolmetscherin Franziska, die aus einem wohl geordneten Leben ausbricht und in Venedig ver-

---

[37] Andersch, Sansibar, S. 140.
[38] Ebenda, S. 180.
[39] Ebenda, S. 137.
[40] Vgl. dazu Treichel, Auslöschungsverfahren, S. 162–165, dazu nicht überzeugend.
[41] Erstdruck 1974.
[42] Erstdruck 1960, eine veränderte Fassung 1972.
[43] Erstdruck 1971.

schwindet. Sie bekommt gegen Ende des Romans ein Kind von dem Geiger Fabio Crepaz. Ganz gewiss ist auch das „Mann-Frau-Verhältnis, das sich in ihm spiegelnde Selbstverständnis der beiden Geschlechter und ihr Weltverhältnis [das] eigentliche[n] Thema des Romans."[44] Darüber hinaus aber ist die Auflösung bestehender Machtverhältnisse in Franziskas Ehe, ihre Beziehungslosigkeit und ihre gleichsam freischwebende Existenz in der Lagunenstadt ein bedeutendes, nicht wegzudenkendes strukturelles und erzählerisches Zentrum des Romans. Gerade weil sie nach allen Seiten ungebunden ist, kann sie entscheidende Anknüpfungen herstellen (O'Malley etc.).

Was jedoch bisher praktisch nicht beachtet wurde, ist die umgekehrte Optik, die Andersch bei der Beschreibung der Vorfälle um Franziska verwendet. Anders als viele literarische Figuren der Weltliteratur, die verschwinden (hier wäre etwa an Joseph Conrads *Heart of Darkness* zu erinnern) und in irgendeiner Weise wieder in die literarische Wirklichkeit zurückkehren (oder auch nicht, wie etwa Siglhupfer in Joseph von Eichendorffs Erzählung *Die Glückritter*), ist die Franziska für den Leser präsent. Sie ist verschwunden und gleichzeitig auch nicht. Andersch macht also das ursprünglich zum Kriminal- oder Schauerroman gehörige Verschwinden sichtbar, er enthüllt dasjenige, was in dem „anderen" Leben der Figur eine leere Stelle hinterlässt. Indem aber diese Stelle, vom Leser kaum wahrgenommen, da er ja immer nur die Fülle der Handlung auf der ihm zugewandten Seite der Textwirklichkeit verfolgt, als begleitender Text gleichsam nebenher läuft, wird deutlich, wo für Andersch der eigentliche Kern des Seins liegt: Er liegt in der Freiheit der Wahl, in der Freiheit der Existenz. Dabei spielt es kaum eine Rolle, ob man die erste Fassung von 1960 oder die neue Fassung von 1972, die um den Schluss (Franziska in ihrer neuen italienischen Existenz) gekürzt ist, betrachtet. Die anderen Figuren um Franziska, seien es O'Malley, Kramer, ihr Ex-Mann oder sogar Fabio, sie alle behalten ihre Position, ihre festen Bindungen an die jeweilige Vergangenheit. *Die Rote* ist also eine Fallstudie nicht so sehr für den Existenzialismus bei Andersch, sondern für die Darstellung der gesellschaftlichen Freiheit des Individuums. Auch wenn Franziska erkennt: „Man kann nicht untertauchen. Man kann fortgehen, aber nur, um zu entdecken, dass man wieder irgendwo angekommen ist",[45] so erlebt sie trotz mancher Zweifel letztlich durch ihre Konsequenz die Befreiung von der Unausweichlichkeit der Vergangenheit: „Aber dann geschah ein Wunder, und der Terror fiel von ihr ab. Das Wunder bestand darin, dass sie sich plötzlich daran erinnerte, dass sie vielleicht ein Kind bekommen würde. Mit einem einzigen Schritt gelangte sie

[44] Italo Michele Battafarano: „Alfred Anderschs Italien-Roman ‚Die Rote': Zwischen Claudio Monteverdi und Michelangelo Antonioni", in: Heidelberger-Leonard/Wehdeking; Andersch Perspektiven, S. 109–121; hier S. 111.

[45] Alfred Andersch: *Die Rote. Neue Fassung*, Zürich 2004 (Gesammelte Werke, Bd. 1), S. 185–437; hier S. 405.

durch ein Gefühl, das sie bisher nur als Angst empfunden hatte, in die Freiheit."[46]

Von ähnlicher Aussage ist der Text *Mein Verschwinden in Providence*.[47] In 110 nummerierte Abschnitte gegliedert, die jeder wiederum aus drei Sätzen bestehen, wird die Existenz von „T.", einem „(west)deutsche[n] Schriftsteller von mittlerem Bekanntheitsgrad" (Nr. 8)[48] geschildert. Er wird vor seinem Haus in Providence/Rhode Island am 17. Oktober 1970 von dem Ehepaar Dorrance gekidnapt. Er soll bei ihnen im Haus bleiben und frei schreiben können (Nr. 74).[49] Thema dieser Skizze, die nicht zufällig Anderschs Freund Wolfgang Koeppen gewidmet ist, der es meisterhaft verstand, hinter seinen Texten zu verschwinden, ist das Verhältnis von Freiheit und Determination. Auch in diesem Text erleben wir die verschwundene Figur, der Teil der Wirklichkeit, aus der sie verschwunden ist, ist ausgeblendet.

Allerdings ist kritisch zu fragen, ob Andersch mit seinem Konzept, das zwischen Weltdeutung, Sinnsuche und deutungslos intendierter Deskription schwankt, hier nicht scheitert. Es soll keine Kritik geübt werden an den erläuterungsbedürftigen Realitätspartikeln, die überall im Text auftauchen und die Anderschs Werk insgesamt auch so lohnend für eine kommentierte Ausgabe machen. T. wird zwar zunächst keine Wahl über seine Lebensform gelassen, aber er geht schnell und nur zu willig, ja geradezu aktiv auf das neue Dasein ein („Ich machte zur Bedingung" Nr. 76;[50] „T. beschließt, die Lage zu nützen" Nr. 79[51]). Der letzte Abschnitt lautet:

> Nach unserer Rückkehr aus Cape Cod gehe ich häufig in der schönen O-Oberstadt von Providence spazieren, die in ihrer Art ja ebenso geschlossen, ebenso bedeutend ist wie die Dinkelsbühl oder San Gimignano. Von Gefangenschaft kann kaum noch die Rede sein. Eliza macht manchmal noch den schwachen Versuch, mich daran zu erinnern, indem sie mir, wenn sie hört, dass ich das Haus verlasse, zuruft: ‚Paß auf, wenn du ausgehst – man könnte dich erkennen!' (Nr. 110)[52]

Dies und der an den Adressaten „To whom it may concern" abgesandte Text („Roman als Kassiber", Nr. 1,[53] Nr. 108[54]), der aber nie auf seinen Absender zurückführen kann, machen letztlich das Projekt Anderschs fragwürdig.

Die Determination des existenzialistischen Subjekts ist durch seine Ausweglosigkeit charakterisiert. Das Gegenüber wird zum unerbittlichen Richter

---

46 Ebenda, S. 327.
47 Alfred Andersch: *Erzählungen 2*, Zürich 2004 (Gesammelte Werke, Bd. 5), S. 170–207.
48 Ebenda, S. 172.
49 Ebenda, S. 194.
50 Ebenda, S. 195.
51 Ebenda, S. 196.
52 Ebenda, S. 207.
53 Ebenda, S. 170.
54 Ebenda, S. 206.

und Gegner. Das Ich richtet sich jedoch niemals in einer Nische der Gesellschaft ein wie in einer herausgehobenen Stadtschreiber-Exklave etwa, wo man dem normalen Leben und seinen Sorgen für eine Weile enthoben ist. T. jedoch genießt nach einer Weile alle Freiheiten, er hat ein lebenslängliches Schriftsteller-Stipendium. Freiheit bedeutet im Sinne des Existenzialismus, zu ihr verdammt zu sein. Sich wählen und Sein ist das gleiche. Erst indem T. dieser Wahlzwang durch das Kidnaping abgenommen wird, gelangt er zu einer befriedigenden Existenz. Andersch zeigt mit der Perspektive des „Verschwundenen" das sich Einrichten in einem zweiten Leben, nicht aber eine wirkliche Auslöschung. T. lehnt jede Form von „Schicksal" und „Vorsehung" ausdrücklich ab (Nr. 37).[55] Im Gegensatz zu Franziska in *Die Rote* klärt T. sein Verhältnis zu der Welt, aus der er kam, nicht. Wirkliche Freiheit wird es daher für ihn nicht geben.

Resümieren wir. Andersch legt verschiedene Strukturmodelle für die Existenz von Figuren in einer literarischen Realität vor. Verschwinden, Auslöschen, Negation sind, betrachtet man seine Texte genauer, Kernbereiche seines Werks, die Zeichen setzen für ein Transzendieren der realen Verhältnisse. Natürlich will Andersch nicht nur beschreiben, sondern ist auch auf der Suche nach Sinn, nach Weltdeutung. Doch Sinn ist, solange er sich nicht von den vorgegebenen Strukturen des Sozialen, Politischen etc. grundsätzlich und nicht nur zeitweilig zu befreien vermag, für ihn mit unumgehbarer Ideologie aufgeladen. Nur Figuren, die in Extremsituationen stehen, erleben durch das eigene Verschwinden oder das anderer eine neue Qualität der Freiheit. Wirkliche Transzendenz gibt es in Anderschs Denkgefüge nicht grundsätzlich und überall. Aber nur sie, gleich welcher Konsistenz, hebt das Verschwundene auf einer höheren Ebene wieder auf. Die Deskription allein rettet es nicht, und das wusste auch Andersch.

---

[55] Ebenda, S. 182.

„... am liebsten zerrieselte ich". Zum Verschwinden des Subjekts in Siegfried Kracauers Roman *Ginster*

Barbara Thums

Die Konfrontation mit Krieg und Tod ist dominierender Bestandteil der erzählten Welt in Siegfried Kracauers Roman *Ginster*. Dennoch ist er sicherlich nicht zu den klassischen Kriegsromanen zu zählen, da immer nur von Geschehnissen hinter der Front berichtet wird. Ein Großteil der Romanhandlung kreist um die Wahrnehmung und die Verarbeitungsformen dessen, was vom Geschehen an der Front in das zivile Leben hinter der Front vor- und eindringt.

Es ist dies ein Geschehen, das nicht selten sprachlos macht, wie in eindrücklicher Weise am Beispiel einer der vielen so genannten Heldenmütter vorgeführt wird. Frau Biehl, deren Sohn an der Front vermisst wird, versteht es meisterhaft, sich an ihren eigenen Deutungen der Ereignisse zu beruhigen, denn – so heißt es – „die Wirklichkeit galt ihr als Fälschung"[1]. Kein Wunder also, dass sie die durch einen Augenzeugen beglaubigte „endgültige Bestätigung vom Tod ihres Sohnes" mit traumatisierender Ereignisgewalt trifft:

> Da die [...] Tatsache des Todes sich nicht aufheben ließ, schwieg sie fortan. Das Sprechen hatte nur einen Sinn, wenn es die Wirklichkeit einsperrte und sich in Freiheit erging. Nun war die Wirklichkeit ausgebrochen, die Sprache verweht. (97)

Die Wirklichkeit ist ausgebrochen, der Krieg hat die Heimatfront erreicht und dringt in die gesellige Salonkultur des Sonntagnachmittag-Tees ein, die „vom Frieden her beibehalten" (69) wurde. Auch wenn der Krieg dem Habitus bürgerlicher Geselligkeit die Masken abreißt, gibt es hinter der Fassade offensichtlich nichts Substantielles zu entdecken:

> Als nach längerer Pause Frau Biehl wieder einmal beim Tee erschien, lächelte sie zeremoniell – den Luftschiffen ähnlich, denen freundliche Wälder aufgemalt waren, damit den feindlichen Fliegern ihr Dasein verborgen bleibe. [...] Ihr schwarzes Kleid war ein undurchdringlicher Dschungel, in dem es Gegenden gab, die noch niemand erforscht hatte. (97)

Das individuelle Subjekt ‚Frau Biehl' ist verschwunden, ihre gesamte Erscheinung drückt den an anderer Stelle im Roman so bezeichneten „Dingcharakter

---

[1] Siegfried Kracauer: „Ginster. Von ihm selbst geschrieben", in: ders.: *Romane und Erzählungen*, hrsg. v. Inka Mülder-Bach, unter Mitarbeit von Sabine Biebl, Frankfurt a.M. 2004, S. 9–256, S. 70. Zitate aus dieser Ausgabe künftig unter Angabe der Seitenzahlen in Klammern im Text.

der Menschen" aus: Er wird als notwendige Folge einer militärisch transformierten Semiotik dargestellt, aus deren Repertoire die Zeichen für Persönliches oder Intimes ausgelöscht wurden (156).[2] Deshalb gibt es innerhalb dieses Zeichensystems keine private Trauer einer Mutter, die ihren Sohn verloren hat, sondern allenfalls die staatlich anerkannte Opferbereitschaft einer Heldenmutter. Und deshalb stößt man dort, wo man Zeichenverweise auf Subjektivität, Innerlichkeit oder Tiefe erwarten könnte, nur auf undurchdringliche und unerforschbare Oberflächen wie Frau Biehls zeremonielles Lächeln oder ihr dschungelartiges, schwarzes Kleid.[3] Auffällig an der Beschreibung von Frau Biehl ist die Metaphorik des Militärischen, sowie – daran geknüpft – die aufgehobene Trennung zwischen Menschen und Dingen: Wie die bemalten Luftschiffe über dem Kriegsgeschehen auf der Erde, schwebt Frau Biehl mit ihrem Lächeln über dem Boden der kriegsbedingten Realität, und ebenfalls wie die bemalten Luftschiffe schützt auch sie sich durch ein ausgefeiltes Tarnsystem vor feindlichen Angriffen bzw. versucht auch sie, weitere Ausbrüche der Wirklichkeit zu bannen.

Tod und Gewalt, so lassen sich die bisherigen Ausführungen zusammenfassen, sind Aspekte eines angstbesetzten dreidimensionalen Tiefenraums, der im Krieg zu Bewusstsein kommt und der durch die Transformation in zweidimensionale, ornamentale Oberflächen bewältigt und zum Verschwinden gebracht wird. Die militärische Semiotik erstellt eine Zeichenwelt der Zweidimensionalität, deren Oberflächenerscheinungen einzig dazu dienen, die grausame Realität der dritten Dimension auszublenden, zu verstellen und zu kaschieren. Kracauers Roman *Ginster*, so die These meines Vortrags, nimmt in mehrfacher Hinsicht auf solche Tarntechniken und Strategien zur Auflösung des Tiefenraums Bezug: Erstens macht er deutlich, dass diese modernen Strategien der Angstbewältigung zumal in Kriegszeiten dem Zum-Verschwinden-Bringen individueller Subjektivität gleichkommen. Zweitens bildet das Erzählverfahren die von Kracauer auch in anderen Texten vertretene Auffassung nach, dass solche Strategien und Rhetoriken des Verschwindens an den ornamentalen Mustern der Oberflächensignaturen ablesbar sind. Drittens werden diese über die Figur Ginster vermittelten Entzifferungs- und Enttarnungsprozesse an die Perspektive des detektivischen Blicks sowie an die detektivische Haltung der Distanz zur herrschenden Gesell-

---

[2] „Die ganze Grammatik war militärisch verändert. Den Hauptanstoß zu ihrer Umwandlung hatte vermutlich die Notwendigkeit gegeben, den Dingcharakter der Menschen auszudrücken, den sie in der gewöhnlichen Sprache nicht besaßen." (156)

[3] Vgl. dazu Siegfried Kracauer: „Stuttgarter Kunstsommer (1924)", in: *Schriften, Bd. 5.1, Aufsätze 1915–1926*, hrsg. v. Inka Mülder-Bach, Frankfurt a.M. 1990, S. 263, wo Kracauer das Ornament als unzeitgemäß betrachtet, da es das Stilphänomen einer bürgerlichen Kultur der Innerlichkeit sei und da es nicht länger gelte, „seine Kräfte auf die schönen Überflüssigkeiten des privaten Lebens [zu] verwenden", sondern vielmehr, das Ornamentale durch eine den „Zerstreuungen der Masse" weit angemessenere Funktionalität zu ersetzen. Unter den Bedingungen der Gegenwart nämlich sei ein Fortdauern des Ornaments nur als „substanzlose Larve" denkbar, als die Realität verhüllender und die Möglichkeit von Individualität lediglich vorspiegelnder Schein.

schaft gebunden. Dieser detektivische Blick nutzt die Möglichkeiten des Kamerablicks und ist damit an die moderne Photographie, mithin an ein zweidimensionales Oberflächenmedium gebunden. Viertens schließlich schlägt der die Oberflächensignaturen mit detektivischem Blick erforschende Ginster die Kriegstechnologie mit ihren eigenen Waffen. Er agiert im Verborgenen, bringt sich also selbst zum Verschwinden und macht gerade dadurch Unsichtbares sichtbar: Anders formuliert, er negiert die Tarntechniken der Kriegstechnologie im Modus der Mimikry, die zum einen ja ihrerseits eine Form der Tarnung ist und zum anderen gerade dadurch die Subversion herrschender Zeichenregimes ermöglicht. Diese unterschiedlichen Formen eines Verschwindens des Subjekts, die allerdings nicht im dekonstruktiven Sinne einer „Selbstauslöschung" in der Schrift zu verstehen sind,[4] lassen sich in einen Diskurszusammenhang der Moderne einordnen, den ich in einem ersten Schritt erläutern möchte.

I. Diskurs- und Mediengeschichte der Abstraktion

In erster Linie ist der in medien- wie diskursgeschichtlicher Perspektive gleichermaßen zentrale Wahrnehmungsmodus der Abstraktion zu nennen, den Wilhelm Worringer bereits 1908 in seiner einflussreichen Abhandlung *Abstraktion und Einfühlung* als spezifisch modern beschrieben und mit der Flächenhaftigkeit des Ornaments in Verbindung gebracht hat. Die abstrakte Kunstform des Ornaments mit seiner Tendenz zum „Linear-Anorganischen, jede Einfühlung Abweisenden"[5], sei nicht zuletzt deshalb dem herrschenden Paradigma der Einfühlung als gleichberechtigt gegenüberzustellen, weil es die Chiffre einer Modernität sei, in der sich die Subjekte als entfremdet erfahren. In seiner Studie *Formprobleme der Gotik* von 1911 liefert Worringer eine anthropologische Begründung für seine Forderung, das flächige Ornament anzuerkennen.[6] Während er nämlich den Tiefenraum aufgrund seiner Dreidimensionalität als einen angstbesetzten, Unruhe stiftenden Raum einer kulturgeschichtlichen Vorzeit beschreibt, versteht er das Ornament, welches durch Objektivität und ausgleichen-

---

[4] Ausgehend von der „Selbstauslöschung" Kracauers in der Schrift ordnet Niefanger den Roman in die Postmoderne ein. Vgl. dazu Dirk Niefanger: „Transparenz und Maske. Außenseiterkonzeptionen in Siegfried Kracauers erzählender Prosa", in: *Jahrbuch der deutschen Schillergesellschaft* 38 (1994), S. 253–282, S. 260.

[5] Wilhelm Worringer: *Abstraktion und Einfühlung. Ein Beitrag zur Stilpsychologie*, Amsterdam 1996, S. 94.

[6] Anders als Worringer wertet Ernst Bloch in *Geist der Utopie* das gotische Ornament in seiner lebendigen Bewegtheit zu einer utopischen Kraft auf, da „nicht die griechische, hell und flach gegliederte, sondern allein die gotische, wesensgemäß abenteuernde, übersichtige, funktionale Linie [...] das vollkommene Leben [sei]", und erklärt den gotischen Raum zum „Haus des menschlichen Herzens". Vgl. dazu: Ernst Bloch: *Geist der Utopie* (1919), Frankfurt a.M. 1973, S. 38 und S. 40.

de Ruhe besteche, als Befreiung von diesem Tiefenraum und damit zugleich als Bewältigungsform moderner Kontingenzerfahrungen.

Dieser nicht nur in Worringers Schriften feststellbare moderne Abstraktionsdrang mit seiner Transformation des dreidimensionalen Tiefenraums in die zweidimensionale Fläche steht in engem diskursgeschichtlichem Kontext mit der avantgardistischen Ästhetik, etwa der kubistischen Malerei. Außerdem werden die Abstraktionsprozesse der Moderne in den Debatten um den Blick durch das Mikroskop und den Flugzeugblick reflektiert, die beide je eigene Modi eines ornamentalisierenden und entdifferenzierenden Sehens darstellen.[7] Für die weiteren Ausführungen interessiert vor allem die Luftbildaufnahme: Das Verschwinden des Gegenständlichen und die Auflösung fester räumlicher Konturen ist eines ihrer zentralen Merkmale. Sie verflacht das Gesehene, verunmöglicht die qualifizierende Unterscheidung einzelner Objekte und löst den Wahrnehmungsraum in eine ornamentale Oberfläche aus geometrischen Formen und abstrakten Linienmustern auf.

Zum Einsatz kamen die neuen photographischen Techniken der Luftbildaufnahme insbesondere im Ersten Weltkrieg: Mit ihrer Hilfe wurden feindliche Stellungen ausgekundschaftet, weshalb im Gegenzug Techniken entwickelt wurden, die den erfolgreichen Einsatz optischer Aufklärungsmedien verhindern sollten. Um z.B. zu verhindern, dass Munitionslager durch im Labor vergrößerte Luftbildaufnahmen sichtbar gemacht werden, wurden diese mit Zeltplanen überdeckt und mit einem an den Maltechniken der abstrakten Malerei geschulten Tarnanstrich versehen. Dessen Schutzanpassung an die Umgebung sollte das verräterische Bild bis zur Unkenntlichkeit verwirren und die festen Konturen zu gestaltlosen Flächen so auflösen, so dass eine Differenzierung zwischen Vorder- und Hintergrund sowie zwischen Kunst und Natur nicht mehr möglich war.[8] Worauf es mir bei dieser Darstellung des Zusammenspiels von Kriegstechnologie und abstrakter Kunst ankommt, ist Folgendes: Auffällig ist erstens der Rekurs auf einen Bedeutungszusammenhang, der sich insbesondere über die Begriffe Abstraktion, Distanz, Ornament, Auflösung des dreidimensionalen Tiefenraums und Oberfläche herstellt und damit eine Affinität zu den zweidimensionalen Medien Photographie und Film hat. Zweitens fällt auf, dass sich in der Funktionalisierbarkeit solcher ornamentalen Oberflächen ebenso zu Zwecken der optischen Aufklärung wie zu Zwecken der Tarnung gerade das wiederholt, was das Ornament per se auszeichnet: Als Kippfigur, in der ausschließlich die Wahrnehmung bestimmt, was Figur und was Grund ist, ist das Ornament eine Figur der Unentscheidbarkeit, über dessen Zweckfreiheit oder Zweckgebundenheit von Einzelfall zu Einzelfall entschieden werden muss.

---

[7] Zur „Entqualifizierung" des Sichtbaren durch die Gewaltförmigkeit der Flugzeugperspektive vgl. auch Christoph Asendorf: *Super Constellation – Flugzeug und Raumrevolution. Die Wirkung der Luftfahrt auf Kunst und Kultur der Moderne*, Wien/New York 1997, S. 36.

[8] Vgl. dazu Claudia Öhlschläger: *Abstraktionsdrang. Wilhelm Worringer und der Geist der Moderne*, München 2005, S. 227–234.

Kracauers Schriften sind Teil des soeben skizzierten Diskurszusammenhanges der Moderne.[9] Erkennbare Bezüge finden sich etwa im Photographie-Essay, der in unmittelbarer Nachbarschaft zu seinem Roman *Ginster* steht.[10] Worringers kulturanthropologischer Herleitung des Abstraktionsdrangs vergleichbar, stellt Kracauer die Photographie bzw. die Wiederholbarkeit und die spezifische Semiotik photographischer Bildlichkeit in den Kontext eines Geschichtsverlaufs, der sich als fortschreitender Befreiungsprozess des „Bewußtseins aus seiner Naturbefangenheit", mithin als fortschreitender Abstraktionsprozess darstellt.[11] Als Abstraktionsmedium zeige sie einerseits in der Distanzaufnahme „die Städte in Flugbildern" und andererseits hole sie in der vergrößerten Nahaufnahme „die Krabben und Figuren von den gotischen Kathedralen herunter"[12]. Neben dem Verweis auf die Luftbildaufnahme erinnert insbesondere der Verweis auf die gotische Baukunst an Worringers Bedingungsverhältnis von Moderne, Abstraktion und Oberflächenornamentik.

Ebenso ist für Kracauer das Ornament aufgrund seiner Oberflächenerscheinung und Wiederholungsstruktur die Ausdrucksform und Reflexionsfigur der modernen Lebenswelt schlechthin.[13] Gerade an den unscheinbaren Oberflächenäußerungen der Dinge lasse sich die moderne Kultur in ihrer Tendenz zur Entsubstantialisierung und Entindividualisierung entziffern. Im modernen Massenornament nämlich könne der „menschliche Grund" aufgrund einer alles beherrschenden, inhumanen Ratio nicht hervortreten,[14] ein Faktum, zu dem es keine Alternative gebe, weshalb allein der Durchgang durch diese Zweckrationalität hindurch realistisch sei. Wenn also der „Prozeß" notwendigerweise „durch das Ornament der Masse mitten hindurch" führt und man sich mit dieser Oberflächenrealität auseinander zu setzen hat,[15] dann scheint eine mögliche Antwort

---

[9]   So hat sich Kracauer bereits 1915 im Rahmen seiner Doktorarbeit ausführlich mit Ornamentik beschäftigt. Vgl. Siegfried Kracauer: *Die Entwicklung der Schmiedekunst in Berlin, Potsdam und einigen Städten der Mark vom 17. Jahrhundert bis zum Beginn des 19. Jahrhunderts*, mit einem Nachwort zur Neuausgabe von Lorenz Jäger, Berlin 1997.

[10] Vgl. außerdem: Siegfried Kracauer: *Theorie des Films. Die Errettung der äußeren Wirklichkeit*, Frankfurt a.M. 1964: Dort beschreibt Kracauer die Luftaufklärungsbilder als „Grenzfall" der Wahrnehmung (38), da die mit einer automatischen Kamera aufgenommenen Luftaufklärungsbilder die Bildausschnitte nicht auswählt, weshalb die Fotos beim Betrachter die „konventionellen Prozesse des Strukturierens ihrer kaum zu identifizierender Formen wegen" erschweren, was die Gefahr des „Rückzugs in die Dimension des Ästhetischen, des Rückfalls in die psychische Dimension der Melancholie" (41) mit sich bringt.

[11] Siegfried Kracauer: „Die Photographie", in: *Schriften. Bd. 5.2. Aufsätze 1927–1931*, hrsg. v. Inka Mülder-Bach, Frankfurt a.M. 1990, S. 83–98, S. 95.

[12] Ebd., S. 96.

[13] Zum Ornament bei Kracauer vgl. auch Joachim Jacob: „Ornament und Raum: Worringer, Jünger, Kracauer", in: Sigrid Lange (Hg.): *Raumkonstruktionen der Moderne: Kultur – Literatur – Film*, Bielefeld 2001, S. 135–158.

[14] Siegfried Kracauer: „Das Ornament der Masse", in: *Schriften. Bd. 5.2. Aufsätze 1927–1931*, hrsg. v. Inka Mülder-Bach, Frankfurt a.M. 1990, S. 57–67, S. 65.

[15] Ebd., S. 67.

auf die Krisensymptomatik der Moderne auch darin zu bestehen, sich mimikryhaft an diese Oberflächen anzupassen.

II. Detektivische Oberflächenentzifferung

In diesem Sinne hat Kracauer immer wieder den Detektiv als einen Meister der
subversiven Oberflächenanalyse beschrieben: Er entziffert Oberflächensignaturen, um – wie es in einer Sammelrezension von 1927 zu neu erschienenen Detek-
tivromanen heißt – die „Aussperrung der echten Erkenntnisgehalte aus dem gesellschaftlichen Zusammenhang"[16] und damit zugleich „einen unmittelbaren
Zugang zu dem Grundgehalt des Bestehenden" zu erschließen.[17] Notwendig
hierfür ist es, sich einerseits in einer Haltung der Distanz gegenüber der Gesellschaft zu üben, sich aber andererseits den Gegebenheiten des modernen Ober-
flächendaseins anzugleichen, in ihren Strukturen zu verschwinden, um desto
besser subversiv tätig werden zu können. Den Tarnungskünsten der modernen
Kriegstechnologie vergleichbar, versteht es der Detektiv perfekt, mit seinem
Verhalten und seinem Erscheinungsbild eine andere Identität vorzutäuschen,
sich seiner Umgebung anzupassen, wie das Chamäleon mit dem Hintergrund zu
verschmelzen und seine Identität zum Zweck der Unsichtbarkeit scheinbar aufzugeben.

In dieser Weise versucht auch Ginster, der Protagonist in Kracauers Roman,
sich in einer Mimikry zu perfektionieren, die mit der Selbstaufgabe, d.h. mit dem
Verschwinden als wahrnehmbares Subjekt im Akt der Tarnung gleichzusetzen
ist.[18] Schon zu Beginn des Romans wird von Ginster gesagt, seine Umwelt rea-

---

[16] Siegfried Kracauer: „Neue Detektivromane. (1927)", in: ders.: *Schriften. Bd. 5.2. Aufsätze
1927–1931*, hrsg. v. Inka Mülder-Bach, Frankfurt a.M. 1990, S. 44–48, S. 44. Carlo Ginzburg bezeichnet das detektivische Erkenntnismodell als „konjekturales Paradigma". Vgl.
dazu Carlo Ginzburg: Spurensicherung. Der Jäger entziffert die Fährte, Sherlock Holmes
nimmt die Lupe, Freud liest Morelli – die Wissenschaft auf der Suche nach sich selbst, in:
ders.: *Spurensicherungen*, München 1988, S. 116. Zur komplexen Zeichenhaftigkeit der
detektivischen Wirklichkeit vgl. auch K. Ludwig Pfeiffer: „Mentalität und Medium: Detek-
tivroman, Großstadt oder ein zweiter Weg in die Moderne", in: *Poetica* 20 (1988), wieder-
abgedruckt in: Jochen Vogt (Hg.): *Der Kriminalroman. Poetik, Theorie, Geschichte*, München 1998, S. 357–378. Vgl. auch Ernst Bloch: „Philosophische Ansicht des Detektiv-
romans", in: ders.: *Literarische Aufsätze. Gesamtausgabe Bd. 9*, Frankfurt a.M. 1965, S. 242–
263, wo Bloch auf S. 248 auf die Erschließungskraft insbesondere des vermeintlich Kleinen,
Unbedeutenden und Nebensächlichen hinweist und die These vertritt, dass im Detektiv-
roman „das Pathos gerade der kleinen Indizien, der vom Polizeikopf so oft übersehenen
Unauffälligkeiten, dieser tunlichst eben *mikrologische* Blick [...] geblieben" ist.

[17] Kracauer, Ornament, S. 57.

[18] Erzählt wird von einem „Fall von Mimikry", der Ginster – denkt man an die Verbindung
von Tarnmalerei und Kriegstechnologie – nicht zufällig „zuerst in der Gemäldegalerie" begegnet war: die Tatsache, dass sich die Züge einer Person mehr und mehr einer Figur an-

giere auf ihn, „als habe er eine Tarnkappe auf dem Kopf"; er ist unsichtbar, weil er beständig „Mimikry" (66) betreibt und die detektivischen Praktiken der Camouflage im Verlauf des Kriegsgeschehens bis zur Absolutsetzung des Scheins in der Hochstapelei ausbaut, und er wahrt – wie der Detektiv – Distanz zur herrschenden Gesellschaft (118). Gerade weil Ginster nicht wie die anderen eine Festung, sondern ein Nichts sein will, sich am Liebsten auflösen und zerrinnen würde, gerade weil er sich in seinem Selbstentwurf mimikryhaft dem kriegsbegeisterten Zeitgeist und dem militärischen Habitus anschmiegt und sich gleichsam die Tarnkünste der Kriegstechnologie zu eigen macht, kann er mit seinem detektivischen Blick den Oberflächenschein „unterirdisch" (23) erforschen.

Dieser alltägliche Wahrnehmungen und Sichtweisen befremdende Blick wird zunächst als oberflächlich, um nicht zu sagen als naiv und Gewalt verherrlichend präsentiert, und doch ist es gerade dieser vermeintlich naive Blick,[19] der kritisch die Strukturen der Gesellschaft beleuchtet und der auch das Erzählverfahren als subversive Form der Mimikry ausweist. Beispielhaft lässt sich dieses Verfahren anhand der Szene erläutern, die Ginster bei der Betrachtung von Auslagen eines Messergeschäfts darstellt:

> Jeden Tag betrachtete er die blitzende Auslage: den Zug der hängenden Tranchierscheren, die Rasierzeuge, die schönen Zahnstangen und die Degenpaare, die sich kreuzten. Für die Vorder- und Backenzähne gab es verschiedene Zangen, das geringste Instrument hatte seinen besonderen Zweck. Ginster vergaß über dem Glanz der gehäuften Stahlformen die durch ihren Gebrauch zugefügten Schmerzen. Der Staub wich vor den Klingen zurück, und nicht ein einziges Rostfleckchen trübte ihre spiegelnden Flächen. Was auch später mit ihnen geschah: sie konnten an Vollkommenheit nicht verlieren. Darum unterließ es Ginster immer wieder, sein altes schartiges Taschenmesser durch ein neues zu ersetzen. Hatte er aber irgend einen metallischen Gegenstand erworben, so lebte er ununterbrochen für seine Blankheit bis zu dem Augenblick, in dem der erste Fleck dem Reiben widerstand. Ihn anzusehen, vermied er dann lange Zeit. (20)

Ginsters Wahrnehmung ist am Oberflächenglanz der Dinge orientiert, deutlich ist sie als antimimetische, ästhetische Wahrnehmung gekennzeichnet, die von der Zweckgebundenheit der Dinge abstrahiert. Der Schmerz, und damit zugleich das

---

passten, über deren „Urbild" in der Wissenschaft interessanterweise nichts Bestimmtes gesagt werden kann (66).

19 Zu den Bezügen dieser Subversionsstrategie zur Filmästhetik Charlie Chaplins vgl. Dorothee Kimmich: „Charlie Chaplin und Siegfried Kracauer. Bemerkungen zum Verhältnis von Geschichte, Kunst und Kino", in: Stephan Jäger u. Stefan Deines (Hg.): *Historisierte Subjekte – Subjektivierte Historie. Zur Verfügbarkeit und Unverfügbarkeit von Geschichte*, Göttingen 2003, S. 225–238. Zum Vergleich Ginsters mit Chaplin vgl. außerdem Jörg Lau: „*Ginsterismus*. Komik und Ichlosigkeit. Über filmische Komik in Siegfried Kracauers erstem Roman *Ginster*", in: Andreas Volk (Hg.): *Siegfried Kracauer. Zum Werk des Romanciers, Feuilletonisten, Architekten, Filmwissenschaftlers und Soziologen*, Zürich 1996, S. 13–42.

Leben auch in seiner gewaltförmigen Dimension, werden getilgt zugunsten einer ungetrübten, gleichsam messerscharfen und blanken Vorstellung von Vollkommenheit. Der ästhetische Schein, den der Glanz der gehäuften Stahlformen unter der Bedingung des Vergessens der durch ihren Gebrauch zugefügten Schmerzen hervorbringt, hat also streng genommen einen abtötenden und damit seinerseits gewaltförmigen Blick zur Voraussetzung. Zu einer dauerhaften Beruhigung und Entlastung von den angstbesetzten Momenten des organischen Lebens führt dieser an der stählernen, denaturalisierten, toten Form orientierte Blick allerdings nicht. So kann Ginster ihn zwar täglich wiederholen, aber dadurch keineswegs auf Dauer stellen und verhindern, dass sich die verdrängte Realität in Form von Rostflecken irgendwann ihr Recht verschafft. Außerdem wird dieser – um mit Worringers *Abstraktion und Einfühlung* zu sprechen – als Strategie der Entängstigung zu verstehende Abstraktionsdrang, der bedrohliche Tiefenrelationen verschwinden macht und sich am Glanz von Oberflächen beruhigt, durch die interne Fokalisierung des Dargestellten so ostentativ ausgestellt, dass die Perspektive umschlägt. Der Blick auf die Figuren der glänzenden Oberflächen schlägt um in die Wahrnehmung des Grundes, die Verdrängung der Gewalt. – und er schlägt gerade wegen des gewaltvollen Blicks um in die Wahrnehmung eines von Gewaltstrukturen geprägten Alltags.

Deutlich wird diese Struktur des Umschlags insbesondere durch das narrative Prinzip der Wiederholung. So wird das Bild der geschliffenen Messer nochmals aufgegriffen. Die oben erwähnte verdrängte Gewalt in der ästhetischen Wahrnehmung wird nun mit dem Motiv des Opfers in Verbindung gebracht, das bereits am Anfang meines Vortrags in Zusammenhang mit den für das Vaterland geopferten Söhnen zur Sprache kam. Erzählt wird von einer Mutter, die das

> Wort Opfer gebrauchte [...], um nicht als gewöhnliche Hinterbliebene zu gelten. Ihr blondes Haarknäuel blitzte bei der öffentlichen Siegesfeier auf dem Opernplatz drohend zu Ginster hinüber, der zufällig neben ihr stand. [...] Das Blond unterschied sich von geschliffenen Messern nur darin, daß es bereits aus der Ferne verletzte. Die Dame war in einem hellen Kleid erschienen, das ihre Freude über den Sieg verkündete, für den sie den Sohn hatte verlieren dürfen. (55)

Mit der Wiederholung des Messer-Motivs wird manifest, wovon bereits die erste Messer-Szene latent gehandelt hatte – dass die ästhetische Wahrnehmung eine glänzende, oberflächliche Scheinwelt erzeugt, die mit der Gewalt auch die Realität des Krieges ausschließt. „[W]as wußte die schöne Fassade vom Krieg" (40), heißt es an anderer Stelle, wo Ginsters Wahrnehmung eines von einem Park umgebenen Barockschlosses bei Nacht beschrieben wird. Einer Traumerscheinung gleich entsteht Ginster, der jenseits des Parks an einer Hauswand lehnt,

> gegenüber ein Gelände aus Stein, in dem die Wege nach strengen Gesetzen verliefen. Fensterreihen, Balkone und Säulen: er beobachtete, wie sie dem Dunkel entstiegen, wollte sich nähern und blieb an der Wand. [...] In Stücke hätte Ginster sie [die Erscheinung, B.T.] reißen mögen, ihre Säulen

zerschlagen und die Fensterfluchten auflösen, hinter denen Prachtbäume unberührt schliefen. Angst überfiel ihn, nur den Platz nicht überschreiten, was wußte die schöne Fassade vom Krieg. Vielleicht gab es Kompositionen, die sich nicht verschlossen, frei geschleuderte Spiralen und Kritzelzeichen und verschobene Flächen, die ohne Ordnung sich regten – anders als jene entsetzliche Figur. (43)

Weshalb das „stumme Massiv" (39) des Barockschlosses für Ginster eine entsetzliche Figur bildet, lässt sich mit einem Seitenblick auf Kracauers Schrift *Das Ornament der Masse* besser verstehen. Hier wird das Ornament der Masse als „monströse Figur" bezeichnet:[20] Und zwar deshalb, weil die Organisation der Massen ein ornamentales Muster bildet, dessen Zweckrationalität als Flucht in die Abstraktion begriffen werden muss, als Flucht vor einer Vernunft, die ihren Grund im Menschen hat. Da aber das Massenornament als monströse Figur „den Augen ihrer Träger entzogen" ist,[21] und da die Perspektive fehlt, in der sich die Masse selbst durchschauen kann, bildet es eine in sich geschlossene Figuration des Unbewussten, in der die einzelnen Teile, d.h. die Träger und damit die Subjekte, zum Verschwinden gebracht sind:

> Als Massenglieder allein, nicht als Individuen, die von innen her geformt zu sein glauben, sind die Menschen Bruchteile einer Figur. [...] Das Ornament ist sich Selbstzweck. [...] Am Ende [der Mustergewinnung, B.T.] steht das Ornament, zu dessen Verschlossenheit die substanzhaltigen Gefüge sich entleeren. Das Ornament wird von den Massen, die es zustandebringen, nicht mitgedacht. So linienhaft ist es: keine Linie dringt aus den Massenteilchen auf die ganze Figur. Es gleicht darin den Flugbildern der Landschaften und Städte, daß es nicht dem Innern der Gegebenheiten entwächst, sondern über ihnen erscheint.[22]

III. Zwischen Entmächtigung und Ermächtigung: Das Verschwinden des Subjekts

Mit dem Rekurs auf die Flugbilder steht neben der antimimetischen Abstraktheit solcher Formationen zugleich die Entdifferenzierung des Wahrnehmungsbildes, mithin das Verhältnis von Sichtbarkeit und Unsichtbarkeit zur Debatte. Dabei wird die Problematik der Sichtbarkeit unmittelbar mit der Frage nach den Bedingungen der Möglichkeit von Subjektivität verknüpft. An die stark vergrö-

---

[20] Kracauer, Ornament, S. 60.

[21] Ebd.

[22] Ebd., S. 58f. Nicht also die Materialität des Organischen, sondern die anorganische Abstraktheit und Rationalität der geistigen „Form" (59) bestimmt ihren Realitätsgehalt. Entsprechend hatte bereits Worringer auf die antimimetische Reflexivität des Abstraktionsdrangs hingewiesen, dessen distanzierender Blick darauf aus ist, „ein Ganzes für die Vorstellung zu schaffen", da es „auf die Vorstellung" und „nicht auf die Wahrnehmung" ankäme. Vgl. dazu Worringer, Abstraktion, S. 77.

ßerten Pflanzenphotographien Karl Bloßfeldts erinnernd,[23] erschließen sich Ginster nämlich die Physiognomien seiner Mitmenschen nicht als Abbilder von Gesichtern, sondern als kunstvolle, anorganische und dinghafte Ornamente. So erhält etwa das Gesicht einer Dame „im Sprechen die Bewegtheit einer schönen Grottenformation" (30), und der Baulehrling Willi, der ein „Gesicht" hat, „das wie Milch verlief, [...]. Sommersprossen schwammen obenauf, die Milch war nicht durchgesiebt", droht im Büroalltag allmählich zu zerfließen, wenn es Ginster nicht gelingt, „ihn vor der Verflüchtigung zu bewahren": „die Konturen lösten sich auf, weg war er, in den Tapeten" (77). Aus den Räumen der Sichtbarkeit zu verschwinden, sich gleichsam der militärischen Tarntechniken der Schutzanpassung an eine Umgebung ohne Tiefendimension zu bedienen und damit die scheinbare Aufgabe der Identität im ornamentalen Muster für sich zu nutzen, ist auch der Wunsch Ginsters. Am Liebsten würde er „ins Raumlose" (117) flüchten, „gasförmig" (140), zumindest „nicht sichtbar einzeln" (189) sein oder sich so lange „weghungern" (181), bis er „graphisch dargestellt" als „Null" (188) erscheint.[24] In diesem Kontext, nämlich durch eine sich selbst zum Verschwinden bringende Mimikry die Kriegstechnologie mit ihren eigenen Waffen zu schlagen, gehört auch die folgende Überlegung Ginsters: „Je mehr er sich verdünnte, eine desto kleinere Angriffsfläche bot er dar." (163) Hinzuzufügen wäre: Je mehr er

---

[23] In *Urformen der Kunst* (1928) sind die mikroskopischen Pflanzenphotographien Karl Bloßfeldts abgedruckt: Die Pflanzen sind um ein Vielfaches vergrößert und bilden gleichsam abstrakte ornamentale Oberflächenmuster, in denen die Natur in ihrer rationalen Geordnetheit zum Faszinosum wird.

[24] Inka Mülder wertet dies als Versuch Ginsters, „der Einmaligkeit seines Daseins zu entkommen, die besonderen Merkmale seiner Existenz abzustreifen". Vgl. dazu Inka Mülder: *Siegfried Kracauer. Grenzgänger zwischen Theorie und Literatur. Seine frühen Schriften 1913–1933*, Stuttgart 1985, S. 139. Eckhart Köhn dagegen geht davon aus, dass Kracauer „auf der irreduziblen Individualität seiner Figur" insistiere, „deren Besonderheit sich gegenüber allen abstrakten Zuordnungen, politischer oder sozialer Natur sperrt." Eckhart Köhn: „Die Konkretionen des Intellekts. Zum Verhältnis von gesellschaftlicher Erfahrung und literarischer Darstellung in Kracauers Romanen", in: *Text + Kritik. Bd. 68: Siegfried Kracauer*, S. 41–54, S. 43. Hildegard Hogen wiederum vermittelt diese beiden Positionen. Ihr zufolge „führt Kracauer Ginster bis an die Grenze der Unhintergehbarkeit von Individualität, wodurch deren Geltung hervorgehoben wird, ohne daß sie naiv auf ein überholtes Persönlichkeitsideal projiziert wäre". Vgl. dazu: Hildegard Hogen: *Die Modernisierung des Ich. Individualitätskonzepte bei Siegfried Kracauer, Robert Musil und Elias Canetti*, Würzburg 2000, S. 76. Und Manuela Günter spricht von Kracauers „Ausräumung des Ich" durch die „Aufgabe der signifikanten Merkmale bürgerlicher Subjektivität" (S. 88) sowie von einem sich „zu seiner Substanzlosigkeit bekennenden Anti-Subjekts" im Zuge einer „zunehmenden Anonymisierung des Protagonisten", was einer Wiederholung der „Geschichte des Subjekts als Prozeß seiner systematischen Entsubjektivierung" (S. 103) und letztlich einer „Dekonstruktion des Subjekts" (S. 84) entspreche. Vgl. dazu: Manuela Günter: *Anatomie des Anti-Subjekts. Zur Subversion autobiographischen Schreibens bei Siegfried Kracauer, Walter Benjamin und Carl Einstein*, Würzburg 1996.

sich unsichtbar macht und je mehr ihm die angestrebte Hochstapelei gelingt,[25] die ja ihrerseits als Mimikry eines „scheinhaften Oberflächenlebens"[26] bezeichnet werden kann, desto deutlicher wird dann auch dem Leser die Möglichkeit eines anderen Blicks auf diese Strategie erkennbar. Sichtbar ist dann nicht mehr die feige Drückebergerei, sondern die subversive Verweigerungsstrategie.

Die These einer solchen Dialektik von Tarnung und Entlarvung, von Strategien des Verschwindens und der Sichtbarmachung lässt sich mit Blick auf das weitere Figurenarsenal stützen. Dem Baulehrling und Ginster gegenübergestellt werden der Architekt und seine Gattin. Sie werden dezidiert mit „Sichtbarkeit" (78) in Verbindung gebracht und erinnern an jene „Unnahbarkeit [...] von symmetrischen Grundrissen, die in nichts verändert werden" können, „Ländern mit Grenzen" (139) ähnlich sind und darin „Eigenheimen" (117) gleichen.[27] „Lauter Raumfiguren zum Greifen" (117) nimmt Ginster wahr, so auch den gepanzerten Onkel (48), oder den uniformierten, „ins Rechteck gezwungen[en]" und zum „Automat" gewordenen (50) Freund Otto,[28] dessen Beschreibung als zergliedertes Teilstück eines Massenornaments die Verbindung zwischen der Sichtbarkeit fester Konturen und der Auslöschung von Subjektivität zwingend macht.[29]

In Korrespondenz zu den beiden Figurengruppen – den sichtbaren, scharf konturierten, undurchdringlichen Festungen und den unsichtbaren, unkonturierten, sich auflösenden – stellt der Roman immer wieder zwei gegensätzliche Auffassungen des Ornaments einander gegenüber: Die streng symmetrisch gegliederten, anorganischen, schmucklosen, zweckorientierten und die spiralförmig verschlungenen, organischen, sich in ihre Umgebung auflösenden, selbstzweckhaften Ornamente. Erstere sind einer Vorstellung von Bürgerlichkeit

---

[25] Immer deutlicher wird im Romanverlauf, dass Ginster seine Drückebergerei strategisch einzusetzen lernt. Vgl. dagegen Lau, der Ginster vom Hochstapler abgrenzt, weil er nicht strategisch vorgeht, sondern absichtslos das Richtige tut. Lau, Ginsterismus, S. 41.

[26] Siegfried Kracauer: „Hochstaplerfilme", in: ders.: *Kleine Schriften zum Film. Band 6.1. 1921–1927*, hrsg. v. Inka Mülder-Bach, unter Mitarbeit von Mirjam Wenzel und Sabine Biebl. Frankfurt a.M. 2004, S. 37.

[27] Zur Architekturmetapher bei Kracauer vgl. Gerwin Zohlen: „Schmugglerpfad. Siegfried Kracauer, Architekt und Schriftsteller", in: Michael Kessler und Thomas Y. Levin (Hg.): *Siegfried Kracauer. Neue Interpretationen. Akten des internationalen, interdisziplinären Kracauer-Symposions Weingarten, 2.-4. März 1989*. Akademie Diözese Rottenburg-Stuttgart, Tübingen 1990, S. 325–344. Zu Kracauers Sicht auf die Architektur und auf das Ornament in seinen Zeitschriftenaufsätzen vgl. Tillman Heß: „Zur Architektur in Kracauers Stadtbildern (mit einem Exkurs zu Le Corbusier)", in: Volk (Hg.), *Siegfried Kracauer*, S. 111–129.

[28] Oschmann erkennt darin die beim Wort genommene und zum ästhetischen Programm gewordene „Verdinglichung des Individuums". Vgl. dazu Dirk Oschmann: *Auszug aus der Innerlichkeit. Das literarische Werk Siegfried Kracauers*, Heidelberg 1999, S. 197.

[29] „Bei jeder zweiten Uniform ging der Arm in die Höhe. Er wurde nicht von Otto geschwungen, sondern flog selbsttätig auf. [...] Der Arm mußte ihm eingesetzt worden sein, mit Rädchen im Körper. Das System wurde von den Uniformen aus der Ferne bewegt. Es konnte nicht ausgeschaltet werden und funktionierte ohne Otto vermutlich viel besser. Die Drehung des Körpers wäre auch in seiner Abwesenheit zustande gekommen." (50)

zugeordnet, die sich mit Begriffen wie Selbstbewusstsein, Identität, Eigentum, Durchsetzungsvermögen, Erwerbsstreben, Männlichkeit und Kriegsbegeisterung sowie konkreter mit dem Militär und mit dem Beruf des Architekten verbindet; zweitere werden einerseits mit dem Ausgeschlossensein aus diesem Bezugssystem und andererseits mit einer subversiven Verweigerungshaltung diesem gegenüber konnotiert. Die Utopie solcher lebendiger „Kompositionen, die sich nicht verschlossen, frei geschleuderte Spiralen und Kritzelzeichen und verschobene Flächen, die ohne Ordnung sich regten" (40), erhält innerhalb der Sprachanordnung des Romans die Funktion, die tödliche Erstarrung der militärischen Semiotik zu verflüssigen. Ins Bild gesetzt wird dieses Verfahren der Belebung von Erstarrtem durch organische Ornamente nicht von ungefähr am Beispiel von Ginsters Kritik am Architektenberuf: „Statt sonderbar verschlungene Figuren in Gebäude münden zu lassen, hätte er es vorgezogen, alle nützlichen Gegenstände in Figuren zurückzuzerlegen." (25)

Nimmt man die bisherigen Ausführungen zusammen, so lässt sich von einer narrativen Inszenierung des Ornamentalen sprechen, die an unterschiedliche Rhetoriken des Verschwindens geknüpft ist. Dabei werden die dargestellten Dimensionen des Verschwindens auf der Figurenebene und auf der Ebene der Narration erkennbar als subversive Strategie einer sinndezentrierenden Schreibweise. Der subversive Effekt, der narrativ durch die Gegeneinanderführung der beiden Ornament-Auffassungen konstruiert wird, kommt besonders deutlich in der Darstellung von Ginsters Betätigung als Architekt zur Anschauung. Als Architekt muss er zunächst lernen, dass „Schwünge keinen Zweck" haben (69), dass organische Linienmuster unzeitgemäß sind. Als er mit einem Entwurf eines Soldatenfriedhofs beauftragt wird, verwirft er deshalb seinen ersten Plan, die „Gräber wie Ostereier zu verstecken" und verfertigt

> mit Reißschiene und Winkel ein Friedhofssystem, das einer militärischen Organisationstabelle glich. [...] Rechteckige Gräberfelder richteten sich auf einen Mittelplatz aus, auf dem das Denkmal sich wie ein oberer Vorgesetzter erhob. [...] Damit das Laub die Symmetrie nicht zerstöre, zeichnete er es kubisch beschnitten. In Gestalt dicker schwebender Balken zog es sich an den Alleen entlang und unterstrich die Gewalt ihrer perspektivischen Wirkung. Von den Balken umgürtet, standen die Gräbermale in Reih' und Glied; kleine Steinflächen ohne Schmuck. [...] Das Denkmal blickte auf die Truppe nieder, als ob es unter ihr Musterung halte; [...]. Jeder Fluchtversuch wäre gescheitert. (112f.)

Deutlich erkennbar handelt es sich hier um einen – wie es an anderer Stelle heißt – „Fall von Mimikry" (66), um eine Schutzanpassung Ginsters. Mimetisch passt sich aber auch die Narration an das Prinzip der Ununterscheidbarkeit militärisch getarnter Oberflächen an, wenn die Gewalt der Abstraktion, die Gewalt der perspektivischen Wirkung, die Gewalt streng symmetrischer Ornamente und die Gewalt des Militärs aufeinander abgebildet werden.[30]

Die hier an Ginsters distanzierte Perspektive gebundene und mit den Mitteln der Camouflage vorgeführte Entlarvung, dass sich die tödliche Gewalt des Krieges an den Oberflächenerscheinungen der Dinge ablesen und sich keineswegs auf das Geschehen an der Front reduzieren lässt, schlägt wie ein Vexierbild wenige Seiten später um in ein Bild der Selbstentlarvung. Voraussetzung hierfür ist Ginsters Verschwinden, dem die Autorschaft an dem Entwurf entzogen wird. Als sein Vorgesetzter Valentin in einer Ansprache auf einer Sitzung des Architektenvereins den preisgekrönten Entwurf präsentiert, trägt er Ginsters Überlegungen als seine eigenen vor, bezeichnet die symmetrische Gleichheit „als vaterländisch in höchstem Sinne" und die geraden Linien als „so unerschütterlich [...] wie die Reihen unserer Krieger" (118). Da sich jedoch die Wiederholung der im Bild zur Anschauung gebrachten Idee auf dem Hintergrund des vorherigen Bildes abzeichnet, kippt die bildhafte Darstellung der vaterländischen Idee um in die Wahrnehmung des Hintergrundes. Ginster, der sich nicht über den Entzug seiner Autorschaft beschwert, sich nun vielmehr „wie unter einer Tarnkappe geborgen" (119) fühlt, lässt gleichsam Valentin in seinem Namen sprechen: Und das heißt für alle, die in der Entzifferungskunst von Oberflächensignaturen geübt sind, er lässt ihn aussprechen, dass die zweckhaften, symmetrischen Ornamente keineswegs die durch nichts zu erschütternden Krieger darstellt, sondern vielmehr die unerschütterliche Gewissheit des Todes.

---

[30] Oschmann, der Ginsters zweiten Friedhofsentwurf in Abgrenzung zum ersten lediglich als „Versachlichungsprozeß" bezeichnet, der im Kontext einer Ablehnung der individualisierenden Funktion des Ornaments angesichts einer entzauberten Moderne steht, entgeht die in dieser Erzählanordnung angelegte Subversionsstrategie. Oschmann, Auszug, S. 206.

Fading. Zur Figur des Liebesentzugs bei Roland Barthes

Lutz Ellrich

für Lisa

Wir werden, wenn wir lieben, – nicht notwendig, aber mit einer hinreichend großen Wahrscheinlichkeit – irgendwann „einer schmerzlichen Prüfung" unterzogen, „bei der das geliebte Objekt sich von jedem Kontakt zurückzuziehen scheint, ohne dass diese rätselhafte Gleichgültigkeit gegen das liebende Subjekt gerichtet oder zugunsten dessen geltend gemacht würde, was sonst noch im Spiel ist, Welt oder Rivale". Dieses merkwürdige Geschehen, das uns in Angst versetzt, weil es „grundlos und ohne absehbares Ende ist", nennt Roland Barthes *Fading*.[1]

Noch ehe wir über eine umfassende Bestandsaufnahme des Phänomens verfügen, können wir eines mit Entschiedenheit sagen: Das scheinbar grundlose Verblassen des geliebten Wesens nimmt unter den zahlreichen Gestalten des Entzugs und des Schwindens, von denen wir Kenntnis, ja empirisch verbürgtes Wissen haben, eine Sonderstellung ein. Folgen wir Barthes' Ausführungen in den *Fragmente[n] einer Sprache der Liebe*, so tritt im Prozess des *Fading* etwas in Erscheinung, was als das „grausamste aller rivalisierenden Objekte"[2] bezeichnet werden kann. Es handelt sich freilich um kein Objekt im üblichen Wortsinne, sondern gerade um ein ‚Objekt', dessen Objektstatus höchst fragwürdig ist. Gewöhnliche Objekte sind vorstellbar, be-greifbar, an ihnen finden Hand und Auge, deren funktionales Zusammenwirken – wie Leroi-Gourhan und Gehlen deutlich gemacht haben[3] – die menschliche Gattung auszeichnet, einen Anhaltspunkt. Für das *Fading* ist aber nun charakteristisch, dass es eine Erfahrung liefert, in der das Subjekt „an nichts mehr Rückhalt"[4] findet.

Die oben gewählte paradoxe Aussage: *Fading* sei eine Art des Entzugs, in der ein spezielles Objekt sich konstituiere bzw. in Erscheinung trete, spielt mit dem klassischen Schema von Verschwinden und Auftauchen. Doch was im *Fading* auftaucht, ist keine Dialektik, kein Fort-Da-Spiel, kein Wechsel von Präsenz und Abwesenheit, es ist vielmehr das pure unabschließbare und unübersehbare Geschehen des Verschwindens. Die Beobachtung dieses Vorgangs konzentriert sich auf ein Objekt, einen Gegen-Stand, der alles ‚Standhafte' eingebüßt hat und an dem auch der situierende und richtungsgebende Anteil – das ‚Gegen' – seine

---

[1] Roland Barthes: *Fragmente einer Sprache der Liebe* [1977], Frankfurt a.M. 1984, S. 106f.

[2] Barthes, Fragmente, S. 110.

[3] Arnold Gehlen: *Der Mensch*, Berlin 1940; André Leroi-Gourhan: *Hand und Wort* [1964], Frankfurt a.M. 1980.

[4] Barthes, Fragmente, S. 107.

Konturen verliert. In Barthes' Rede vom „grausamsten aller rivalisierenden Objekte" wird dieses ‚Gegen' konnotationsreich und bis an die Grenze des Missverständlichen artikuliert; denn das Objekt einer Gegnerschaft, die sich nicht gegen das liebende Subjekt richtet, ist die Müdigkeit in Gestalt einer Gabe, die sich dem Zirkel des Tauschs zu entziehen sucht.

Angesichts derartiger begrifflicher Manöver könnte man den Eindruck gewinnen, dass das Wort *Fading* eine Bemühung be-zeichnet, die sich dadurch auszeichnet, dass sie einem Phänomen (Ding, Ereignis, Geschehen etc.) gilt, welches keiner sprachlichen Bestimmung zugänglich ist.

Aber genau darum geht es Barthes nicht. Er widmet sich vielmehr einem Entzug, der die Sprache des Bebachters weit eher ermächtigt als diskreditiert. Barthes' Skizze entblößt nicht die Hilflosigkeit der Sprache, zeigt nicht die Unmöglichkeit ihrer Sageweisen, die in Worten wie „Versagung", „Versagen" überdeutlich zum Ausdruck gelangen, er demonstriert hingegen – ähnlich wie Hofmannsthals „Lord-Chandos-Brief" – die Virtuosität textueller Kommunikationsformen, die auch noch über das „Phantom-Wesen der Stimme" Auskunft zu geben vermögen.[5]

Warnen möchte ich aber hier schon vor einer Gleichsetzung oder Vermengung von Barthes' Konzept des *Fading* mit Paul Virilios „Ästhetik des Verschwindens". Ich wehre damit nicht aus Pedanterie oder hysterischer Vorsicht ein potentielles Missverständnis ab, sondern verwahre mich nur gegen gängige Diskurspraktiken. So findet sich etwa in einem (im Internet verbreiteten) Kommentar über die audiovisuelle Performance *Fading* (April 2002) von Natascha Bidzus und Holger Trülzsch, der als informativ gedachte, aber – recht besehen – zur Desinformation führende Hinweis, dass hinter dieser Performance „ein komplexer ästhetischer Diskurs der postmodernen Philosophen von Roland Barthes über Paul Virilio bis Guy Debord"[6] stehe. Interessanterweise fehlt in dieser Aufzählung Jacques Lacan. Aber das soll uns eher Ansporn als Hindernis sein, ein wenig Klarheit zu schaffen:

Virilio möchte mit dem Ausdruck „Ästhetik des Verschindens"[7], der zugleich den Titel einer Abhandlung liefert, auf eine einschneidende Veränderung der visuellen Wahrnehmung hinweisen, zu der es durch die Erfindung der Fotografie kam, die unweigerlich das Aufkommen der Kinematographie nach sich zog. „Bis zur Erfindung der fotographischen Platte" – so Virilio – „gab es für uns eine Ästhetik des Erscheinens. Die Dinge kamen aus dem Sein. [...] Ihr Verschwinden bedeutet ihren Verfall". Dieser ontologisch verbürgten Wahrnehmungsform von Sein und Nicht-Sein machen die dromologischen Effekte der

---

5   Barthes, Fragmente, S. 108. Die Macht der Sprache bekundet sich schon für den frühen Barthes darin, dass sie durch die „formale Wahrheit", die sie impliziert, (also durch ihre tiefenstrukturelle Beschaffenheit) den „zweckdienlichen und großen Lügen [des Menschen] entgleitet" (*Am Nullpunkt der Literatur* [1953], Frankfurt a.M. 1982, S. 59).

6   Vgl. http://www. infomedia-sh.de/aktuell/0310/fading_performance.htlm

7   Paul Virilio: *Ästhetik des Verschwindens*, München 1986.

neuen Medien ein Ende. Die medial ermöglichte Geschwindigkeit, in der Anwesenheit und Abwesenheit getaktet werden können, lässt die Dinge und die ihnen angemessene Gestalt der Vergegenwärtigung verschwinden. Fotografie und Film treten auf, „und plötzlich kehrt sich alles um: Die Dinge existieren [jetzt] durch die Eigenschaft des Verschwindens, nicht durch ihren langsamen Verfall wie bislang, sondern durch ihr unmittelbares Verschwinden, durch ihr einfaches und reines Verschwinden. [...] Die Dinge sind umso präsenter, je mehr sie uns entgleiten."[8] Diese Verschwindens-Präsenz der Dinge zieht – nach Virilio – auch die wahrnehmenden Subjekte in Mitleidenschaft. Ihre imaginativen Potentiale verkümmern. Mit den Dingen (alten Schlages) verschwinden – das ist die These – auch die eigentlichen Subjekte.

Nun, so einfach stellen sich die Verhältnisse bei Barthes nicht dar. Die von ihm ins Visier genommene Gestalt des Verschwindens – das *Fading* – ist nicht jäh, nicht unmittelbar. Das Verschwinden geht nicht – wie bei Virilio – geschwind von statten.[9] Es hält sich an die konventionellen Zeitstrukturen des Verfalls und dennoch scheint es eine Logik der Purifikation zu entfalten, die einmalig ist.

Verweilen wir noch einen Augenblick beim eigenartigen Tempo des *Fading*. Hier waltet allem Anschein nach nicht die „Furie des Verschwindens", die Hegel analysiert hat.[10] Das *Fading* hat einen anderen ‚Drive'. Hier artikuliert sich kein Furor, keine Wut, sondern eine stille Ohnmacht des Verstehens. Dennoch ist das *Fading*, welches Barthes beschreibt, äußerst zudringlich und intensiv. Wir müssen es daher streng unterscheiden von Formen des Verfalls, Nachlassens und Abnehmens, die sich durch ihre Langsamkeit auszeichnen und gerade deshalb dem betroffenen Subjekt entgehen. Ich möchte dies kurz an einem instruktiven Beispiel erläutern:

Ein Gedichtband von Hans Magnus Enzensberger, der 1980 erschien ist, trägt den Titel „Die Furie des Verschwindens". Der Band gliedert sich in drei Abschnitte, von denen der letzte noch einmal den Titel des ganzen Buches trägt. In diesem Abschnitt befindet sich ein Gedicht mit der Überschrift „Früher". Darin heißt es:

> Das alles ist immer kleiner
> und kleiner geworden,

---

8   Paul Virilio: „Die Ästhetik des Verschwindens. Gespräch mit Fred Forest", in: Florian Rötzer (Hg.): *Digitaler Schein*, Frankfurt a.M. 1991, S. 339f. – Zur medientheoretischen Bedeutung des Fading-Begriffs vgl. Yvonne Spielmann: „Framing, Fading, Faking: Peter Greenaways Kunst der Regeln", in: Joachim Paech (Hg.): *Film, Fernsehen, Video und die Künste: Strategien der Intermedialität*, Stuttgart/Weimar 1994, S. 132–149. Im Zentrum der Aufmerksamkeit stehen hier die Krise der Repräsentation und die daraus resultierende Kritik der Bilder. Vgl. dazu auch Lutz Ellrich: „Nach den Bildern?", in: Doris Schumacher-Chilla (Hg.): *Im Banne des Ungewissen*, Oberhausen 2004, S. 13–36.
9   Es setzt eben nicht schlagartig oder um-schlagartig ein.
10 G.F.W. Hegel: *Die Phänomenologie des Geistes* [1806], Frankfurt a.M. 1970, S. 436.

> unmerklich wie die Kernseife,
> oder schmerzlos und über Nacht,
> wie ein Milchzahn verschwunden.[11]

Und im letzten Text des Buches schließlich können wir folgende Zeilen lesen:

> ... ohne die Hand auszustrecken
> nach dem oder jenem,
> fällt ihr, was zunächst unmerklich,
> dann schnell, rasend schnell fällt, zu;
> sie allein bleibt ruhig,
> die Furie des Verschwindens.[12]

Der Kontrast zu Barthes' Figur des Verschwindens ist markant: Das *Fading* ist weder „unmerklich", noch „schmerzlos", noch nimmt es Formen an, die „schnell, rasend schnell" in Erscheinung treten.

Nun könnte man fragen, ob Barthes – trotz aller Unterschiede zu Enzensbergers eindrücklichen Bildern der Unmerklichkeit und der Rasanz – nicht auch Korrekturen an der Semantik des Furiosen anbringt, die die Vorstellungen vom Verschwinden seit Hegels Formel begleiten. Bei Enzensberger sehen wir, dass die „Furie des Verschwindens" nicht unbedingt über eine Wut verfügt, die stets zu dramatischen (wenn nicht medien- und werbewirksamen) Entladungen führt, wie sie für das legendäre und kaum zu überbietende HB-Männchen typisch sind. Enzensbergers Furie ist und bleibt die Ruhe selbst. Sie zeigt sich geradezu als ,Kurie' des Verschwindens.

Aber spielt – so möchte man fragen – das *Fading* nicht eine ähnliche Rolle im seelischen Haushalt jenes von Barthes thematisierten schmerzlich geprüften Subjekts, das bemerkt, wie sich „das geliebte Wesen [...] von jedem Kontakt zurückzuziehen scheint"?[13]

Doch das *Fading*, das der Liebende erlebt, entbindet nicht die Kräfte der Hege und Pflege des Verschwindens. Denn der Rückzug des geliebten Wesens und seine „rätselhafte Gleichgültigkeit" gegenüber dem „liebenden Subjekt", schwächen das Subjekt, laugen es aus wie ein chronischer Schmerz und rauben ihm so jede Widerstandskraft.

Eine unterschwellige postmodernistische Revitalisierung ist mithin nicht in Sicht. Der Verdacht, dass hier nur die artistische Lust am Verschwinden ausgekostet wird, um letztlich für das fragwürdig gewordene Ich einen Mehrwert zu erwirtschaften, findet keinen rechten Anhaltspunkt. Man kann folglich Peter Bürgers interessante Diagnose, dass das postmoderne Ich sein Verschwinden so

---

[11] Hans Magnus Enzensberger: *Die Furie des Verschwindens*, Frankfurt a.M. 1980, S. 64.
[12] Enzensberger, Die Furie, S. 86.
[13] Barthes, Fragmente, S. 106.

auffällig kultiviere und ostentativ ausstelle, weil es „sich gerade im Verschwinden (...) als allmächtig"[14] erfahre, nicht ohne weiteres in Anschlag bringen.

Dennoch bleibt die Figur einer ‚Kurie' des Verschwindens als Kontrastfolie zu Barthes' Skizze relevant. Eine solche geradezu fürsorgliche Haltung zum *Fading* könnte nämlich nur ein Subjekt gewinnen, das die psychoanalytische Kur durchlaufen und eingesehen hat, dass es im Vollzug des *Fading* als Subjekt überhaupt erst entsteht. Und genau diese These hat Lacan verfochten. Bei seiner Theorie – soweit sie eine solche genannt werden darf – spielt das *Fading* buchstäblich eine Kuratorenrolle für das Subjekt: In der Bewegung des *Fading* konstituiert sich das Subjekt als eine topisch gespaltene Formation. „Wenn das Subjekt" – so heißt es wortwörtlich – „irgendwo als Sinn auftaucht, manifestiert es sich anderswo als *fading*, als ein Schwinden."[15]

Aus der Warte des Subjekts, das Barthes als eine empfindsame Kreatur beschreibt, die die schmerzvolle Erfahrung des *Fading* macht, ist Lacans Theorie freilich ein purer (allenfalls therapeutisch legitimierbarer) Schwindel, dem das leidende Subjekt leicht aufsitzt, weil die heilsame Lehre sich selbst als eine extreme Zumutung und Härte anpreist. Aus dem *Fading,* das das Subjekt malträtiert und ausdünnt, wird ein konstitutiver Prozess. Auf diese Weise ‚verschwindet' die fatale, alle Regungen und Gedanken des Subjekts begleitende Bezugnahme auf den Zustand, in dem sich das Subjekt befand, ehe das *Fading* einsetzte. Ohne einen Horizont, in dem beständig Erinnerungsbilder des Glücks, der Fülle, der Erfüllung, der Einheit usw. aufscheinen, ließe sich (so müssen wir als Leser der Skizze von Barthes schließen und somit der klassischen Logik vertrauen) das Schwinden gar nicht als Schwinden bestimmen. Die Bedingung der Möglichkeit jeglicher *Fading*-Erfahrung setzt einen differenten Zustand voraus, in dem es entweder kein Schwinden gab oder zumindest kein Zeichen des Schwindens sich bemerkbar machte. Genau diese Logik bzw. transzendental-philosophische Annahme bestreitet Lacan. Alles was jenseits des *Fading* angesiedelt sein könnte: Fülle, Einheit usw. deutet er als imaginäre Entwürfe, die die Zeichen des Schwindens zwar verdecken, aber das Schwinden selbst nicht außer Kraft setzen können und schon gar nicht als Indikatoren für einen durch Reflexionsprozesse erreichbaren (a) oder einen primordialen Zustand (b) gelten kön-

---

[14] Peter Bürger: *Das Verschwinden des Subjekts*, Frankfurt a.M. 1998, S. 197. Vgl. hierzu die kühne These von Jean Baudrillard: „Nicht nur die künstliche Intelligenz, sondern die gesamte Hochtechnologie illustriert die Tatsache, daß das menschliche Wesen hinter seinen Doubles und Prothesen, hinter seinen biologischen Klonen und virtuellen Bildern die Gelegenheit nutzt, um zu verschwinden." Mit dem Einsatz des Computers, der den Menschen „von der Last seines eigenen Willens" befreit, verschwindet am Ende nicht nur der Mensch, sondern auch die Welt: „Was der Computer einem – vielleicht zu leicht – gegeben hatte, nimmt er einem mit der gleichen Leichtigkeit wieder. [...] Der integrierte Kreislauf schließt sich und sichert so auf gewisse Weise das automatische Löschen der Welt" (*Das perfekte Verbrechen* [1995], München 1996, S. 71ff.).

[15] Jacques Lacan: *Das Seminar Buch XI (1964), Die vier Grundbegriffe der Psychoanalyse*, Olten/Freiburg 1978, S. 229.

nen, in dem das Verschwinden verschwunden ist (a) oder noch gar nicht eingesetzt hat (b).

Lacan wendet sich also gegen den sekundären Status des *Fading*. Und dies
tut er, indem er die ursprüngliche Bedeutung der Vokabel zum Verschwinden
bringt. Er verwandelt das Nachträgliche ins Konstitutive. Diese Leistung ist eine
Anekdote wert.

1936, auf dem berühmten Marienbader Kongress der Internationalen Psychoanalytischen Vereinigung, in deren Verlauf (in Abwesenheit des erkrankten
Sigmund Freud) die Positionen bzw. Fraktionen von Anna Freud und Melanie
Klein aufeinander stießen, hielt der unbekannte Dr. Jacques Lacan einen Vortrag
über das Spiegelstadium. Soweit wir vom Inhalt des Vortrags Kenntnis haben,
betrachtete Lacan damals das Einheitsbild, welches das Kind von sich selbst entwirft, als konstruktiven Akt, mit dem sich das unfertige Wesen den eigenen Körper und die Welt aneignet. Stoßrichtung des Vortrags ist die Verteidigung der
Phantasie gegen eine Realitätsanpassung nach dem Reiz-Reaktions-Muster. Von
imaginärer Verkennung ist nicht die Rede.[16] Doch nach zehn Minuten entzog der
Vorsitzende Ernest Jones Dr. Lacan das Wort. Ein Meister im Schatten des abwesenden Meisters raubte dem Novizen (gleichsam) die Stimme. Am nächsten Tag
verschwand Lacan aus Marienbad, nicht ohne einen strengen Verweis für sein
Verhalten mit auf die Reise ins Dritte Reich der Olympiade zu nehmen. Auch
das Vortragsmanuskript, das nicht zur Publikation im Tagungsband eingereicht
wurde, verschwand. Autor und Text aber kehrten verwandelt und glorios zurück.
Nach einer langen Phase der publizistischen Enthaltsamkeit kam es 1949 in Zürich zur Wiederaufführung der (revidierten) Marienbader Rede. Und auch die
Rache an Jones folgte auf dem Fuße: Dieser hatte 1927 das Schwinden des sexuellen Bedürfnisses, das Männer ebenso wie Frauen angstvoll bemerken, mit dem
Begriff „Aphanisis" belegt und die These vertreten, dass diese Angst größer sei
als die Kastrationsangst. Hier setzte Lacan an und dekonstruierte nicht allein die
Vorstellung von Reife und Fülle der Begierde, die Jones offenbar unterstellt,
sondern verurteilte auch die mangelnde Radikalität des Konzepts. Zugleich voll-
zog Lacan einen Akt der semantischen Enteignung und Bedeutungs-Radikalisie-
rung. Aus dem pathetischen Ausdruck für den Verlust der Begierde wurde eine
Vokabel für die Bewegung, der das Subjekt, das dem Wortsinne nach ‚Zugrund-
liegende' (hypokeimenon), selbst unterliegt: „Es gibt kein Subjekt, ohne dass
irgendwo *Aphanisis* des Subjekts wäre, und auf dieser Entfremdung, dieser Spal-
tung beruht die Dialektik des Subjekts"[17]. Noch deutlicher wird Lacan an einer
anderen Stelle: Aphanisis ‚erscheint' auf jener „Ebene, auf der das Subjekt sich in

---

[16] Vgl. hierzu auch den entsprechenden Abschnitt über das „Spiegelstadium" im Aufsatz über
„Die Familie" von 1938 (Jacques Lacan: *Schriften III*, Olten/Freiburg 1980, S. 39–100, hier:
S. 57–60).

[17] Lacan, Das Seminar Buch XI, S. 232.

einer Bewegung des Schwindens manifestiert, die ich als letal bezeichnet habe. Ich sprach auch von fading des Subjekts."[18]

Der Engländer benutzte einen griechischen Ausdruck (*Aphanisis*), der von ihm zum Schweigen gebrachte Franzose setzte eine englische Vokabel (*Fading*) hinzu. Dass Lacan mit der Inthronisation des radikalisierten *Fading*-Begriffs auch das Gesetz der Kastration über die Angst vor der nachlassenden sexuellen Begierde stellte, ist nicht verwunderlich. Derrida wird ihm daraus in der 2. Lieferung seiner *Postkarte* einen theoretischen Strick drehen und zu zeigen versuchen, dass die Proklamation des *Fading*, welches der Bewegung des Signifikanten freies Spiel verschafft, unvereinbar ist mit dem ,Gesetz des Vaters'. Denn das ,Gesetz des Vaters' behauptet die Notwendigkeit der symbolischen Kastration als fundamentales Signifikat und schreibt den Ort des Mangels fest.[19]

Barthes setzt entschieden andere Akzente. Auch er entwirft eine denkbar radikale Konstruktion. Und er übernimmt den von Lacan längst in Umlauf gebrachten Begriff, ohne auf den Meister (der in den *Fragmente[n] einer Sprache der Liebe* ansonsten fünfzehn mal beim Namen genannt wird) hinzuweisen. ,Was ist schon dabei?', könnte man spöttisch fragen: auch das Wort *Fading* ist schließlich nur ein banaler Signifikant, der dem *Fading* der Bedeutung unterliegt.

Aus Barthes' Sicht ist das *Fading* extrem, weil es das Liebesleid des Subjekts so sehr verschlimmert, dass alle gebräuchlichen Heilmittel – zum Beispiel die ge-

---

18 Lacan, Das Seminar Buch XI, S. 218. „Das Subjekt ist" nicht „dazu verdammt, sich in initio ausschließlich auf dem Felde des Anderen entstehen zu sehen", sondern es ist „dazu verdammt, ausschließlich in jener Teilung aufzutreten", die folgende Struktur hat: „Das Subjekt tritt einerseits als durch den Signifikanten produzierter Sinn, andererseits als Aphanisis auf". Auf dem Feld des Anderen aufzutauchen heißt: Das Subjekt wird „für einen anderen Signifikanten repräsentiert, der wiederum die Aphanisis des Subjekts bewirkt" (ebd., S. 221). Dennoch existiert die Forderung, sich von der „Aphanisierung des binären Signifikanten" (ebd., S. 230) zu befreien. Lacan nennt den Preis für diese Befreiung. Unter Rekurs auf Hegels Herr-Knecht-Dialektik betont er, dass die Freiheit des Herrn auf den Tod herausläuft. – Aber liest Lacan hier Hegel nicht gegen den Strich? Denn die traditionelle Deutung besagt: Der Herr verdankt seine Freiheit der schlichten Tatsache, dass er die Todesfurcht aushält. Erst durch die unermüdliche Arbeit des Knechtes, die diesen nicht auslaugt, sondern – zum Bürger – heranbildet, werden der (aristokratische) Herr und seine heroische Position überwunden. Vielleicht bietet angesichts dieser Interpretationsschwierigkeit Lacans Hinweis auf eine weit weniger spekulative Form des Spiels mit dem Tode eine Lösung: Kinder stellen nämlich ihre Eltern, deren Begehren ihnen Rätsel aufgibt, durch die „Phantasie" ihres „eigenen Todes" regelrecht auf die „Probe": Sie antworten damit auf die Erfahrung des Mangels der Anderen (denn das Objekt des elterlichen Begehrens bleibt „unbekannt") mit dem Mangel des „eigenen Schwindens". Zahlreiche Beispiele „mentale(r) Anorexie" belegen, wie Lacan hervorhebt, diese Praxis des ,Sich-selbst-zum-Verschwindenbringens', deren sich das Subjekts in seiner Not bedient (Das Seminar Buch XI, S. 225).

19 Vgl. Jacques Derrida: *Die Postkarte – 2. Lieferung* [1980], Berlin 1987, S. 232ff. Der hier wiederabgedruckte Aufsatz über Lacan erschien bereits 1975 (in: *Poétique 21*, S. 96–147), dürfte also Barthes zur Zeit der Abfassung der *Fragmente einer Sprache der Liebe* schon bekannt gewesen sein.

fühlsökonomisch so ergiebige Verwandlung der Liebe in Hass – nicht greifen. Denn der Liebende hat den unabweislichen Eindruck, dass der Andere sich gerade nicht einem neuen Objekt zugewandt, sondern „jede Begierde" fahren gelassen hat. Nicht einmal zu den höllischen, aber doch im Grunde erträglichen Qualen der Eifersucht kann das Subjekt Zuflucht nehmen. Es gibt keinen „Rückhalt" mehr. Und nichts – so führt Barthes uns vor Augen – könnte grausamer sein als der Rivale, der fehlt: „Ich bin in Trauer um ein Objekt, das selber trauert."[20]

Natürlich könnte Lacan von der Seite her in die Szene hinein sprechen und zu Bedenken geben, dass im Fehlen des Rivalen sich eben jener basale Mangel zu Wort meldet, den Barthes von der Bühne seines Schauspiels verdrängt hat. Aber übergehen wir diese Diskurs-Rivalitäten und wenden uns lieber der Frage zu, ob der Begriff der Trauer, den Barthes herbeizitiert, das immer noch schleierhafte Phänomen des *Fading* deutlicher machen kann. Oder ist die Trauer um ein seinerseits trauerndes Objekt, die Barthes hier anspricht, nur eine Metapher, die in eine Sackgasse führt?

Fragen wir also ohne Umschweife: Mit welchem psychischen Befinden ist das *Fading* vergleichbar und in welchem Sinne könnte ein solcher Vergleich aufschlussreich sein? Sind zum Beispiel „Trauer" und „Melancholie" in den Charakterisierungen, die Freud ihnen in seiner berühmten metapsychologischen Studie von 1915 gegeben hat, in diesem Zusammenhang relevant?

Obschon das *Fading* mit der Trauer Gemeinsamkeiten aufweist, sind die Unterschiede markant: Im Falle der Trauer weiß das trauernde Subjekt um den Verlust und versucht ihn zu verarbeiten. (Die Vokabel „Trauerarbeit" legt davon Rechenschaft ab.) Beim *Fading* ist nicht einmal dieser Verlust für das betroffene Subjekt gewiss, zumindest ist er nicht definitiv. Das Objekt ist im Entzug immer noch vorhanden und alles andere als wirklich verloren. Trauer (und ihre heilsame Wirkung) kann erst einsetzen, wenn der Prozess des *Fading* abgeschlossen ist.

Andererseits entspricht das *Fading* aber auch nicht der Melancholie, die das Verlorene nicht aufgeben will, die Anerkennung der Realität verweigert und das entschwundene Objekt im Inneren des Subjekts wiederaufrichtet und verewigt.[21] Die Unabschließbarkeit des *Fading* gerinnt nicht zu einer Figur, die sich fest- und in Ehren halten ließe.

---

[20] Barthes, Fragmente, S. 107.

[21] Es kann hier und jetzt nicht geklärt werden, welche Haltung reifer ist. Freud hielt 1915 die Trauer für die angemessenere seelische Reaktion auf Verluste: Das Subjekt wechselt nach einer gebührenden Phase der langsamen Ablösung unter Schmerzen das Liebesobjekt. Dies erscheint als psychisch gesund und praktisch. Denn letztlich kommt es auf das besondere Objekt gar nicht an, sondern auf den Affekt und seine psycho-energetische Funktion. Der späte Freud verzichtete hingegen darauf, die Treue bzw. Objektfixierung, die sich in der Melancholie manifestiert, zu ‚pathologisieren'. Lacan schließlich hat in seinen Überlegungen zur *Antigone* des Sophokles das Festhalten am – unerfüllbaren – Begehren gefeiert (vgl. Jacques Lacan: *Das Seminar Buch VI (1959–1960), Die Ethik der Psychoanalyse*, Weinheim/Berlin 1986, S. 293ff.).

Fading schillert, so könnte man als Fazit dieses Blitzvergleichs festhalten, eigentümlich zwischen Trauer und Melancholie. Der Verlust ist nur schemenhaft und es gibt weder eine phantasmatische Ersatzbildung (ein gestochen scharfes inneres Bild des Objekts) noch ein Verwerfen des Objekts.[22]

Im *Fading* sind beide – Subjekt und Objekt – auffällig blass, passiv, diffus, und schemenhaft. Nicht nur das Bild des Objekts leidet gleichsam unter ‚Material-Ermüdung‘, sondern auch das Subjekt ist merkwürdig kraftlos, weder zu einer wirklichen noch zu einer imaginären Gegenaktion fähig. Das Subjekt mutiert ebenso wenig zum Stalker, der dauernd im Einsatz ist, wie zum Fetischisten, der seine ganze Liebe auf die Krawatte oder den Stöckelschuh des Anderen zu konzentrieren vermag.

Im letzten Abschnitt seiner Skizze findet Barthes einen pointierten Ausdruck für die Bedeutungskonstellation, die er über Seiten hin entworfen hat.

Wir haben folgendes zur Genüge verstanden: Der Andere wird im *Fading* ja nicht völlig ausgelöscht, er bleibt und schwindet in einem Atemzug, ohne dass es zum (oben schon erwähnten) Fort-Da-Wechselspiel kommt, mit dem wir von Kindesbeinen an so gut leben können. Genau diese Unschärfe ist das spezifische Problem, für das eine griffige Formel gefunden werden muss. Und Barthes macht einen unerhörten Vorschlag: Er zeigt auf, dass der oder die Andere dem liebenden Subjekt noch eine Gabe zukommen lässt – nämlich die Gabe seiner/ihrer Müdigkeit, die unendlich viele Fragen aufwirft und keine beantwortet. Diese Zuwendung ist schlimmer als ein Danaergeschenk, das man erkennen, verweigern und durch eine listige Erwiderung kontern kann. Die Gabe der Müdigkeit lässt sich nicht ablehnen und nicht sinnvoll erwidern oder durch eine angemessene Spende an lachende Dritte neutralisieren.

Dennoch stehen die Leser nicht anders da als das Subjekt, das sich fragt, was es mit dem „Päckchen vor ihm ausgebreiteter Müdigkeit anfangen"[23] soll. Gibt uns dieser Begriff, den Barthes uns am Ende der Skizze als gut verschnürtes semantisches Paket darbietet, ein Rätsel auf, das wir lösen können? Wie ist das Knäuel von Worten wie Liebe, Grausamkeit, Müdigkeit zu entwirren? Eine Phänomenologie der Müdigkeit dürfte das *Fading* wohl kaum erschließen. Einem solchen Zugriff würde man nur entnehmen können, dass die Müdigkeit sich im diffusen Reich zwischen Wachzustand und Schlaf bewegt: Im Wachzustand herrscht zwischen Liebessubjekt und Liebesobjekt die Reziprozität geschärfter Aufmerksamkeit (sei sie zärtlich[24] oder aggressiv). Sinkt einer der beiden in den Schlaf, so macht er oder sie den anderen fast automatisch zum Beschützer oder Beobachter. Die Beobachtung des schlafenden Liebesobjekts mag die größte Form der Beruhigung verschaffen, ja sogar das Gefühl der totalen Verfügung: Proust etwa beschreibt, wie der Erzähler die schlafende Albertine in Besitz

---

[22] Man denke nur an die Sprechakte: „Verpiss Dich!" oder „Scher Dich zum Teufel!"
[23] Barthes, Fragmente, S. 107.
[24] Man denke nur an den Song: „I only have eyes for you".

nimmt: er beobachtet sie und onaniert.[25] Die Symmetrie des Schlafs, in den beide gleichzeitig verfallen, stiftet Einheit, während die gemeinsame Müdigkeit (z.B. nach dem Geschlechtsakt) trennt.[26]

Barthes' Überlegungen zielen freilich auf die Asymmetrie einer kommunizierten Müdigkeit. Verfänglich wäre es, zu glauben, dass diese Befindlichkeit von nichts anderem so intensiv zum Ausdruck gebracht wird wie von einer Stimme am Telefon. Barthes zögert nicht, die Telefonstimme zum Subjekt des *Fading* zu erklären. Im Nu verwandelt sich die Stimme am Telefon in „die Stimme *des* Telefons"[27]. Solche rhetorischen Zauberkunststücke aber sind medientheoretisch[28] irreführend und lenken nur ab von der zentralen Behauptung, mit dem die Skizze schließt, um das entscheidende Wort einem anderen Autor zu erteilen.

„In keinem Liebesroman habe ich je gelesen, dass eine Figur *müde* sei" (110), so lautet die erste Hälfte des eingeklammerten Abbinders. Eine derartige Aussage stürzt uns Leser natürlich in Verlegenheit. Man möchte es nicht glauben. Es würde auch wenig helfen, Beispiele anzugeben; denn wir müssten zugleich beweisen, dass Barthes diese Texte gelesen hat und nun verleugnet.[29] Aber ganz unwillkürlich schießt uns doch Ovids Bericht über den Mythos des Narziss durch den Kopf. Wird dieser Prototyp der verhängnisvollen Selbstliebe nicht müde bei dem Versuch, das eigene Spiegelbild zu erreichen? Sinkt er nicht ermattet zusammen, bevor er nach langem aussichtslosem Kampf endlich dahinschwindet und sich in etwas Anderes (eine Blume, die seinen Namen trägt) verwandelt? Erlebt er nicht das Fading am eigenen Leib, bevor das Ich tatsächlich zum Anderen in Pflanzengestalt wird? Und gibt es nicht noch ein weiteres auffälliges Indiz, das Ovids Text mit Barthes Skizze verbindet: Beklagt nicht auch Narziss ebenso wie das liebende Subjekt bei Barthes die Grausamkeit seiner Liebe zu einem unerreichbaren Objekt? Ja, befindet sich Narziss nicht in einer noch komplizierteren und deshalb signifikanteren Lage als Barthes' Subjekt?

---

[25] Vgl. Marcel Proust: *Die Suche nach der verlorenen Zeit*, Frankfurt a.M. 1964 (13-bändige Werkausgabe), Bd. 9, S. 95. Adorno, der den Text liest und kommentiert, übersieht diesen Zusammenhang und verklärt die Szene zur Ikone der Liebe „im Zeitalter des Verfalls der Liebe" (*Noten zur Literatur II*, Frankfurt a.M. 1961, S. 106).

[26] Vgl. hierzu Peter Handkes Beobachtungen im *Versuch über die Müdigkeit*, Frankfurt a.M. 1989, S. 14ff.

[27] Barthes, Fragmente, S. 109.

[28] Zur Medientheorie des Telefons, das als „die technische Verkörperung der Sehnsucht" (Renate Genth/Joseph Hoppe: Telephon! Der Draht an dem wir hängen, Berlin 1986, S. 6) gilt, siehe Avital Ronell: *Das Telefonbuch. Technik, Schizophrenie, elektrische Rede* [1989], Berlin 2001.

[29] Ich möchte allerdings nicht versäumen, wenigstens auf ein nicht-literarisches Beispiel hinzuweisen: In Claude Sautets Film *Die Dinge des Lebens* von 1969 sagt die weibliche Hauptfigur (gespielt von Romy Schneider) zu ihrem verheirateten Geliebten: „Ich könnte weinen, weil ich zu müde bin, Dich zu lieben." – Kaum vorstellbar, dass Barthes sich diesen Kult-Streifen nicht angesehen hat.

Narziss muss erleben, wie die scheinbare Bestätigung seiner Gefühle durch den Anderen, nämlich die Tränen des Kummers, sich gegen ihn wenden. Denn sie führen, sobald sie die Wasseroberfläche erreichen, dazu, dass sich das Bild des Anderen trübt. Die Konturen verschwimmen, das Liebesobjekt wird unscharf, entgleitet, verschwindet in den Turbulenzen, die die Tropfen verursachen.

Hier sind gleich mehrere der zentralen Motive von Barthes versammelt: zunächst das Schwinden sowohl des Bildes/Objekts als auch des Subjekts; sodann die Grausamkeit; schließlich die Müdigkeit. Und überdies gibt es ein Modell zur Lösung des Problems: die Rettung durch Verwandlung. Ich zitiere die zentralen Textpassagen:

> [...] Dann ruft er, ein wenig
> Aufgerichtet, die Arme zu den rings stehenden Bäumen
> Breitend: „Hat je ein Mensch so grausam geliebt, o ihr Wälder?
> [...]
> War es denn je eines Liebenden Wunsch, was er liebt, möge schwinden?
> Und schon raubt mir die Kräfte der Schmerz, es bleibt mir vom Leben
> Nur noch wenig: ich muß in der blühenden Jugend erlöschen.
> Schwer ist der Tod mir nicht – er wird mich erlösen – !
> Meinem Geliebten – ich wünsche ihm wohl ein längeres Leben!
> Doch jetzt sterben wir beide, vereinzelt in einem einzigen Hauche."
> Sprach's und wandte, der Tolle, sich wieder zur gleichen Erscheinung
> Und trübte mit Tränen die Flut: durch des Wassers Bewegung
> Wurde verdunkelt das Bild. Als er sah, wie es schwand, rief er kläglich:
> „Oh, wohin fliehst du davon? So bleibe, du Grausamer, laß mich,
> Der dich liebt, nicht allein! Was mir zu berühren versagt ist,
> Darf doch wenigstens sehn und die Wut, die unselige schüren!"
> [...]
> Müde entsank ihm das Haupt auf den grünen Rasen; der Tod schloß
> Ihm die Augen, die so die eigene Schönheit bestaunten.
> [...]
> Und schon rüstete man die Verbrennung, die Bahre, geschwungene
> Fackeln: da war der Körper verschwunden – man fand eine krokus-
> Farbene Blume, den Kelch von weißen Blättern umschlossen.[30]

Aber noch weit erstaunlicher als die fehlende Abschweifung zum Thema des narzisstischen *Fading* ist Barthes' folgende Aussage: „Ich habe auf Blanchot warten müssen, bis mir jemand von der Müdigkeit sprach."[31] Diese präzise Bestimmung der Mitteilungsform ist wörtlich gemeint. Denn Barthes verweist nicht auf einen Text dieses Autors, sondern auf eine „frühe Unterhaltung", also auf ein Ereignis, das nicht das Medium der Schrift in Anspruch nimmt, sondern die Stimme als Träger des Sinns beschwört. Doch die Stimme hat in Barthes' Skizze eine intrikate Position inne. Sie ist nicht Ausdruck der Lebendigkeit, Authentizität, Gegenwart etc.; sie demonstriert nicht die Kraft des Performativen, sie wird nicht zum

---

[30] Ovid: *Metamorphosen. Epos in 15 Büchern*, Stuttgart 1980, S. 106ff. (Verse 440–510).
[31] Barthes, Fragmente, S. 110.

Ereignis. Vielmehr gehört auch die Stimme dem Reich der Schatten an, das Barthes herbeizitiert, um den Aggregatzustand zu erläutern, in dem sich der Andere befindet, wenn er „im Fading versinkt": Nebelschwaden, die „in die Ferne zurückweichen"[32]. Die Stimme ist hier nicht das Medium des Katechonten, sie gibt oder befiehlt keinen Halt, verspricht keine Wende, keine Umkehr. An ihr zeigt sich hingegen besonders eindringlich und quälend „das Fading des anderen", sie „unterstützt die Verflüchtigung des geliebten Wesens, macht sie kenntlich und besiegelt sie sozusagen, denn zur Stimme gehört das Ersterben"[33].

Wieso aber erscheint dieses „Phantom-Wesen" am Ende von Barthes' Skizze in der verführerischen Rolle eines Zeugnis gebenden Organs, das einer bestimmten Person – eben Maurice Blanchot – zugeschrieben wird? Wir erfahren nichts über die Äußerungen, die mit Hilfe dieser Stimme gemacht wurden. Wir vernehmen nur, dass von der Müdigkeit die Rede war. Näheres über den Inhalt des Gesprächs, das Jahre zurückliegen muss, wird nicht gesagt. Der bloße Hinweis präsentiert die „frühe Unterhaltung" als etwas Entschwundenes.

Vorhanden ist aber ein kurzer Text von Blanchot: zuerst 1949 unter dem Titel „Un Recit" bzw. „Un Recit?"[34] und dann 1973 in deutscher Übersetzung unter dem Titel „Der Wahnsinn des Tages"[35] erschienen. In diesem Prosastück, das die Qualität einer Kafka-Erzählung besitzt – nicht zuletzt, weil es ein eminenter Text über die Beziehung des Subjekts zum Gesetz ist, dessen Titel geradezu „Nach dem Gesetz" lauten könnte – bemerkt der Ich-Erzähler, der insgesamt vom Scheitern des Erzählens berichtet, an zwei Stellen, dass er müde sei, und an drei weiteren Stellen, dass ihn etwas Bestimmtes ermüde bzw. ermüdet habe.

An diesem Text können wir – so möchte ich meinen – Halt finden. Ich weiche damit von Derridas Ansicht ab, dass dieser Text uns total verunsichert und desorientiert zurücklässt.[36]

Es handelt sich – wie gesagt – bei „Un Recit?" um keine Erzählung im gattungstheoretisch strengen Sinne, sondern um einen Text, der das Unvermögen des ‚Ich-Erzählers' dokumentiert, die ihm mit Nachdruck abverlangte[37] „Erzählung" und „Erklärung" tatsächlich zu liefern.[38]

---

[32] Barthes, Fragmente, S. 107.

[33] Barthes, Fragmente, S. 108.

[34] Maurice Blanchot: „Un Recit?" [Deckblatt] bzw. „Un Recit" [Inhaltsverzeichnis], in: EMPÉDOCLE – Revue Litteraire Mensuelle 2 (Mai 1949), S. 13–22.

[35] Maurice Blanchot: Der Wahnsinn des Tages [La Folie du Jour], Berlin 1979; hier zitiert nach der Sonderausgabe der Buchhandlung Klaus Bittner, Köln 1986, S. 10f.

[36] „Die gesamte Erzählung Der Wahnsinn des Tages [erschüttert] auf kaum merkliche Weise, aber erschreckend wirksam all jene Sicherheiten (...), auf denen so viele Diskurse gründen: vor allem der Stellenwert des Ereignisses, der Realität, der Fiktion, der Erscheinung usw." (Jacques Derrida: Gestade, Wien 1994, S. 264).

[37] Vgl. hierzu auch: Derrida, Gestade, S. 265.

[38] Blanchot, Wahnsinn, S. 27.

Die letzten Sätze des Textes lauten daher auch: „Eine Erzählung? Nein, keine Erzählung, nie wieder."[39] Bei Kafka, über den Blanchot eine Reihe von Texten geschrieben hat, hieß es einst: „Nie wieder Psychologie!"[40] Warum ist dieser Ich-Erzähler in *Der Wahnsinn des Tages* derart anfällig für die Müdigkeit?

Um diese Frage zu beantworten, zitiere ich eine längere Passage aus Blanchots Text, die als Präludium zu Barthes' Skizze über das Fading aufgefasst werden kann. Barthes' Überlegungen setzten mit folgender Definition ein:

> „Fading. Schmerzliche Prüfung ...", bei Blanchot lautet der 9. Abschnitt seiner Erzählung:
> Wie meine Prüfungen beschreiben? Ich konnte weder gehen noch atmen, noch mich ernähren. Mein Atem war aus Stein, mein Leib aus Wasser, und doch verdurstete ich. Eines Tages steckte man mich in die Erde, die Ärzte bedeckten mich mit Schlamm. Was für ein Aufruhr in der Tiefe dieser Erde! Wer sagt, daß sie kalt sei? Sie brennt wie Feuer, sie ist ein Dornenbusch. Völlig gefühllos stieg ich aus ihr heraus. Mein Tastsinn irrte mir zwei Meter voraus: Wenn jemand mein Zimmer betrat, schrie ich auf, aber das Messer drang ruhig in mich. Ja, ich wurde zum Skelett. Nachts richtete sich meine Magerkeit wie ein Schreckgespenst vor mir auf. Sie überhäufte mich mit Beschimpfungen, ermüdete mich mit ihrem ständigen Kommen und Gehen. Ach ich war so müde.[41]

Es folgen bald weitere Bekundungen der Müdigkeit: zum Beispiel ermüdet den Erzähler das Lesen sehr. Aber was gibt es zu lesen? Große Plakate, auf denen geschrieben steht: „Auch du willst es." Und die Worte zeigen Wirkung. Der Erzähler will dieses mysteriöse „es", sobald er die Worte liest. Aber dann bemerkt er, wie sein Wille „ziemlich schnell" erlahmt. Das notorische „etwas", auf das sich gewöhnlich jeder Wille, auch der (von Nietzsche beschriebene) Wille, der nur sich selber will, richtet, dieses „etwas" hat seinen Ort gewechselt, es ist nicht mehr Objekt, sondern hat sich im Erzähler als anonyme Instanz eingenistet, die aufgehört hat zu wollen: „etwas in mir" hörte „auf zu wollen". Mit dem Willen und der Leselust schwindet auch das Bedürfnis zu sprechen: „Das geringste wahre Wort ging über meine Kräfte." Ferner ermüdet es ihn, in der Stadt umherzugehen: Die „Straßen bereicherten" ihn „nicht so, wie es zu erwarten gewesen wäre"[42]. Die Lobgesänge auf den Flaneur, die wir bei Simmel, Hessel, Benjamin, Certeau finden können, würden Blanchots ‚Helden' kalt lassen. Denn ihn machen die Gänge durch die Metropolen, bei denen er „einen außerordentlich gro-

---

39 Blanchot, Wahnsinn, S. 28.
40 Vgl. Lutz Ellrich: „Diesseits der Scham", in: Claudia Liebrand/Franziska Schößler (Hg.): Textverkehr. *Kafka und die Tradition*, Würzburg 2004, S. 243–272. Zur Kafka-Lektüre Blanchots siehe Maurice Blanchot: *Von Kafka zu Kafka* [1981], Frankfurt a.M. 1993; Peter Köppel: *Die Agonie des Subjekts. Das Ende der Aufklärung bei Kafka und Blanchot*, Wien 1991.
41 Blanchot, Wahnsinn, S. 10.
42 Blanchot, Wahnsinn, S. 19.

ßen Teil des anonymen Verfalls in [sich] aufnahm", nur „bescheiden und müde"[43].

Fast von selbst versteht es sich, dass diese Art der Müdigkeit und Subjektminimierung nicht zum erlösenden oder revitalisierenden Schlaf führt: „Ich und schlafen! Ich mußte dem Licht der sieben Tage standhalten."[44] Aber der Erzähler ist auskunftsbereitwilliger als er in seiner Erzählverweigerungshaltung zu sein glaubt. Er unterscheidet nämlich – wie jede genuine Erzählung – vorher und nachher.

Früher war der Ich-Erzähler alles andere als müde, er „lebte vor allem in den Städten" und war „ein Mann des öffentlichen Lebens". Und seine große Leidenschaft galt dem Gesetz. „Die Lex – das Gesetz – zog mich an. Die Menge gefiel mir. Ich war verborgen im anderen. Ein Nichts, war ich doch souverän." Aber dann – „eines Tages"[45] – war der Erzähler – wie er bekennt – „es müde, der Stein zu sein, der die einzelnen steinigt"[46]. Diese unbegreifliche und anscheinend unmotivierte Müdigkeit führt aber nicht zur Apathie, sie modifiziert zunächst die Beziehung des Erzählers zum Gesetz. Er ergreift sogar – wenn auch vorsichtig und zaghaft – die Initiative: er versucht, das Gesetz „in Versuchung zu führen". Leise ruft er: „Komm näher, dass ich dir ins Gesicht sehe". Aber die Lex antwortet nicht. Und der Erzähler erkennt: „Eine gewagte Aufforderung! Was hätte ich gemacht, wenn sie geantwortet hätte?"

Das Gesetz, die Lex, lässt sich nicht „für einen Augenblick auf die Seite nehmen"[47] und ins Angesicht blicken; dennoch gönnt sie dem ermüdeten Erzähler keine Ruhe, sie stellt ihm nach, macht Angebote und Komplimente, bietet ihre Dienste an, betont ihre Unwiderstehlichkeit[48], macht ihm Vorhaltungen, kritisiert „heftig" sein „Benehmen"[49] und beteuert: „Die Wahrheit ist, daß wir uns nicht mehr trennen können. Ich werde dir überallhin folgen, ich werde unter deinem Dach leben, wir werden denselben Schlaf schlafen."[50]

Sind das nicht die allzu bekannten Spiele der Liebe, von denen unzählige Romane handeln, ohne – wie Barthes versichert – Figuren zu enthalten, die müde sind?

Der Erzähler, der unermüdlich beteuert, wie sehr ihn diese Spiele ermüden, muss nichtsdestotrotz bekennen: „In Wahrheit gefiel sie [die Lex] mir. Sie war in

---

43 Blanchot, Wahnsinn, S. 20.
44 Blanchot, Wahnsinn, S. 17.
45 Schon diese vage Bestimmung eines Zeitpunktes weist Erklärungen ab. Man vergleiche die Verwendung der ‚Formel' bei Samuel Beckett in *Warten auf Godot*: „one day we were born, one day we shall die"/„Eines Tages wurden wir geboren, eines Tages sterben wir" (dreisprachige Ausgabe, Frankfurt a.M. 1971, S. 202/221).
46 Blanchot, Wahnsinn, S. 12.
47 Blanchot, Wahnsinn, S. 13.
48 Blanchot, Wahnsinn, S. 22.
49 Blanchot, Wahnsinn, S. 24.
50 Blanchot, Wahnsinn, S. 23.

diesem mit Männern überbevölkerten Milieu das einzige weibliche Element.[51] Einmal ließ sie mich ihr Knie berühren: ein sonderbares Gefühl".[52] Das Knie – die Gelenkstelle zwischen ich und wir[53] – signalisiert die unhintergehbare Anziehungskraft der Lex, die gar keinen Hehl aus der Art ihrer Berufung macht: „Warum all das?", fragt der Erzähler. Und nun gibt sie Antwort: „Weil ich der Engel des Streits, des Mordes und des Endes bin!"

Der Erzähler versucht sich dem Spiel zu entziehen, das ihn zugleich anlockt und ermattet. Aus seiner Müdigkeit bildet er den Stoff für eine aussichtslose Beschwerde: „Ich wandte ein, dass dieses Spiel mich ungeheuer ermüde, aber sie [die Lex] war unersättlich nach meinem Glanz."[54]

Was sagt uns – wenn ich zum Abschluss so kurz und bündig und plump hermeneutisch zu Werke gehen darf – die Art und Weise, in der Blanchots namenlose Figur von ihrer eigenen Müdigkeit schreibt, über die fragwürdige Gabe der Müdigkeit, die – laut Roland Barthes – das Liebesobjekt dem Liebessubjekt übereignet?

Blanchots Ich-Erzähler (der zwar nicht liefert, was seinen Inquisitoren, Bewacher und Therapeuten, all die Gesetzeshüter und Amtsärzte, von ihm verlangen, aber immerhin zwanzig Seiten Text produziert) benutzt das Wort ‚müde‘ bzw. ‚ermüdet‘ als Indikator einer Trennung. Das Subjekt setzt sich ab von (eigenen) Haltungen, Ideen, Überzeugungen, Leidenschaften, Wünschen, Erwartungen etc. Zugleich zeigt das Subjekt durch die Wahl dieses Wortes an, dass es nicht bereit ist, die Trennung zu begründen. Aber nicht etwa, weil dies strukturell nicht möglich wäre, sondern weil explizite Begründungen und Erklärungen gar keine Information liefern würden. Die Inquisitoren selbst geben (wie zynische Folterknechte) zu erkennen, dass die „Antwort" auf die entscheidende, in allen Fragen immer schon enthaltene Frage „nichts enthüllen würde, denn seit langem schon sei alles enthüllt"[55].

Die Müdigkeit selbst ist eine Antwort auf die Ansprüche des Gesetzes. In Gestalt der Lex verlangt es vom Erzähler den Glanz, den totalen Einsatz, die Konzentration. Doch dieser hat dem „Wahnsinn des Tages ins Gesicht" gesehen[56] und zugleich erkannt, dass er den „Wahnsinn wie wahnsinnig"[57] begehrt. Gegen

---

[51] Eingefleischte Lacanianer werden dies für einen Sprechakt der Verkennung halten und auf das Gesetz des Vaters (der symbolischen Ordnung, der Kastration etc.) pochen.

[52] Blanchot, Wahnsinn, S. 25. – Man könnte Eric Rohmers Film *Le genou de Claire* (*Claires Knie*) von 1970 als Veranschaulichung dieses Gefühls betrachten.

[53] Vgl. auch: Derrida, Gestade, S. 278.

[54] Blanchot, Wahnsinn, S. 25. Modifizierte Übersetzung: „Glanz" statt „Ruhm" (so Monika Buchgeister und Hans-Walter Schmidt in ihrer Übertragung dieser Textstelle, die Derrida in *Gestade* zitiert).

[55] Blanchot, Wahnsinn, S. 26.

[56] „Mit der Zeit wurde es mir zur Gewißheit, daß ich dem Wahnsinn ins Gesicht sah" (Blanchot, Wahnsinn, S. 17).

[57] Blanchot, Wahnsinn, S. 18.

diese Ambivalenz – „weder konnte ich schauen, noch nicht schauen"[58] – gibt es wohl nur das Mittel der Müdigkeit; denn der Müde verliert die Konzentration, er zerstreut sich selbst und seine Kapazitäten, bindet sich an kein Objekt und überlässt sich dem leisen Sog des Verschwindens. Aber er tut dies nicht vollständig, sein Ich klammert sich an eine letzte Bastion: den Widerstand gegen das Erzählen. Und dies, obgleich er doch alles Wichtige längst preisgegeben und die Unterscheidung zwischen einem Stadium der Blindheit und einem Stadium der Einsicht[59] getroffen hat. Mit der Verweigerung, seine eigene Selbstreflexion als Erzählung zu akzeptieren (was ihm natürlich Derridas uneingeschränktes Lob einbringt), sperrt er sich auch gegen eine mögliche Heilung, die in der mythischen Erzählung vom Narziss zur Sprache kommt: Denn hier ist (wie oben erläutern wurde) die Müdigkeit des verzweifelten Helden ein Präludium für jene Metamorphose, welche Not tut, um die Verstrickungen der Liebe aufzulösen.

Barthes' versteckter Hinweis auf Blanchots Sprechen/Schreiben über die Müdigkeit und die problematische Liebe zum Gesetz könnte als eine zarte Empfehlung verstanden werden: Das ratlose Liebessubjekt, dem die schmerzhafte Prüfung des *Fading* widerfährt, möge in einen Spiegel schauen und sich selbst als eine fatale Variante der unersättlichen Lex erkennen, deren Liebe am Ende zur Sucht nach Glanz, Souveränität und öffentlicher Darbietung verkommen ist.

---

[58] Blanchot, Wahnsinn, S. 16.

[59] Vgl. Paul de Man: *Blindness and Insight*, New York 1971, sowie meinen Kommentar: Lutz Ellrich „Der observierte Text", in: Karl Heinz Bohrer (Hg.): *Ästhetik und Rhetorik*, Frankfurt a.M. 1999, S. 253–300.

Im Reich der Neige. Schwindsucht in Rilkes *Sonetten an Orpheus*

Tina-Karen Pusse

„Hier [in den *Sonetten an Orpheus*, T.P.] ist, scheint mir, oft sehr weit Herstammendes geformt, Wesentliches aus dem ägyptischen Erlebnis ...“,[1] schreibt Rilke an Katharina Kippenberg am 23.2.1922. Tatsächlich finden erst in den *Sonetten* und den *Duineser Elegien*, gut zehn Jahre nach Rilkes Rückkehr aus Ägypten, Versatzstücke der ägyptischen Grabkultur Eingang in seine Texte. Die zu Studienzwecken und mit einem klaren Publikationsvorhaben unternommene Reise gerät zum Desaster: Rilke wird schwer krank und trennt sich von seiner Reisegefährtin,[2] die geplanten *ägyptischen Studien* sind am Ende nur ein Vierzeiler im Tagebuch. Die *Sonette an Orpheus* jedoch knüpfen schließlich in mehr als einer Hinsicht an das „ägyptische Erlebnis“ an. Nicht nur finden sich ägyptische Sarkophage im Inventar des Textes, vielmehr versteht sich der Text selbst als ausführliches Grabmal nach ägyptischem Vorbild und behandelt die beiden drängendsten Probleme der früheren Reise: Krankheit und Trennung – sowie die Frage, wie daraus künstlerische Produktivität entsteht.

Die Lektüre der *Sonette* beginnt – sofern man nicht allzu schnell auf den ersten Vers der ersten Strophe des ersten Sonettes zusteuert, sondern noch eine Weile auf der Ebene des Parergons verbleibt, mit einer Irritation: einer doppelten Widmung. Zum einen führen die *Sonette an Orpheus* eine Adresse in ihrem Titel: sie sind „an“ Orpheus gerichtet. Zum anderen sind sie aber auch „geschrieben *als* ein Grab-Mal *für* Wera Ouckama Knoop---- Chateau de Mozot im Februar 1922“ (H.v.m.). Geschrieben also, nicht nur „an“ Orpheus, sondern auch „für“ Wera – aber „als ein Grabmal“.[3] Der Text stellt sich hier also selbst in die Epitaph-Tradition im Hinblick auf Wera Ouckama Knoop. Auch im Hinblick auf Orpheus steht der Text in einer langen Tradition: Im Anschluss an Texte von

---

[1] Rainer Maria Rilke: *Werke*. Kommentierte Ausgabe in vier Bänden. Herausgegeben von Manfred Engel, Ulrich Fülleborn u.a. Frankfurt a.M. 1996, Bd. 2, S. 708. Die *Sonette an Orpheus* sind im Folgenden aus dieser Ausgabe zitiert.

[2] Vgl. Horst Nalewski: *Rainer Maria Rilkes Reise nach Ägypten*. Frankfurt a.M./Leipzig 2000.

[3] Als Randnotiz sei hier angemerkt, dass die Tatsache, dass es sich dabei um Weras Grabmal handelt, nicht zwingend aus dieser Widmung sondern erst aus der Lektüre von Tagebucheinträgen Rilkes hervorgeht – ob es sich also einfach um einen ausgeschriebenen Genitiv handelt, wobei das Grabmal dann jemand anderen, nämlich gerade die Überlebenden adressierte, oder ob die Textstelle als Zueignung zu verstehen ist, ist nicht auf den ersten Blick und auch nicht ohne Kontextwissen erkennbar.

Boccaccio[4] oder Novalis[5] stellt der Text Orpheus zudem als Erlöserfigur aus, der – zum einen durch seine Trauer um Eurydike zum anderen durch seinen gewaltsame Metamorphose – Kunstproduktion[6] an eine Ökonomie der Trauer bindet, und der damit zumindest im Rahmen eines Tropus auch an die Tradition der Heldenlieder anschließt. Das Sprechen der Sonette wird dabei als Antwort auf etwas inszeniert, das ihnen vorausgegangen ist, einen Zustand „vor" Orpheus' Metamorphose und damit „vor" der Kunst. Sie ‚handeln' daher auch von ihrer eigenen Nachträglichkeit in diesem imaginierten Kommunikationsakt, der Absenz in scheinbare Präsenz zu überführen sucht.

Zunächst aber, und darauf hat unter anderem Stephen Greenblatt hingewiesen, verdankt sich Kunstrezeption im weiteren, Lesen im engeren Sinn generell diesem Wunsch:

> Es begann mit dem Wunsch, mit den Toten zu sprechen. Der Wunsch liegt, obzwar unausgesprochen, vielen literaturwissenschaftlichen Studien zugrunde. Er wird organisiert, professionalisiert und unter dicken Schichten bürokratischer Etikette vergraben [...] Gewiß, ich hörte stets nur meine eigene Stimme, aber meine Stimme war zugleich die Stimme der Toten, insofern es den Toten gelungen war, Textspuren von sich selbst zu hinterlassen, die sich durch die Stimmen der Lebenden zu Gehör bringen.[7]

Ist zudem Abwesenheit nicht nur Bedingung sondern auch Gegenstand literarischer Rede, so wird die Grundbestimmung des angesprochenen Gegenstands, dessen Absenz, zum einen besiegelt, zum anderen aber auch schon unterlaufen und aufgehoben. Dies lässt sich schon an den ‚klassischen' Formen der Thematisierung von Abwesenheit beobachten, wie der Grabrede oder dem Epitaph.[8] Das Wissen um den Tod fungiert, so Jan Assmann, als „ein Kultur-Generator ersten

---

4   Vgl. August Buck: *Der Orpheus-Mythos in der italienischen Renaissance.* Krefeld 1961. Dieser referiert z.B. auf Boccaccios *Genealogie deorum gentilium libri.*

5   Eva-Maria Knittel: *Orpheus im Horizont moderner Dichtungskonzeptionen.* Münster 1998.

6   Wobei Orpheus als Sänger und Lyra-Spieler sowohl als Ur-Musiker als auch als Ur-Dichter fungiert.

7   Stephen Greenblatt: *Verhandlungen mit Shakespeare. Innenansichten der englischen Renaissance*, aus dem Amerikanischen von Robin Cackett, Berlin 1990 (1988), S. 7. Ganz ähnlich konstatiert Roland Barthes, und zwar im Anschluss an seine These vom ‚Tod des Autors' (Roland Barthes, Der Tod des Autors. In: Fotis Jannidis, Gerhard Lauer, Matias Martinez und Simone Winko (Hrsg.): Texte zur Theorie der Autorschaft. Stuttgart 2000, S. 185–193). Barthes schreibt: „Als Institution ist der Autor tot: als juristische, leidenschaftliche, biographische Person ist er verschwunden; als ein Enteigneter übt er gegenüber seinem Werk nicht mehr die gewaltigen Vaterrechte aus, von denen die Literaturgeschichte, der akademische Unterricht und die öffentliche Meinung immer wieder zu berichten hatten. Aber im Text *begehre ich* in gewisser Weise den Autor: ich brauche seine Gestalt (die weder seine Darstellung noch seine Projektion ist), so wie er meine Gestalt braucht [...]." Roland Barthes: *Die Lust am Text*, aus dem Französischen von Traugott König, Frankfurt a.M. 1974, S. 43.

8   Jan Assman: *Stein und Zeit.* München 2003, vgl. S. 178.

Ranges."[9] Die Verfahrens- und Darstellungsweisen, die in jenen Formen zur Beschreibung und Inszenierung des Absenten aufgeboten werden, sind aber notwendigerweise Techniken der Erzeugung von Präsenzeffekten: Formen der Anrede und Anrufung, des deiktischen Hinweisens und Zeigens, des Erinnerns und Wiederholens. Die Rede *über* das Abwesende, ist sie auch gerade durch die Absenz motiviert, kommt gar nicht umhin, die Absenz ihres Gegenstands zu unterlaufen, zu ignorieren oder sie in eine Präsentifikationsfigur zu verschieben, das Abwesende also durch ein Anwesendes zu ersetzen.

Thomas Macho argumentiert in *Tod und Trauer im kulturwissenschaftlichen Vergleich*, der oder die Tote sei in seinem oder ihrem paradoxen Status, die ‚Anwesenheit eines Abwesenden' zu verkörpern unter anthropologischen Gesichtspunkten als das Ur-Zeichen zu sehen.[10] Die Analogie zwischen Grab und Schrift, so Assmann, sei dabei enger als die zwischen mündlicher Rede und Schrift.[11] Die Grabinschriften altägyptischer Gräber ersetzten dabei nicht die mündliche Rede, sie ersetzen vielmehr das Zeichen, als das das Grab zuvor selbst fungiert (und machen es somit zum Zeichenträger). Assmann stellt daraufhin schriftliche und mündliche Formen der Denkmalsetzung einander gegenüber. Ziel des Heldenliedes sei es dabei, über weite Räume eine kollektive Identität der Überlebenden herzustellen (denn das Lied ist vom Ort des Andenkens unabhängig, wodurch aber die Position des Senders unsichtbar wird und sich jeweils verschiebt). Die Inschrift des Grabmals, so Assmann, ist hingegen geringeren Transformationen in der Zeit unterworfen, dafür aber ortsgebunden – weshalb die Rezipienten der Fiktion eines Kontaktes mit dem abwesenden Grabherrn unterliegen – was rhetorisch exakt der Figur der Prosopopoiia entspricht. Lyrische Texte haben, sofern sie (auch) als schriftlich fixiert vorliegen, historisch Anteil an *beiden* Traditionen. Sie sind einerseits Nachkommen oraler Kultur und tragen auch dort, wo sie von Anfang an Schrifttexte sind, genretypische Spuren ihrer besonderen Verbindung zu Oralität und ihrer Funktion als Gedächtnismedien, sind sie doch häufig genug bis in die Gegenwart mit einzelnen oder einem Set mnemotechnischer Hilfen wie z.B. Reim, Alliterationen, Metren oder Unterteilung in kleinere ‚Merkeinheiten' (Strophen) etc. ausgestattet. Spätestens im frühen Mittelalter ist der altägyptische (autobiographische) Epitaph zumindest im europäischen Raum als lyrischer Epitaph nachweisbar, aber wieder in die orale Tradition verschoben: gehören doch Leichencarmina, Nachrufe in gebundener Sprache, zu

---

[9]   Jan Assmann: *Der Tod als Thema in der Kulturtheorie. Todesbilder und Totenriten im Alten Ägypten*, Frankfurt a.M. 2000, S. 14.

[10] Thomas Macho: *Tod und Trauer im kulturwissenschaftlichen Vergleich*. In: Jan Assmann (Hrsg.): *Der Tod als Thema der Kulturtheorie*, Frankfurt a.M. 2000, S. 91–112. Siehe hier besonders S. 99. Insofern setzt Macho die Totenkulte als Urszenen der Geschichte der Repräsentationen an. Die Abbildungs- und Aufbewahrungspraktiken der Totenkulte werden dann durch die Schrift (als symbolischer Skelettierungspraxis) entwertet und ersetzt (vgl. S. 104).

[11] Assmann: Schrift, Tod und Identität, S. 173.

den frühesten Zeugnissen von Lyrik avant la lettre. Zumindest für den europäischen Raum ließe sich also Assmanns Argumentationsfigur vom ägyptischen Grab als der Geburtsstunde der Biographie mutatis mutandis auf das Genre Lyrik als favorisiertes Erinnerungs- und Gedächtnismedium beziehen.[12] Insofern lässt sich auch das Genre der lyrischen Texte nicht nur zeichentheoretisch sondern auch historisch als „Sprache der Abwesenden"[13] verstehen. Monika Schmitz-Emans weist in der Einleitung ihrer Monographie sowohl auf die zeichentheoretische interessante Losgelöstheit der ‚Botschaft' von ihrem ‚Urheber' hin als auch auf die kultisch/magische Praxis der „Wiederholung" (im buchstäblichen Sinne als erneute Aneignung), der Präsentifikation, von Abwesenden in der und durch die Schrift – und verknüpft so Schriftpraxis und Totenkult.

Im Folgenden möchte ich mich mit der aporetischen Struktur dieser dem Text vorauseilenden Doppelwidmung beschäftigen, zum anderen möchte ich drei Sonette untersuchen, die das Verschwinden in besonderer Weise behandeln, und zwar indem sie die Überlagerung der Widmungen ausbuchstabieren. Das erste handelt vom Sterben Weras (I/25), das zweite vom Sterben Orpheus' (I/26), das dritte schließlich (II,1) rückt alle Personalpronomen und Zuschreibungen ins Ungewisse und hebt damit das Widmungsproblem auf.

Eine Entscheidung für die Favorisierung einer der beiden Widmungen drängt die andere zugleich in den Bereich des Parergons ab. Letztlich hängt die Entscheidung davon ab, welche Funktion man dem Titel eines Textes zuweist. Liest man ihn einfach als die ersten Worte eines Textes, so ginge er, der Titel „Sonette an Orpheus" der zweiten Widmung auf dem Deckblatt in der aktuellen Lektürepraxis voraus. Das hieße, auch sie, die Widmung, gehörte dem Textkorpus an, der als ganzer „an Orpheus" gerichtet ist. Betrachtet man den Titel jedoch als Eigenname des Textes, so wäre die Adressierung „an Orpheus" in der Widmung „für Wera" enthalten.[14] Für die Interpretation des Gesamttextes ist diese Frage von entscheidender Bedeutung, wenn auch nicht abschließend zu beantworten.

Erstaunlich ist jedoch, dass die Widmung an Wera den *Sonetten* vorangestellt ist, und nicht etwa den zur selben Zeit entstandenen *Duineser Elegien*, die sich dem Genre nach zur Totenklage doch viel eher anbieten. Einer der Gründe dafür

---

[12] Selbst heute ist kein anderes Genre so prominent vertreten, wenn es um das Bestücken von Todesanzeigen geht. Siehe dazu der „editorische Bericht und das „Verzeichnis der Quellen" (ab S. 501) von Werner Höver und Eva Wilms (Hrsg.): *Gedichte von den Anfängen bis 1300*. In: Walther Killy (Hrsg.): Deutsche Lyrik von den Anfängen bis zur Gegenwart in 10 Bänden. München 2001 [1978], Band 1.

[13] Monika Schmitz-Emans: *Schrift und Abwesenheit. Historische Paradigmen zu einer Poetik der Entzifferung und des Schreibens*. München 1993, vgl. v.a. S. 9ff.

[14] Dass der Titel als Name der Textes betrachtet werden kann, hat Gérard Genette in *Seuils* (Paris 1989) vorgeschlagen. Er unterscheidet dabei zwischen einer Identifizierungsrelation und einer Bedeutungsrelation, deren erste (die z.B. wirksam ist, wenn das Buch als Produkt gesucht oder gekauft wird) mit zunehmendem Engagement der Lektüre immer weiter hinter die zweite zurücktritt.

mag die stärkere Bindung des Sonetts an die orale Tradition sein. In lyrischen Texten kommen konstitutiv zwei Speichertechniken zusammen; es konkurriert das Aufzeichnungssystem der Schrift mit oralen Speichersystemen wie dem Versmaß und dem Rhythmus – die *Sonette an Orpheus* sind zusätzlich zum sehr regelmäßigen Versmaß auch gereimt.

Die Thematisierung von Abwesenheit im Grabmal, als das der Text fungiert, erzeugt zugleich die phantasmatische Präsenz des Toten. Der Mythos von Orpheus[15] einerseits sowie die Widmung an Wera Ouckama Knoop[16] andererseits sind die beiden großen textstrukturierenden figurae absentiae[17] der *Sonette*, unter deren Dach sich mannigfaltige weitere Dramen des Verschwindens und des Entzugs ereignen – nicht zuletzt das in vielen Einzelsonetten thematisierte zweimalige Verschwinden Eurydikes. Zwar sind einzelne Sonette mit weiteren Widmungen versehen, diese beiden Bezüge wirken aber als einzige als Klammer des gesamten Textzyklus'. Orpheus wird dabei als eine Erlöserfigur eingeführt, die antiken Mythos und christliche Tradition überblendet. So verweist die Rede von der „Wandlung"[18] nicht bloß auf Orpheus' Metamorphose, sondern auch auf die Transsubstantion, also den Moment, in dem sich katholischem Glauben zufolge die Hostie in den Leib Christi verwandelt[19] Diese Transsubstantion wird im Blut-

---

[15] Der Text zitiert dabei nicht bloß den antiken Mythos sondern schließt poetologisch an Stéphane Mallarmés und Paul Valérys Programm zur explication orphique de la terre an. Er verpflichtet sich damit zu einer extremen Konzentration und Kondensation, einer Technik des Aussparens und Andeutens und bekennt sich zu den rhythmischen, klanglichen und bildlichen Suggestivkräften der Sprache. Siehe dazu Annette Gerok-Reiter: *Wink und Wandlung. Komposition und Poetik in Rilkes „Sonette an Orpheus".* Tübingen 1996. Besonders S. 25f.

[16] Rilke selbst bezeichnet in mehreren Briefen vom November 1921 bis Januar 1922 die Lektüre der von ihm erbetenen Aufzeichnungen der Gertrud Ouckama Knoop über den Tod ihrer Tochter Wera als auslösendes Moment im Entstehungsprozess der Sonette. So z.B. Rainer Maria Rilke: *Sämtliche Werke.* Besorgt durch Ernst Zinn. Frankfurt a.M. 1955–1966. Briefe, Bd. II (19914–1926). Wiesbaden 1950.

[17] Die rhetorische Figur der figura absentia ist eine extreme Zuspitzung des Zusammentreffens von Präsenz- und Absenzeffekten. Gerade der Entzug oder die Abwesenheit eines Gegenstands oder einer Person wird programmatisch zu einem Präsenzeffekt umgedreht. Beispiele für diese Strategie der Umkehr finden sich zunächst in vormodernen Texten, wo sie häufig mit mythen- und religionsstiftenden Effekten oder auch kulturpolitischen Sinnentwürfen einhergehen. Prominentestes Beispiel ist sicher die Entdeckung des leeren Grabes Christi im Neuen Testament, ein Text, in dem gerade die Abwesenheit (einer Leiche) für die Lebendigkeit des zuvor noch bestatteten Körpers einsteht.

[18] Während im gesamten Zyklus nur einmal Orpheus' „Metamorphose" benannt wird, ist deren Benennung als „Wandlung" sehr viel häufiger anzutreffen (siehe z.B. I/1, II/12). Diese zitiert eben nicht nur Ovids Ursprungsmythos, sondern ist daneben auch christlich assoziiert.

[19] Hans Ulrich Gumbrecht verortet hier einen magischen Akt der Präsentifikation im Katholizismus, während es sich im Protestantismus um einen Akt des Gedenkens handle (Hans Ulrich Gumbrecht: *Diesseits der Hermeneutik. Die Produktion von Präsenz.* Frankfurt a.M. 2004, S. 48). Auch Walter Pape (Metaphorik und Realität der Anthropophagie. In: Daniel

rausch der Mänaden zur Kenntlichkeit entstellt, also in ihrem nicht-symbolischen anthropophagischen Kern offengelegt. Christus „nährt" die Gläubigen durch sein Blut, Orpheus die Hörenden durch seinen immerwährenden Gesang, dem aber eben *auch* ein Blutopfer vorausgeht. Erst nachdem sich sein Blut ins Wasser des Hebros aufgelöst hat, wird er für alle und auf ewig hörbar. Sein Verschwinden ist also genau genommen das einer unendlichen Verdünnung – und damit zugleich das einer unendlichen Ausdehnung: Verschwinden und Vermehren gehen hier ineinander über.

Der Text betreibt das Verschwinden seines Personals als eine Kippbewegung zwischen Mortifikation und Vivifikation, ein bisweilen makabres Fort/Da-Spiel. Die jeweilige Ausprägung dieser Kippbewegung ist jedoch genderbezogen zu diskutieren. Während Orpheus' Verschwinden als Auflösungsprozess vorgeführt wird, ist das Verschwinden der Tänzerin im Gegenteil als Erstarren zu lesen.

Diese Kippbewegung zwischen Fluss und Starre ist nicht bloß im Hinblick auf Orpheus oder die Tänzerin festzustellen sondern sie betrifft den gesamten Textzyklus. Denn die Version des Mythos, nach der der für immer singende Orpheus ins Wasser des Hebros eingegangen ist, alludiert der Text durch mannigfaltige Wasser-Metaphern oder auch durch die Brunnen-Sonette. Selbst der Ausruf „O reine Übersteigung" der ersten Zeile des ersten Sonetts kann dahingehend als Programm gelesen werden, bildet doch das griechische „rhein" („fließen") neben „rhyomai" („zurückhalten", „hemmen") die etymologische Wurzel von „Rhythmus". Der Rhythmus des Textes ist also mit dem Fließen des orphischen Wassers nicht bloß metaphorisch assoziiert sondern auch durch Assonanz und Etymologie. Der als Schlusswort in Sonett II/29 ausgesprochene Imperativ „Zu der stillen Erde sag: ich rinne. / zu dem raschen Wasser sprich: ich bin.", der einen steten Perspektivwechsel zwischen Dynamis und Stasis fordert, lässt sich daher auch als Metakommentar zum sowohl beschleunigenden *als auch* hemmenden Rhythmus des Textes lesen – und damit gegebenenfalls als Relektüreprogramm.

Neben Orpheus fungiert Wera Ouckama-Knoop als Referenz des gesamten Zyklus. Dass es sich dabei um eine Tote oder, liest man das Wort „Grab-Mal" (das ja immerhin mit Bindestrich geschrieben ist) forcierter, um eine vom Tod schon Gezeichnete handelt, ist aus der Widmung unmittelbar ersichtlich. Ihre phantasmatische Präsenz wird im Sonett I/25 sogar in Form einer konkreten Anrede heraufbeschworen. Durch das darauf folgende Sonett wird (und deshalb möchte ich nun beide Sonette zusammen in den Blick nehmen) ihr Tod mythisch überblendet. Sonett I/26 handelt von Orpheus' Ermordung durch die Mänaden – auch dieser wird in einer konkreten Anrede *als* Toter adressiert.

> *Dich* aber will ich nun, *dich*, die ich kannte
> Wie eine Blume, von der ich den Namen nicht weiß,

Fulda, Walter Pape: *Das andere Essen. Kannibalismus als Motiv und Metapher in der Literatur.* Freiburg i.Br. 2001, S. 303–339) verweist auf die anthropophagische Komponente des Katholizismus.

noch *ein* Mal erinnern und ihnen zeigen, Entwandte,
schöne Gespielin des unüberwindlichen Schrei's.

Tänzerin erst, die plötzlich, den Körper voll Zögern,
anhielt, als göß man ihr Jungsein in Erz;
trauernd und lauschend –. Da, von den hohen Vermögern
fiel ihr Musik in das veränderte Herz.

Nah war die Krankheit. Schon von den Schatten bemächtigt,
drängte verdunkelt das Blut, doch, wie flüchtig verdächtigt,
trieb es seinen natürlichen Frühling hervor.

Wieder und wieder, von Dunkel und Sturz unterbrochen,
glänzte es irdisch. Bis es nach schrecklichem Pochen
trat in das trostlos offene Tor. (I,25)

Der emphatisch dialogische Aufruf, unterstrichen sogar durch Kursivierung, überspielt die Tatsache, dass in der ersten Strophe ebenso häufig vom Ich wie vom Du die Rede ist. Die verstorbene Tänzerin existiert nur, sofern das sprechende Ich sie anruft – als die, die es „kannte". Nur *als* Erinnerte wird sie wiederbelebt, also nur *als* Abwesende oder *in* ihrer Abwesenheit. Die folgenden Zeilen zeichnen also ein Erinnerungsbild des sprechenden Ichs. Ein Erinnerungsbild das von einem prominenten, wenn auch zur Entstehungszeit des Textes eigentlich überholten, kulturellen Topos genährt wird: Die ästhetisierte Schilderung ihrer Krankheit schreibt sich in die Tradition der Metaphorisierung der Schwindsucht als „romantische Krankheit" ein, als Aufbruch in eine andere Welt. Diese romantische Schwindsucht ist ein Leiden, das mit einer existentiellen Verwundung einhergeht. Dazu kommt die Vorstellung, der Körper werde nicht etwa von einem Erreger buchstäblich verzehrt, sondern von „Leidenschaften" (wie Liebe oder Glauben). Das Fieber ist dabei sozusagen Ausdruck eines metaphysischen Feuers. Das Bild der Tuberkulosekranken bzw. die soziale Konstruktion der Erkrankung hat sich zwischen 1800 und ca. 1950 mehrfach massiv verschoben. Diese sich überschneidenden Varianten (zum einen „die romantische Krankheit" im 18. bis zum beginnenden 19. Jahrhundert, zum anderen gerade die „Proletarierkrankheit" bis zum Beginn des 20sten Jahrhunderts, schließlich sogar die „asoziale" Krankheit zur Zeit des Nationalsozialismus) weisen vor allem auf unterschiedliche Einschätzungen der Krankheitsursachen hin. Die schicksalhaft individuelle Krankheit der Künstler ist Signum für deren Auserwähltsein, für die Geringschätzung des Körpers und seiner Bedürfnisse, für vollendete Vergeistigung, während zugleich die ersten Hygienevorschriften publiziert werden, da die Ausbreitung der Krankheit als Seuche durch beengte und schmutzige Lebens- und Arbeitsbedingungen ausgemacht ist. Erst seit Ende des 19., Anfang des 20. Jahrhunderts können nachträglich klinische Bilder und typische Symptomatiken auf einen einzigen Erreger zurückgeführt – und somit als „Tuberkulose" bezeichnet werden. Die unspezifischere Bezeichnung „Schwindsucht" fungiert bis dahin als Sammelbegriff für Krankheiten, die in irgendeiner Weise von „Auszehrung", also von plötzlicher Gewichtsabnahme und Appetitlosigkeit geprägt sind und zum allmählichen Tod führen. Die Diagnose „Schwindsucht" erfolgte also aufgrund eines recht unspezifischen Krankheitsbildes (das natürlich auch Krankheiten betraf, die wir heute als Krebs oder Magersucht bezeichnen würden), die Diagnose „Tuberkulose" erfolgt nicht mehr durch den Phänotyp der Krankheit, sondern durch Feststellung der Anwesenheit eines spezifischen Erregers im Blut, der durch engmaschige Kontrolluntersuchungen festgestellt wurde. Wie alle erfolgreichen Metaphern kann die Schwindsucht für vollkommen Gegensätzliches stehen. Einerseits für die Durchseuchung eines ungezügelt leidenschaftlichen Menschen, andererseits kann sie, gerade dann wenn sie sich „Schwindsucht" nennt, als erbauliche, vornehme Krankheit gelten, die dem Tod Bedeutung verleiht und durch langes Changieren zwischen Leben und Tod und einen fast unmerklichen Übergang gekennzeichnet ist. Die Leidenschaftsanschuldigung kippt nämlich in ihr Gegenteil um, wenn Kinder und junge Frauen erkrankt sind. Dann ist sie Signum besonderer Reinheit, sowie eines unschuldigen, begnadeten Todes.[20] Das ganz buchstäbliche organische Verschwinden des (vor allem ‚weiblichen') Körpers bis hin zur Selbstaufzehrung von Muskeln und Organen ist Symptom eines Martyriums der Idealität. Der „gute" Körper ist der nicht vorhandene Körper.[21]

Im Sonett gehen Vivifizierung und Mortifizierung ineinander über. Die tote Tänzerin wird symbolisch wiederbelebt, jedoch nur um den Preis, dass sie sofort wieder sterben muss, sind es doch gerade die Stationen ihres Sterbens, die erinnert werden. Dem Text genügt es jedoch nicht, ihr körperliches Dahinsiechen zu wiederholen, vielmehr wird gleichsam durch eine Doppelstrategie der Körper endgültig ruhig gestellt „als göß man ihr Jungsein in Erz." So wird sie einerseits zur schönen Leiche im Sinne Bronfens, andererseits aber auch eine Statue (eben-

---

20 Die Diskursformationen, die etwa bis 1850 um die „Schwindsucht" kreisten (oder im Frühchristentum um die Märtyrer/innen), sind jedoch längst unter dem Stichwort „Magersucht" zurückgekehrt. Dass diese Diskurse untrennbar verbunden und außerdem genderbezogen zu diskutieren sind, erweist sich schon bei Lessing: „ja, heutiges tages hungern sich die mädchen die schwindsucht an den hals, um nur die taille nicht zu verderben." Lessing 1, 355 (misog. 1, 6);zitiert nach Grimmschem Wörterbuch, Lemma Schwindsucht.

21 Susan Sontag untersucht die Metaphern, die sich in der Rede über Tuberkulose und Krebs überkreuzen, die Sonderstellung dieser beiden Krankheiten in der kulturellen Narration, die direkt mit dem Tod assoziiert ist, sowie die moralischen Implikationen im Umgang mit den Erkrankten (beiden wird vorgeworfen, „falsch" gelebt zu haben. Während den Tuberkulösen übertriebene Leidenschaftlichkeit unterstellt wurde, oder auch der Hang, sich unglücklich zu verlieben, so wird Krebspatienten bis heute zum Vorwurf gemacht, ihre Sexualität oder ihre Wut unterdrückt zu haben. Zeitweise wurde beiden Gruppen von Erkrankten ein erfülltes Sexualleben als Therapieform angeraten). Ähnlich wie das früher für Leprakranke galt, die infolge eines sündhaften Lebens von Gott gestraft wurden, mussten sich im 19. bis hinein in die Anfänge des 20. Jh. Tuberkulosepatienten und müssen sich bis heute Krebspatienten für den Ausbruch ihrer Erkrankungen vor Freunden und Angehörigen verantworten.

falls eine geläufige Mortifizierungsstrategie für Frauen im kulturellen Repertoire). Sie wird also in diesem Sonett zu ihrem eigenen Grabmal. Diese totale Stillstellung negiert gerade, was sie als Lebende war: eine Tänzerin. Sie *befähigt* sie aber erst, so paraphrasiere ich die Phantasie des sprechenden Ichs, zum *Hören* von Musik. An der Schwelle des Todes ist sie nicht mehr selbst Künstlerin sondern vollendete Kunst*rezipientin*. Sie wird also tödlich stillgestellt um in die Lage versetzt zu werden „Orpheus" zu „vernehmen". Zugleich rückt sie für das sprechende ich des Textes in die Position Euridykes. Erst Ihr Übergang in den Tod und das Zurückholen ihres imaginären Doubles in den Text bringt diesen hervor. Als derart durch den Text konservierter „ganzer" Körper bildet ihr Verschwinden ein Gegenmodell zum zerstückelten – oder besser: verflüssigten – Orpheus.

> Du aber, Göttlicher, du bis zuletzt noch Ertöner,
> da ihn der Schwarm der verschmähten Mänaden befiel,
> hast ihr Geschrei übertönt mit Ordnung, du Schöner,
> aus den Zerstörenden stieg dein erbauendes Spiel.
>
> Keine war da, daß sie Haupt dir und Leier zerstör,
> wie sie auch rangen und rasten, und alle die scharfen
> Steine, die sie nach deinem Herzen warfen,
> wurden zu Sanftem an dir und begabt mit Gehör.
>
> Schließlich zerschlugen sie dich, von der Rache gehetzt,
> während dein Klang noch in Löwen und Felsen verweilte
> und in Bäumen und Vögeln. Dort singst du noch jetzt.
>
> O du verlorener Gott! Du unendliche Spur!
> Nur weil dich reißend zuletzt die Feindschaft verteilte,
> sind wir die Hörenden jetzt und dein Mund der Natur. (I,26)

Orpheus muss sich also mit dem anderen Ende der Scala gendertypisierten Verhaltens auseinandersetzen: Anstelle der zur Statue erstarrten und „vollkommen stillen" Schwindsüchtigen begegnet er den rasend unglücklich in ihn verliebten und alles zerfleischenden Mänaden.[22] Diese Mänaden versuchen nun ausgerechnet, ihm eine Herzwunde[23] zuzufügen. Ihrem Liebeskummer begegnen sie also mit einem *buchstäblichen* Racheakt auf das bei ihnen im *metaphorischen* Sinne verletzte Organ. Obwohl Ihnen das zunächst nicht gelingt, denn Orpheus singt ja bekanntlich zum Steineerweichen (kann also nicht gesteinigt werden), gerät er dabei im Zitat Rilkes zu einer Art untoten Christus. Er ist zwar kein Auferstandener oder Widergänger, weil er nie vollends stirbt, vielmehr wechselt er ganz buchstäblich seinen Aggregatszustand. Und doch ist sein so ins Unendliche erweiterter Blutkreislauf Bedingung für die musikalische Erlösung.

---

[22] Wenn die romantische Schwindsüchtige ihre unglückliche Liebe autoaggressiv erduldet, so bilden die wütenden Mänaden dazu das genaue Gegenbild.

[23] Orpheus wird dabei zur verhinderten Christusfigur, die Tötung durch eine finale Herzwunde misslingt.

Während also der Tod der Tänzerin notwendige Voraussetzung für ihren Status als ästhetisches Objekt ist, ist der nie vollständig getötete aber endlos sterbende Orpheus im Rahmen der Binnenerzählung dieses Sonetts ästhetisches Subjekt. Ein Subjekt allerdings, das nach diesem Sonett, ebenso wie die Tänzerin, nur noch als Abwesendes, „O du verlorener Gott – du unendliche Spur", angesprochen werden kann.

Konsequenterweise ist daher im zweiten Teil der *Sonette* von Orpheus als Figur nicht mehr die Rede. Wohl aber von einem mit ihm assoziierten gleichzeitigen Schwinden und Erscheinen, das im Eingangssonett des zweiten Teils programmatisch behandelt wird.

> Atmen, du unsichtbares Gedicht!
> Immerfort um das eigne
> Sein rein eingetauschter Weltraum. Gegengewicht,
> in dem ich mich rhythmisch ereigne.
>
> Einzige Welle, deren
> allmähliches Meer ich bin;
> sparsamstes du von allen möglichen Meeren, –
> Raumgewinn.
>
> Wieviele von diesen Stellen der Räume waren schon
> innen in mir. Manche Winde
> sind wie mein Sohn.
>
> Erkennst du mich, Luft, du, voll noch einst meiniger Orte?
> Du, einmal glatte Rinde,
> Rundung und Blatt meiner Worte. (II,1)

Der eben noch in der zweiten Person Singular adressierte Orpheus ist hier gänzlich und buchstäblich aufgelöst. Es ist nicht zu entscheiden, ob der Text hier seine Perspektive als Ich-Perspektive übernommen hat oder ob wir es mit dem alten sprechenden Ich zu tun haben. Unsichtbar ist jedoch nicht bloß Orpheus, sondern auch ein Gedicht, das nun in die Position des Angesprochenen gerückt ist – und das nicht dasselbe sein kann, wie dasjenige, was wir hier vor uns sehen.

Zu Inspirationskonzepten und Pfingstmetaphern in Rilkes Texten ist bereits Einiges publiziert worden. Ich möchte jedoch sehr konkret im Bild des hier beschriebenen Stoffwechselvorgangs bleiben, die Beatmung des Textes oder die Beatmung durch den Text also gerade nicht in eine Metapher auflösen, sondern als sehr konkrete nicht-transzendente Epiphanie verstehen. Das Gedicht kommentiert, was sich im lauten Lesen des Textes ereignet: Atmen wir doch zunächst ein um sprechen zu können und geben die ausgeatmete Luft dann mit den gesprochenen Worten ab. Sprechen lässt sich nämlich ausschließlich mit dem Ausatmen. Der Vorgang des Einatmens („Atmen, du unsichtbares Gedicht") produzierte dann also einen Text daneben und dazwischen, der unsichtbar und unhörbar bliebe, der Vorgang des Ausatmens hingegen produziert das hier sicht-

bare Gedicht. Der Prozess der Auflösung, der ständigen Abgabe von Körperpar-
tikeln – und dies wäre eine dritte, auf den eigenen Leseprozess bezogene Art des
Schwindens – betrifft immer auch diejenigen, die sich des Gedichtes gerade annehmen. Durch den Vorgang des lauten Lesens geben sie Körperpartikel an den
Text ab. Als Modell des beständigen Austauschs ist das Atmen immer in der
Schwebe zwischen Präsenz und Absenz, ist gleichzeitiges Verschwinden und Erscheinen. Wie fragil dieses Gleichgewicht, der Rhythmus des Atmens ist; darauf
verweist schließlich schon die Widmung an die an Tuberkulose gestorbene Wera.

Techniken des Verschwindens in *Albertine disparue*

Matei Chihaia

Verschwinden und Wiedererscheinen als Gegenmodell zur Erfahrung

Die verschwundene Albertine durchbricht durch die Tatsache ihres Verschwindens die Verkündigungsstruktur von kleinen Auferstehungserlebnissen und „Wiedergefundener Zeit". Als ein eigener dramatischer Spannungsbogen – Gefangenschaft, Flucht und Tod der Geliebten des krankhaft eifersüchtigen Marcel – lenkt die Albertinehandlung von dem ursprünglichen Thema der *Recherche* ab, von der literarischen Sendung und dem gesellschaftlichen Werdegang des Protagonisten. Um so weniger lassen sich die zahlreichen Ungereimtheiten, blinden Motive und Varianten des erst nach Prousts Tod (1922) erschienenen Texts – Zeugnisse eines „Schreibens ohne Ende" – mit dem triumphalen Wiederfinden der Zeit, den abschließenden Kaskaden der euphorischen Erinnerung, vereinbaren.[1]

Die wissenschaftliche Diskussion über *Albertine disparue*, den letzten Teil des Albertine-Romans, kommt nach seiner posthumen Veröffentlichung nicht recht in Gang – und dies auch deswegen, weil sich zwischen den Ausgaben von 1925, 1954, 1987 und 1989 der Titel und die Textgestalt mehrmals erheblich ändern. Was als das letzte Wort eines Autors gelten kann, dessen schwere Krankheit in der Handschrift eine anschauliche Veränderung der Identität herbeiführt, welchen letzten Willen es zu berücksichtigen gilt, sind zwar Fragen, die innerhalb der *Recherche* und ihrer Sekundärliteratur immer wieder aufgeworfen werden, aber außerhalb der fiktionalen Poetik und Menschenkunde, mit den Kategorien der Literaturwissenschaft, kaum zu entscheiden sind. Zunächst, in einer von Prousts Bruder Robert 1925 mitgestalteten Fassung eines Typoskripts „Albertine disparue", „Die verschwundene Albertine", benannt, verwandelt schon die erste kritische Ausgabe 1954 – mit Hilfe eines früheren Manuskripts letzter Hand – das Werk zurück in „La Fugitive", „Die Flüchtige". 1986 wird ein weiteres, späteres Typoskript mit handschriftlichen Korrekturen Prousts entdeckt, in dem große Teile des Texts gestrichen und der Albertine-Roman so weit verkürzt ist, dass „La Fugitive" mit „La Prisonnière" in einem einzigen Band erscheinen könnte – allerdings um den Preis von Inkonsistenzen, die sich aus den Streichungen ergeben. Die Neuausgabe in der prestigereichen Sammlung der Pléiade greift 1989 daher wieder auf die von Robert Proust besorgte erste Druckfassung zurück und

---

[1] Vgl. dazu den Band von Rainer Warning (Hg.): *Marcel Proust. Schreiben ohne Ende*, Frankfurt a.M. 1994 und insbesondere die Einleitung des Herausgebers.

ergänzt diese in einem umfangreichen Anhang um eine kritische Edition der Entwürfe und Varianten.[2]

Die Erzählung von Albertines Verschwinden, so lässt sich diese Editionsgeschichte zusammenfassen, ist eine Geschichte von schwindenden Passagen, von Streichungen, Ersetzungen und Zusätzen, deren im Manuskript, im Typoskript und auf den Korrekturfahnen sichtbaren Umrisse im Druck unsichtbar werden bzw. mit Hilfe der Philologie wiedererscheinen. Anne Chevalier, die Herausgeberin von *Albertine disparue* in der Sammlung der Pléiade, resümiert daher: „Die Geschichte des Buchs lässt sich nur verstehen, wenn man vom Verschwinden und Wiedererscheinen von Fragmenten ausgeht, die je nach den aufeinander folgenden Projekten und Ebenen des Romans kombiniert werden."[3] Diese philologische Einschätzung ist nicht nur die sich-selbst-erfüllende Prophezeiung eines Editionsprojekts oder die anachronistische Rückprojektion einer postmodernen Poetik, die das Verschwinden in der Welt der Buchstaben, in der Welt der Schrift ansiedelt – so etwa Georges Perec in seinem ganz aus Worten ohne den Buchstaben „E" bestehenden Roman *La Disparition*.[4] Chevaliers hermeneutische Hypothese lässt sich, so möchte ich zeigen, durch die Poetik des Verschwindens in *Albertine disparue* selbst begründen.

Das „Verschwinden" zu erzählen, es zur Erscheinung zu bringen, gelingt in diesem Roman durch unterschiedliche Figuren des „Wiedererscheinens". Als Albertine sich seiner Eifersucht entzogen und ihn verlassen hat, trauert der Erzähler über ihren Fortgang, ohne dabei das Wort „disparu" zu gebrauchen: sie ist gegangen (partie, depart), verloren (perdue, perte), aber so direkt wie der Titel kann der Erzähler ihr Verschwinden nicht aussprechen. Bezeichnenderweise wird in dem Teilroman umgekehrt das Wiedererscheinen als erstes zum Gegenstand einer Reflexion, und zwar im Zusammenhang eines sentenziösen Erzählerkommentars, einer Form, die im Lauf der *Recherche* immer wieder die Affinität des Erzählers zur pessimistischen Menschenkunde der französischen Moralisten betont:[5]

> Was man aber Erfahrung nennt, ist nur die unseren Augen zuteil werdende Offenbarung eines unserer Charakterzüge, der ganz natürlich wiederer-

---

[2] Diese Editionsgeschichte referiert Luzius Keller in seinem Nachwort zur Frankfurter Ausgabe (Marcel Proust: *Die Flüchtige*, aus dem Französischen übersetzt von Eva Rechel-Mertens, revidiert von Luzius Keller und Sibylla Laemmel, Frankfurt a.M. 2001, S. 429–443). Auf diese bezieht sich im Folgenden das Kürzel FL.

[3] „L'histoire du livre ne se comprend qu'à partir de l'apparition et de la disparition de fragments combinés selon des projets et des plans successifs;" (Anne Chevalier: „Notice", in: Marcel Proust: *À la Recherche du Temps Perdu, Bd. 4: Albertine disparue. Le Temps retrouvé*, hg. u. d. Ltg. v. Jean-Yves Tadié, Paris 1989, S. 993–1039, hier S. 999, übersetzt von mir, M.C.). Auf diese Ausgabe bezieht sich im Folgenden das Kürzel AD.

[4] Georges Perec: *La Disparition*, Paris 1969.

[5] Rainer Warning: „Proust und die Moralistik", in: ders.: *Proust-Studien*, München 2000, S. 35–50.

scheint, und zwar um so nachdrücklicher, als wir ihn schon einmal vor uns selbst ans Licht gezogen haben [...]. (FL 32–33)[6]

Wenn an dieser Stelle die vermeintliche Lebenserfahrung als bloße Selbsterfahrung denunziert wird, die einen nicht etwa lernen, sondern lediglich das Unvermeidliche des eigenen Charakters einsehen lässt, so erhält das „Wiedererscheinen" eine besondere Bedeutung. Gegen die Möglichkeit einer inneren Veränderung in der Zeit – eben „Erfahrung" –, weist es auf unveränderlich feste Konturen, die sich durch jede Neuerung hindurchprägen. Unter diesen Bedingungen ist es einfacher, das eigene Begehren, die eigene Trauer und Eifersucht zu erzählen, die Marcel schon von klein auf plagen, als das Verschwinden der Anderen, also Albertines, die sich auch in dieser Hinsicht als unfaßbar-flüchtiges „être de fuite" (AD 18) erweist. Das Thema, das der Titel ankündigt, wird also vom Roman wie eine doppelt schwierige Aufgabe behandelt: das erzählende Ich muss nach einem narrativen Mittel suchen, um das Verschwinden Albertines erscheinen zu lassen, und das erinnernde Ich muss nach einem psychologischen Mittel suchen, um ihrer wenigstens als Verschwundener habhaft zu werden.

Das technische Erscheinen des Verschwindens

In beidem, in Erzählen und Erinnern, findet sich Hilfe bei unterschiedlichen Techniken, die Modelle des Wiedererscheinens vorgeben, ohne dabei von einer vermeintlichen „Erfahrung" abhängig zu sein.[7] So hilft der Traum „durch eine fehlerhafte Beleuchtung in meinem Inneren", die Erinnerung für lebendige Wirklichkeit zu halten – bis die Illusion versiegt, „so wie man plötzlich bemerkt, dass in der Laterna magica ein großer Schatten, der verborgen bleiben sollte, das projizierte Bild der Person überdeckt, ein Schatten, der derjenige des Apparates oder des ihn Bedienenden ist". (FL 184)[8] Die Form des Apparats verdeckt die Form

---

[6]   „[...] Ce qu'on appelle expérience n'est que la révélation à nos propres yeux d'un trait de notre caractère, qui naturellement reparaît, et reparaît d'autant plus fortement que nous l'avons déjà mis en lumière pour nous-même une fois [...]" (AD 19).

[7]   Auf den Gegensatz von technischen Medien und Erfahrung hat im historischen Zusammenhang der Moderne insbesondere der Proust-Übersetzer Walter Benjamin hingewiesen (Walter Benjamin: „Über einige Motive bei Baudelaire", in: ders.: *Gesammelte Schriften*, hrsg. v. Rolf Tiedemann und Hermann Schweppenhäuser, Bd. I.2., Frankfurt a.M. 1980, S. 605–653).

[8]   „[...] par un défaut d'éclairage intérieur [...] comme brusquement on voit dans la projection manquée d'une lanterne magique une grande ombre qui devrait être cachée, effacer la silhouette des personnages et qui est celle de la lanterne elle-même, ou celle de l'opérateur." (AD 119). Vgl. dazu die temporäre Illusion in den Avant-Textes, die das Wiedererscheinen der Wunde von Madame de Putbus' Zofe als Durchschauen des Hypnose-Tricks kommentieren: „J'avais fait comme ces compères de bonne foi en donnant la main à un magnétiseur qui a les yeux bandés le mènent sans s'en rendre compte vers le lieu où est caché un objet

des davon projizierten Bilds: Wie Joachim Paech am Beispiel des Films gezeigt hat, erfordert das mediale Erscheinen des Verschwindens, dass sich die – normalerweise unsichtbare – Formseite des technischen Mediums vor die darin vermittelten Formulierungen schiebt.[9] Bei Proust wird das Sichtbarwerden der Vermittlungsinstanzen zu einem technischen Modell des Verschwindens und Wiedererscheinens: nach der temporären Illusion der Laterna magica prägen sich die Konturen des Projektors (Maschine und bedienendes Subjekt) durch das Projizierte durch. Der Schatten wie auch das andere Extrem von Sichtbarkeit, das volle Licht, lösen feste Kopplungen auf: „Im hellen Licht der gewöhnlichen Erinnerung verblassen die Bilder der Vergangenheit nach und nach, sie verschwinden, es bleibt von ihnen nichts, und wir können sie nicht wiederfinden." (FL 173)[10] Die Form der Projektion gestattet es auch hier, moralistisch bekräftigte Unveränderlichkeit mit akutem Verlusterlebnis, d.h. anthropologisch angelegte Eigenliebe und traumatischen Bezug auf ein Anderes, miteinander zu vermitteln.[11] Zu dem optischen Medium, das Marcel schon in seiner Kindheit fasziniert,[12] treten im Verlauf von *Albertine disparue* einige weitere Techniken, die dem Verschwinden eine erzählbare Form geben – als Erscheinen einer partialisierten, vom Erzählersubjekt abgelösten Sprache, des erinnerten Subjekts oder anderer Figuren vor der Erweckung der Geliebten in der Schrift des Autors.

Gilles Deleuze hat darauf hingewiesen, dass nicht Erinnerung, sondern Zeichenproduktion und Dekodierungsprozesse der zentrale Gegenstand der *Recherche* sind. Der Roman funktioniert in dieser Hinsicht wie eine Maschine, die nicht nur dazu dient, die wieder gefundene Zeit hervorzubringen, sondern auch die verlorene Zeit, zu deren Produktion die „signes mondaines" und die „signes

---

qu'ils croyent qu'il a découvert alors que c'est seulement eux qui le lui ont montré." (AD 730)

[9] Joachim Paech: „Figurationen ikonischer n...Tropie. Vom Erscheinen des Verschwindens im Film", in: ders.: *Der Bewegung einer Linie folgen...Schriften zum Film*, Berlin 2002, S.112–132.

[10] Auf der gleichen Seite steht die Stelle mit Stimme der Toten von Schallplatte. Diese Passage steht in einem stark überarbeiteten Typoskript, das bei Chevalier nur in die Notes et variantes aufgenommen wird: „Au grand jour [...] de la mémoire [...] les images du passé pâlissent peu à peu, s'effacent, il ne reste plus rien d'elles, nous ne les retrouvons plus." (AD 1079–1080).

[11] Die Laterna magica taucht in *Albertine disparue* immer wieder als eine solche Lösungsstrategie auf: „Wenn es nämlich in sich selbst keiner Wirklichkeit entsprach, wenn es die Gestalt der aufeinanderfolgenden Stunden an sich trug, an denen sie mir erschienen war, eine jeweilige Gestalt, die meinem Gedächtnis eingezeichnet blieb, so wie die Kurven der Projektion meiner Laterna magica den Kurven auf den bunten Einschiebegläsern entsprachen, stellte es dann nicht auch auf seine Weise eine – und zwar diesmal ganz objektive – Wahrheit dar, nämlich die, daß jeder von uns nicht ein einziger, sondern eine Unzahl von Personen ist, die nicht den gleichen moralischen Wert besitzen [....]" (FL 169, vgl. AD 110).

[12] Marcel Proust: *À la Recherche du Temps Perdu*, Bd. 1: *Du Côté de chez Swann. À l'ombre des jeunes filles en fleurs I*, hg. v. Florence Callu u.a. u. d. Ltg. v. Jean-Yves Tadié, Paris 1987, S. 10.

amoureux" beitragen.[13] Auch Albertines Verschwinden wird Marcel nicht *entdeckt*, sondern *mitgeteilt*. So müssen sich immer neue Prozesse der Zeichendeutung an die erste Botschaft anschließen, die er durch seine Bedienstete Françoise erhält. Das automatische Klavier, „das Pianola, auf dessen Pedale sie ihre Goldpantöffelchen gesetzt hatte", reproduziert diese Botschaft mit seinen Zeichen, und ihm schließen sich ähnliche Gebrauchsgegenstände an, „die alle in ihrer besonderen Sprache, die meine Erinnerungen sie gelehrt hatten, mir eine Übersetzung, eine neue Version der Nachricht von ihrem Fortgehen geben, es mir ein zweitesmal zur Kenntnis bringen wollten". (FL 24)[14]

Das Pianola transformiert die Rede über das Verschwinden nicht etwa in Musik, wie die Formulierung von der „besonderen Sprache" vermuten lassen könnte. Die Sprache der Erinnerungen, durch welche das technische Medium die Botschaft vermittelt, besteht gerade im Ausbleiben einer spezifischen Äußerung: Das Verschwinden zeigt sich im Schweigen des Instruments, und das Schweigen des Instruments wiederum zeigt sich in der Aktualisierung seiner eigenen Formseite, den nicht mehr berührten Pedalen. Albertine verschwindet durch diesen technischen Semiotisierungs-Prozess ein zweites Mal. Das Mittel, mit dessen Hilfe ihr Verschwinden erzählbar wird, die Formseite der Technik, verdeckt nicht nur die eigene Funktion,[15] sondern reduziert sie selbst auf ein von ihrem Körper abtrennbares Kleidungsstück: So wie die Begegnung von Regenschirm und Nähmaschine auf dem Seziertisch die Abwesenheit des menschlichen Leichnams impliziert, fordert die Begegnung von Hausschuhen und Fußhebeln die Abwesenheit von Albertines Körper. Wenn in dem zitierten Abschnitt vom Schatten „des Apparates oder des ihn Bedienenden" die Rede ist, so bietet diese Alternative Anlass zu einer weiteren Differenzierung: Das technische Erscheinen des Verschwindens nimmt das eine Mal die Form der Subjektivität, des dem Apparat unterworfenen, in diesem Fall um seine Erinnerung ringenden Ichs an. Das andere Mal hingegen verschwindet die Bedeutung der Schrift hinter der spezifischen Form der Buchstaben, die sich als Objekt in den Vordergrund drängen.

---

[13]   Gilles Deleuze: *Proust et les signes*, Paris 1986, S. 178–179.

[14]   „[...] le pianola sur les pédales duquel elle appuyait ses mules d'or, un seul des objets dont elle avait usé et qui tous, dans le langage particulier que leur avaient enseigné mes souvenirs, semblaient vouloir me donner une traduction, une version différente, m'annoncer une seconde fois la nouvelle, de son départ" (AD 13–14).

[15]   Hier beziehe ich mich auf einen Aufsatz von Hans Blumenberg, den ich schon in mehreren Beiträgen zum Ausgangspunkt einer Proust-Lektüre genommen habe („Lebenswelt und Technisierung unter Aspekten der Phänomenologie", in: ders.: *Wirklichkeiten in denen wir leben*, Stuttgart 1981, S. 7–54, hier S. 36ff.).

Subjekt vor Objekt: Das traumatisierte Ich

Albertine stirbt bei einem Reitunfall auf dem Land, kurz nachdem sie Marcel verlassen hat. In einem regelrechten Theatercoup erhält der Erzähler kurz nach dem Telegramm mit der Todesnachricht zwei zuvor abgeschickte Briefe von ihr: Sie will sofort zu ihm zurückkehren, wenn er es möchte. Da der Ausdruck „disparu" bis zu dieser Stelle nicht oft gefallen ist, und auch im Folgenden selten bleiben wird, bleibt es offen, auf welches Ereignis sich der Titel bezieht: Die aus dem goldenen Käfig verschwundene Gefangene und der von der Erde verschwundene Leib Albertines werden in der Formel „Albertine disparue" zusammengefasst. Für den Erzähler bedeutet die neue Situation eine Steigerung der Verlustgefühle, ohne doch seine Eifersucht zu lindern. Sehr rasch verwandelt sich das *Leid* („souffrance") als Trauer über die Verstorbene (AD 58) in die eigenen *Leiden* („souffrances") des eifersüchtigen Liebhabers zurück (AD 60): Der Sturz, so heißt es, habe sie zwar in der Touraine getötet, aber nicht in seinem Inneren, wo sie lebendiger sei als je.

In Venedig, wohin er gereist ist, um die Trauer endlich abzulegen, erfährt Marcel dann überraschenderweise, dass Albertine noch lebt. Das ist, nach der Ankündigung ihres Todes, gewissermaßen der zweite Theatercoup von *Albertine disparue* – die mit dieser doppelten Peripetie die Struktur von Racines Tragödie *Phèdre* nachahmt.[16] In Venedig traf ein Telegramm von Albertine mit folgendem Inhalt ein:

> Lieber Freund, die Totgeglaubte – entschuldigen Sie – ist sehr lebendig und wünscht ein Wiedersehen, um über Heirat zu sprechen, wann Rückkehr? Alles Liebe. Albertine .(FL 335–336)[17]

Marcel freut sich nicht über die Peripetie. In dem fortgeschrittenen Stadium der Trauerarbeit, in dem er sich nach eigenem Bekunden befindet, kann die Geliebte zwar physisch, aber nicht als die beseelte, die von ihm geliebte Albertine wiederauferstehen. Der Erzähler formuliert die Einsicht, dass er sie nicht mehr liebt, also den Verlust bewältigt hat, mit einem Bild, aus dem das Fortbestehen des Traumas nur um so deutlicher hervorgeht: „Albertine ne ressuscitait nullement pour moi avec son corps" (AD 220).[18] Das Telegramm bringt einen unbeseelten

---

16 Racines Tragödie gehört zu den zentralen Intertexten der *Recherche* und wird auch in *Albertine disparue* (s.u.) direkt zitiert. Die doppelte Peripetie ereignet sich in diesem Stück in Zusammenhang mit Thésées unerklärlichem Ausbleiben. Eine Wende der Handlung wird zunächst – im zweiten Akt – von der Nachricht seines Todes, dann aber – im dritten Akt – von seiner überraschenden Rückkehr herbeigeführt.

17 „Mon ami vous me croyez morte, pardonnez-moi, je suis très vivante, je voudrais vous voir, vous parler mariage, quand revenez-vous? Tendrement. Albertine." (AD 220)

18 Hier der Zusammenhang: „Albertine war für mich nur ein Bündel von Vorstellungen gewesen, sie hatte ihren physischen Tod überlebt, solange diese Vorstellungen in mir lebten; umgekehrt erstand Albertine [...] in keiner Weise für mich mit ihrem Körper wieder zu neuem Sein" (FL 336)" – Die Geliebte existierte also vor allem in der Imagination Marcels.

Leib, einen in Marcels Seele verstorbenen Menschen auf die Erde zurück. Ein Mann, so kommentiert er seinen Mangel an Begeisterung, sieht sich nach langer Reise oder Krankheit im Spiegel so verändert, dass sein früheres Selbstbild völlig ausgelöscht, sein früheres Ich tot ist. Die Nachricht von Albertines Rückkehr von den Toten, die ihn früher gefreut hätte, konfrontiert ihn nur mit der Tatsache, dass der Marcel von damals unwiederbringlich selbst ins Totenreich verschwunden ist und eine vom heutigen Marcel unabhängige Beobachterposition nicht existiert: „le moi éclipsé [...] n'est pas là pour déplorer l'autre" (AD 221) – „das eine, verschwundene Ich ist nicht da, um das andere zu bedauern". Durch das Telegramm wird es also unmissverständlich, dass der Schock von Albertines Verschwinden nur bewältigt wurde um den Preis eines noch tieferen Traumas, der Unfähigkeit, ein vergangenes Ich als *erinnerndes* Subjekt zu konstituieren. Das wie von einer Sonnenfinsternis verschlungene Ich („moi éclipsé") bildet gewissermaßen den Antagonisten des Subjekts, das sich mit seinem Schatten selbst vor die Lichtquelle der Laterna magica schiebt und damit die projizierten Formen verdeckt. Während der von Méliès perfektionierte Stop-Trick Frauen durch eine illusionistische Montage verschwinden lässt – so wetteifert „La disparition d'une dame" mit entsprechenden Zauberkunststücken –,[19] fehlt bei Proust die feste Beobachterposition, für die eine Illusion des Verschwindens und Wiedererscheinens eingerichtet werden könnte: das traumatisierte Subjekt kann keine Beobachterposition zweiten Grades einnehmen.[20]

Nicht das Affektbild des Films, sondern ein wie besessen mitvollzogenes Drama bildet folglich das Modell der Distanzlosigkeit:[21] Marcel sieht sich selbst

---

Jetzt, da die innere Albertine, ihr seelisches Bild, tot ist, bringt die äußerliche Auferstehung ihres Körpers, die das Telegramm ankündigt, sie nicht mehr zurück. Solche Aussagen belegen weniger die Art der Liebesbeziehung als die Probleme, mit denen der Sprecher als erzählendes und erinnerndes Ich noch zu kämpfen hat.

[19] Vgl. Tom Gunning: „‚Primitive' Cinema. A Frame-Up? Or The Trick's on Us", in: Thomas Elsaesser (Hg.): *Early Cinema. Space, Frame, Narrative*, London 1990, S. 95–103.

[20] Die Dialektik von Medium und Form, die Paech entwickelt, bedient sich der Logik Luhmannscher Systemtheorie, die an die Stelle eines Modells von Informationsübertragung tritt: Das mediale Substrat als lose Kopplung von Elementen – etwa die Schrift – entlässt aus sich Formen als festere Kopplungen von Elementen – etwa eine bestimmte Handschrift, Texte und Textsorten, etwa Erzählungen (Niklas Luhmann: *Die Gesellschaft der Gesellschaft*, Frankfurt a.M. 1997, S. 194f.); dabei werden Unterscheidungen als Bebachter definiert, und Instanzen, die Unterscheidungen beurteilen, sind folglich Beobachter zweiten Grades. Nur für das erinnernde Ich gilt hier, dass es keinen systemexternen Standpunkt einnehmen kann – das erzählende Ich hingegen tut mit seinen Aussagen nichts anderes als das.

[21] Mit dem Begriff des Affekbilds beschreibt Gilles Déleuze die sich einer affektiven Rezeption aufdrängende Großaufnahme, also ein Funktionsbündel filmischer Grundformen: Ein überdimensionales Gesicht, die Nahaufnahme einer Uhr, und Ähnliches erzeugt Spannung zwischen der räumlichen Anlage des Bildes und psychologischen Hintergründen oder Handlungspotentialen. (Gilles Déleuze: *Cinéma I. L'image-mouvement*, Paris 1983, S. 123ff.)

auf der Bühne; er *identifiziert* sich nicht mit Phèdre, er *ist* Phèdre, wenn er mit ihren Worten die alte Albertine zugunsten der „‚neue[n] Albertine‘, ‚nicht jene, wie die Unterwelt sie sah‘, ‚vielmehr getreu und stolz, ja selbst ein wenig scheu‘" (FL 340) verabschiedet.[22] Die Collage zweier – ins Femininum transponierter – Verse aus der berühmten Liebeserklärung Phèdres an Hippolyte (*Phèdre* II, 5) sagt mehr, als der Erzähler im Folgenden dazu erklärt. Oberflächlich betrachtet, stimmen die Verse zur euphorischen Feier der Jugend und der Verabschiedung der gealterten Albertine, die der Erzähler mit rhetorischem Aufwand vorbringt: Phèdre bekennt an dieser Stelle, dass sie ihren Stiefsohn seinem gealterten, sie betrügenden und auf seinen Abenteuern bis in die Unterwelt vorstoßenden Vater vorzieht, mit dem sie verheiratet ist. In ihrem Zusammenhang allerdings, wie er an einer früheren Stelle von *Albertine disparue* rekapituliert wird (AD 42–43), schmälern Racines Verse die Euphorie, anstatt sie zu bestärken. Denn erstens stellt sich die Stiefmutter Phèdre vor Hippolyte bloß, ohne ihn überzeugen zu können; der Verführungsversuch endet in einem Desaster und wirft so ein düsteres Licht auf die „Albertine nouvelle", die sich Marcel nicht weniger entzieht, die ihn nicht weniger quält, als die alte Liebe. Und zweitens sagt Phèdre in dem ausgelassenen Teil der Rede nicht anderes, als dass sie den Geliebten nicht alleine in das Labyrinth gehen lassen, sondern ihm vorangehen will. Zwischen den Zeilen, genau gesagt, nach den zitierten Versen, steht die Mitteilung der doppelten Distanzlosigkeit (also des Traumas): Albertine ist nicht alleine gestorben, wird nicht alleine in den Bleikammern eines inneren Venedig gefangen gehalten, und ihr Wiedererscheinen beendet nicht das Trauma der verloren gegangen Subjektpositionen, es befreit weder das erinnernde, noch das erlebende Ich.

Das Wechselspiel von Verschwinden und Wiedererscheinen Albertines vollzieht sich nun nicht nur in Abhängigkeit vom Subjekt, sondern auch im Zusammenhang mit anderen Frauenfiguren, die sich an die Stelle der Geliebten setzen. Verwirrung verursachen diese Reinkarnationen deswegen, weil Albertine selbst bereits ein Ersatz für Marcels Kindheitsliebe Gilberte ist, deren obskure Persönlichkeit, deren Sinnlichkeit und deren eigenwillige und listige Art sie für den Erzähler verkörpert („incarnées cette fois dans le corps d'Albertine" AD 84). Die Venedig-Episode, in der das erlebende Ich meint, durch die Reise mit seiner Mutter an einen erträumten und zauberhaften Ort die Trauer um die verlorene Geliebte durchbrechen zu können, wird zur Stätte einer wiederholten gespenstischen Wiederkehr von den Toten. Der geschichtsträchtige Raum gibt dem Verschwinden schon frühzeitig einen eschatologischen Sinn: Stumm, so heißt es, erwarten die Gebäude die verschwundenen Dogen, die „doges disparus", wieder (AD 208). Für Marcel, den die Unterhaltungen mit Albertines Freundin Andrée über ihre gemeinsame Geliebte inzwischen mehr interessieren als eine „Albertine miraculeusement retrouvée" (AD 178), führt Venedig dementsprechend eine

---

[22] „[...] ‘Albertine nouvelle’, ‘non point telle que l'ont vue les Enfers’, ‘mais fidèle, mais fière et même un peu farouche’ [...]" (AD 223).

physische Wiederkehr der entkörperlichten Frau herbei. Im Traum kehrt die Tote bereits zu einem früheren Zeitpunkt als lebende Ruine wieder, ohne den Träumer mit ihrem teilweise zerbröselten Kinn, „wie verwitterter Marmor", in Erstaunen zu setzen (FL 185).[23] Die „partie du menton tombée en miettes" läßt sich noch als Allegorie des psychologischen „émiettement", des Zustands der Vervielfachung, deuten, in dem Albertine in ihn eingedrungen ist, konfrontiert ihn also nicht dauerhaft mit ihrer physischen Präsenz. Auch die von John Ruskin beschriebenen Ruinen der Lagunenstadt (AD 269–270) und die gemalten Kostüme, in denen er das Vorbild von Albertines Fortuny-Mantel wiedererkennt, sind – wie im Fall der heimkehrenden Dogen – hinreichend symbolisch besetzt, um den Schock der Reinkarnation im Rahmen eines eschatologischen Sinns zu halten.[24] Traumatisch hingegen re-inkarniert sich die Verschwundene hier ausgerechnet im Medium der Schrift. Der untote Körper besetzt den unsymbolischen Zwischenraum, die Formdifferenz zwischen Handschrift und Telegramm.

Objekt vor Schrift: Das schreibende Ich

Denn, so die Fortsetzung des Theatercoups, die vermeintliche Botschaft aus der Unterwelt stammt nicht von der toten Reinkarnation Albertine, sondern von der lebenden Gilberte, die Marcel bald darauf auch in einem Brief ihre Heirat mit Robert de Saint-Loup mitteilt (AD 234). Die Verzerrung des Inhalts wird nicht vollständig dem schlecht funktionierenden Telegraphendienst und der Fehllektüre des Beamten zur Last gelegt, der die Botschaft umkodiert hatte: Auch der Leser selbst, so heißt es, im Zustand der Zerstreuung und Vorwegnahme, neigt dazu, das Geschriebene in seiner Imagination zu verändern, und zwar ausgehend von der Person, von der er sich eine bestimmte Art von Nachricht erwartet (AD 235). Die einzige Umkodierung, die ausführlich erklärt werden muss, ist folglich diejenige, die aus dem handschriftlichen „Gilberte" das telegraphische Zeichen für „Albertine" werden lässt.[25] Verantwortlich dafür ist die spezifische Form des Telegramms, das Redundanzen zu reduzieren verlangt und Schrift in eine klare lineare Folge übersetzt. Gilbertes Verzierungen widersetzen sich einer solchen Linearität, indem sie, so erklärt Marcel, in die jeweils obere und untere Zeile ausgreifen: Ihre T-Striche wirken wie Unterstreichungen, die I-Punkte wie Unterbrechungen der darüber liegenden Worte, während die „queues et arabesques",

23 „Une partie de son menton était tombée en miettes comme un marbre rongé [...]" (AD 120).

24 Die Mantelszene wird ausführlicher kommentiert bei Hermann Doetsch: *Flüchtigkeit. Archäologie einer modernen Ästhetik bei Baudelaire und Proust*, Tübingen 2004, S. 365ff.

25 Der Leser der *Recherche*, darauf weist Luzius Keller hin, kennt diese Eigenheit der Unterschrift Gilbertes bereits aus *À l'ombre des jeunes filles en fleurs* (Marcel Proust: *Im Schatten junger Mädchenblüte*, aus dem Französischen übersetzt von Eva Rechel-Mertens, revidiert von Luzius Keller und Sibylla Laemmel, Frankfurt a.M. 1995, S. 109).

die Schleifen und Schnörkel, sich unter die darunter liegenden Zeichen mischen. So wird die Metamorphose der lebenden Gilberte in die untote Albertine auf die Formdifferenz von gewollt eigener Handschriftseite und redundanzlosen Telegrammzeilen zurückgeführt:

> [...] Ganz natürlich, daß der Angestellte des Telegraphenbüros die Schlingen der s oder y in der oberen Zeile als ein „ine" gelesen hatte, das sich dem Namen Gilberte anschloß. Der Punkt auf dem i von Gilberte hatte sich mit der Wirkung einer Fermate nach weiter oben verirrt. Was das G von Gilberte betraf, so sah es aus wie ein deutsches A. (FL 357)

Ein Blick auf den Wortlaut des Telegramms genügt, um zu erkennen, dass an dieser „natürlichen" Erklärung etwas nicht stimmen kann: Es kommt darin nur ein einziges „y" zu Anfang vor, in „croyez"; entweder der Telegrammtext lautete in einer früheren Version anders – oder aber es müsste heißen *de s ou de z*; denn ein kleines „Z" geht in dem späten „revenez-vous" dem abschließenden „s" positionsgleich am Ende der mit Bindestrich verbundenen Wörter voraus, so dass sie beide tatsächlich gleichermaßen in die Unterschrift vorstoßen könnten. Das „S" nun erscheint an einer früheren Stelle von *Albertine disparue* als verkürzter Name des Vaters von Gilberte, Charles Swann. Nachdem ihre Mutter Odette den adligen Monsieur de Forcheville geheiratet hat, unterzeichnet auch die Tochter, die sich ihrer bürgerlich-jüdischen Herkunft schämt, mit „G. S. de Forcheville" (AD 167). Der Erzähler kommentiert diese Strategie ausführlich, deren wahrhafte Heuchelei darin bestehe, nicht nur das Patronym, sondern auch den eigenen Vornamen abzuschneiden („amputation"), damit nicht Verheimlichung, sondern Verkürzung das Ziel scheint. Die konventionelle Metapher des *Buchstaben-Schwanzes*, die bei der Beschreibung ihrer Handschrift wiederkehrt, wird an dieser Stelle ausführlich remotiviert:

> Sie verlieh sogar dem S eine besondere Wichtigkeit, indem sie es zu einem langen Schwanz auszog, der quer durch das G lief, aber doch so, daß man ihn als nur vorläufig und dazu bestimmt ansah, in der gleichen Weise zu verschwinden wie jener beim Affen noch voll ausgebildete, der beim Menschen nicht mehr existiert. (FL 254–255) [26]

Der beschnittene Name des Vaters streicht die Initiale der Tochter durch: Diese Figur imaginiert Marcel auch in der ihm nicht vorliegenden Handschrift zum Telegramm, mit der entscheidenden Änderung allerdings, dass das „S" sich als Minuskel, als klein „s" vom groß „S" des Patronyms gelöst hat und zum Attribut der anderen Frau wird. Die Alternative von „S" und „Y", die durch den Telegrammtext nicht begründet werden kann, verrät – ähnlich wie die von Roland Barthes an Balzacs *Sarrasine* analysierte Differenz von „S" und „Z" –, dass das „natürliche" Missverständnis auf der Präsenz des anderen Geschlechts in der

---

[26] „Même elle donnait une importance particulière à l'S, et en faisait une sorte de longue queue qui venait barrer le G, mais qu'on sentait transitoire et destinée à disparaître comme celle qui, encore longue chez le singe, n'existe plus chez l'homme." (AD 167)

Schrift beruht. So bevölkern sich Prousts Manuskriptseiten – insbesondere die frühen Textstadien – und seine Briefe von kleinen Figuren, Profilen, Pfauen, Regenschirme tragenden oder mit sonstigen Instrumenten bewaffneten Frauen,[27] die – wie Sibylla Laemmel beobachtet hat – fließend in die Schrift übergehen.[28]

In diesem Zusammenhang lässt sich auch die merkwürdige Personifikation der Schriftzüge verstehen, mit der das Wiedererkennen einer vertrauten Hand an einer anderen Stelle von *Albertine disparue* erklärt wird:

> [...] Jede Person, selbst die bescheidenste, verfügt über die gewissen kleinen Hausgeister [petits êtres familiers], die, wiewohl lebendig, in einer Art von Erstarrung aufs Papier gebannt sind: die Züge der besonderen Schrift, die einzig ihr zu Gebote stehen. (FL 162)[29]

Die kleinen vertrauten Lebewesen befinden sich nun selbst in einem Dämmerzustand zwischen Leben und Tod, der auf die Funktion der Zeichen Gilbertes, und insbesondere des „Affenschwanzes" im Folgenden vorausweist. Wenn der „S"-Schnörkel als ein im Verschwinden begriffenes dysfunktionales Element eingeführt wird, so eliminiert die Umkodierung der Handschrift in eine Telegrammsequenz auch noch das Rudiment. Allerdings produziert das „disparaître" keinen

---

[27] Roland Barthes beschreibt anhand von Balzacs Erzählung *Sarrasine* die Buchstabengestalt als sinntragende Zeichenebene. So gilt etwa das „Z" aufgrund seiner Form als „lettre de la mutilation" und seine strukturelle Opposition zum „S" als „rapport de l'inversion graphique". Buchstaben werden durch ihre Kontexte – im vorliegenden Fall die Geschichte der Liebe zu einem Kastraten – mit einem Geschlecht versehen bzw. beteiligen sich an der Verhandlung über die Bedeutung der Geschlechterdifferenz (Barthes: *S/Z*, Paris 1970, S. 113). Als Besonderheit muss es demgegenüber gelten, wenn die Buchstaben graphisch, also etwa im Stil des Kalligramms, figürliche Kontexte erzeugen. Die von mir als Illustration gewählte Handzeichnung Prousts läßt z.B. aus einer Art „y"-Gabelung verschiedene Frauenfiguren entstehen (Philippe Sollers: *L'œil de Proust. Les dessins de Marcel Proust*, Paris 1999, S. 121).

[28] Sibylla Laemmel: „Marcel Proust als Zeichner", in: Reiner Speck/Michael Maar (Hg.): *Marcel Proust. Zwischen Belle Époque und Moderne*, Frankfurt a.M. 1999, S. 155–167, hier S. 162–164. Mit Regenschirmen und ähnlichem ausgestattete Damen zeigen die Skizzen, die Sollers: *L'œil de Proust*, S. 31, 51, 112, 113, 136, 137 reproduziert. Gelegentlich gibt der Erzähler sich als Zeichner zu erkennen, etwa in der Schilderung der phallischen Figur Gilbertes mit der Schaufel: „Ich hätte das Lichtviereck aufzeichnen können, das die Sonne unter dem Weißdorn beschrieb, die Schaufel, die das kleine Mädchen in der Hand hielt, den langen Blick, den sie auf mich heftete." / „J'aurais pu dessiner le quadrilatère de lumière que le soleil faisait sous les aubépines, la bêche que la petite fille tenait à la main, le long regard qui s'attacha à moi." Dieser Blick wird von einem „geste grossier" – einer „unartigen Geste" – begleitet (FL 412 / AD 271).

[29] „[...] Chaque personne, même la plus humble, a sous sa dépendance ces petits êtres familiers, à la fois vivants et couchés dans une espèce d'engourdissement sur le papier, les caractères de son écriture que lui seul possède." (AD 105).

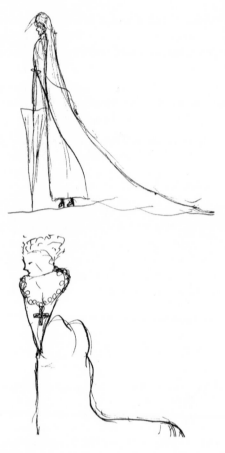

intakten, von seinen Primaten-Anteilen abgelösten Menschenkörper, sondern einen Fehler, eine Kippfigur: Albertine als Wiedergeburt der Kindheitsliebe Gilberte steht nur von den Toten auf, um sich wieder in Gilbertes Phantasma zurückzuverwandeln. Die Ambivalenz von Leben und Tod, die den einerseits wie leblos dämmernden und andererseits wieder wie kleine Tierchen belebten Schriftzügen zu eigen ist, verwandelt das Verschwinden von einer Figur des ontogenetischen Identitätsgewinns, der Mensch- oder Mannwerdung („chez l'homme"), zu einer Figur der Geschlechter-Dekonstruktion. Der sich durch alle Erfahrung hindurch prägende und immer wieder erscheinende Charakter, von welchem der Erzähler besessen ist, meint in diesem Zusammenhang nichts anderes als die Homosexualität der Geliebten. Albertines Verschwinden nämlich bringt für ihn die Zeichen zum Vorschein, „die auf dem Grund ihrer traurig ergebenen Augen, auf ihren plötzlich von unerklärlicher Röte übergossenen Wangen – beim Geräusch des jäh geöffneten Fensters – wie mit unsichtbarer Tinte eingeschrieben waren" (FL 15)[30]

Eben Charakter, der mit sympathischer Tinte vorgeschrieben zu sein scheint, ermöglicht aber auch das Schreiben des Erzählers, produziert dieses in einer ähnlichen Ambivalenz. Das postume Wechselspiel von erscheinenden und wieder verschwindenden Textteilen, das die Herausgeberin Anne Chevalier konstatiert, erhält vor diesem Hintergrund einen besonderen Sinn. Als prekäre Kopplung, die sich an der Schwelle zum Verlöschen des Autors vollzieht, schieben sich Schriftzüge und die aus Schrift entstehenden, gezeichneten Figuren in *Albertine disparue* – anders als in den übrigen Teilen der *Recherche* – häufig vor die Figuren der Erzählung. Nicht zufällig fordern fiktionsinterne Allegorien wie diejenige vom Schatten „des Apparates oder des ihn Bedienenden" eine andere Unterscheidung als diejenige von erzählendem und erlebendem Ich. Von den zahlreichen Techniken des Verschwindens, welche die vervielfachte Albertine in den Schatten ihrer eigenen Teilobjekte, in den des Subjekts oder anderer Körper stellen, führt diese letzte Technik, *das Schreiben*, von der Rhetorik der Fiktion in diejenige moralistischer Menschenkunde hinüber. Die Schrift infiltriert aber nicht nur das Subjekt und den Gegenstand der Beobachtung, sondern auch die anthropologische Einsicht des Erinnernden selbst: wenn die „gewissen kleinen Hausgeister" in diesem Sinn immer weiter an *Albertine disparue* arbeiten, so lässt das Licht, welches sie sichtbar macht, ihr Werk jeweils wieder verschwinden

---

[30] „[...] signes tracés comme avec de l'encre invisible, à l'envers des prunelles tristes et soumises d'Albertine, sur ses joues brusquement enflammées par une inexplicable rougeur, dans le bruit de la fenêtre qui s'était brusquement ouverte!" (AD 7).

Zurückgekehrt, um dramatischer zu verschwinden?
Hysterikerinnen im englischsprachigen Gegenwartsdrama

Christina Wald

Seit den späten 1980er Jahren wurde in London eine Gruppe von Dramen erstaufgeführt, die psychiatrische und psychoanalytische Hysterie-Fallstudien neu verhandeln. Zu den wichtigsten Vertretern dieses *Drama of Hysteria* gehören Anna O.s *Dora* (1987) und *Howl in the Afternoon* (1992), Anna Furses *Augustine (Big Hysteria)* (1991), Kim Morrisseys *Dora: A Case Of Hysteria* (1993), Terry Johnson: *Hysteria or Fragments of an Analysis of an Obsessional Neurosis* (1993), Snoo Wilsons *Sabina* (1998) und Christopher Hamptons *The Talking Cure* (2002). Im Folgenden sollen Anna Furses *Augustine*, Kim Morrisseys *Dora* und Terry Johnsons *Hysteria* exemplarisch untersucht werden, da sie inhaltlich und stilistisch unterschiedliche Auseinandersetzungen mit tatsächlichen und fingierten hysterischen Fallgeschichten bieten. Die Inszenierung des Verschwindens – oft eines mehrfachen Verschwindens – der (vermeintlich) hysterischen Protagonistin lässt dabei Rückschlüsse zu auf den jeweiligen Zugriff der Dramen auf das Phänomen der Hysterie und trägt so zur Beantwortung der Frage bei, warum Dramatiker auf ein Jahrhundert alte Fallgeschichten zurückgreifen, die eine nicht mehr länger aktuelle Krankheitsform beschreiben. Diesen Anliegen soll im Folgenden in zwei Schritten nachgegangen werden. Der Titel „Zurückgekehrt, um dramatischer zu verschwinden?" enthält bereits die relevanten Aspekte, die untersucht werden sollen, nämlich die Frage, inwiefern sich beim *Drama of Hysteria* von Rückkehr sprechen lässt und welche Rolle das dramatische Verschwinden in den ausgewählten Theaterstücken spielt.

I. Rückkehr

Die Theaterstücke des *Drama of Hysteria* lassen sich als postmoderne *history plays* lesen, die Hysterikerinnen zurückkehren lassen, um in einer *what if*-Struktur historische Tatsachen neu zu beleuchten. Sie präsentieren drei Hysterikerinnen, die im späten 19. und frühen 20. Jahrhundert behandelt und durch Publikationen ihrer Therapeuten, Jean-Martin Charcot und Sigmund Freud, bekannt wurden. Die Dramen kombinieren historische Fakten und Fiktion, weben Zitate aus den *case studies* in die fiktionalen Repliken der Figuren und nutzen historisches Bildmaterial als integrativen Bestandteil ihrer theatralen Bilder.

Anna Furse: *Augustine (Big Hysteria)* (1991)

In ihrem Theaterstück *Augustine (Big Hysteria)* inszeniert die Autorin und Regisseurin Anna Furse den Fall von Jean-Martin Charcots fünfzehnjähriger „Star"-Patientin Augustine. Charcot, der wohl berühmteste Neurologe und Psychiater im letzten Drittel des 19. Jahrhunderts, leitete seit 1862 die Pariser Klinik *La Salpêtrière* und machte sie zum Zentrum der europäischen Hysterieforschung. Er etablierte die Kategorie der *Grande Hysterie*, die aus einem großen hysterischen Anfall mit vier Phasen besteht, die extreme körperliche Verrenkungen, spontane Lähmungen, Halluzinationen und ein abschließendes Delirium beinhalten. Augustine gilt als Personifizierung der von Charcot klassifizierten *Grande Hystérie* und ist bis heute bekannt durch die Fotografien, die während ihrer Behandlung in der Pariser Klinik von ihr gemacht und zusammen mit ihrer Fallgeschichte in drei Sammelbänden, den *Iconographie photographique de la Salpêtrière*, in den 1870er Jahren veröffentlicht wurden.[1]

Furse schreibt Augustines Fallgeschichte, wie sie in dem zweiten Band der *Iconographie photographique* referiert wird, aus feministischer Perspektive neu. In ihrem *what-if-play* lässt die Autorin Augustine nicht nur auf Charcot, sondern auch auf Sigmund Freud treffen, der erst fünf Jahre nach Augustines Flucht aus der Klinik, nämlich ab Oktober 1885, zu einem Forschungsaufenthalt in der Salpêtrière eintraf und in den Folgejahren die Hysterietheorie revolutionierte. Er ging zunächst innovativ von einem *psychischen*, häufig sexuellen, Trauma als Ursache der Hysterie aus, konzeptionalisierte dann aber, in einer Relativierung seiner euphemistisch als „Verführungstheorie" bezeichneten Missbrauchstheorie, hysterische Symptome auch als Manifestation unterdrückter (sexueller) Fantasien. Furse stärkt Freuds erste Lesart der Hysterie, indem sie Augustine als Opfer traumatischer Missbrauchserfahrungen präsentiert und ihre hysterischen Anfälle als Ausagieren, als unbewusste Aktualisierung und Re-Inszenierung des Traumas, darstellt.

Gleichzeitig betont Furse den theatralen und inszenierten Charakter von Charcots *Grande Hystérie*, der in der Forschung verschiedentlich herausgestellt worden ist, vor allem von den so genannten *New Hysterians* wie Elaine Showalter, Georges Didi-Huberman, Sander L. Gilman und Elisabeth Bronfen.[2] Furses Drama erprobt mit den Mitteln des Theaters die These dieser Forscher, dass die klassischen großen hysterischen Anfälle das Produkt einer kollaborativen, per-

---

[1] Vgl. Désiré-Magloire Bourneville und Paul Régnard: *Iconographie photographique de la Salpêtrière I*, Paris 1876–7; *Iconographie photographique de la Salpêtrière II*, Paris 1878; *Iconographie photographique de la Salpêtrière III*. Paris 1879–80.

[2] Georges Didi-Huberman: *The Invention of Hysteria: Charcot and the Photographic Iconography of the Salpêtrière*, übers. Alisa Hartz. Cambridge, MA und London 2003. Sander L. Gilman: „The Image of the Hysteric", in: ders., Helen King, Roy Porter, G. S. Rousseau, and Elaine Showalter (Hg.): *Hysteria Beyond Freud*, Berkeley and London 1993, S. 345–452. Elisabeth Bronfen: *The Knotted Subject: Hysteria and Its Discontents*, Princeton 1998.

formativen Kreation waren, die von den Ärzten inszeniert und von den Patientinnen verkörpert wurden, „[whose] spectacular bodies did fantastical things [...] in front of amused audiences".[3] Furses Theaterstück präsentiert Charcots öffentliche Vorlesungen, in denen Augustine auf Stichwort ihre hysterischen Anfälle erleidet, demgemäß als *play-within-the-play* und zeigt, wie Augustine während ihres Aufenthalts in der Salpêtrière trainiert wird, das Ideal der *Grande Hystérie* zu imitieren.

Kim Morrissey: *Dora – A Case of Hysteria* (1993)

Kim Morrisseys *Dora – A Case of Hysteria* verhandelt die Fallgeschichte von Sigmund Freuds wohl berühmtester Patientin Dora (alias Ida Bauer), deren Fall Freud in seinem „Bruchstück einer Hysterie-Analyse" (1905) präsentiert. Während Augustine als paradigmatische „große Hysterikerin" gelten kann, ist Dora die paradigmatische Vertreterin der von Freud klassifizierten *kleinen* Hysterie. Im „Bruchstück" beschreibt Freud Doras bekannte Geschichte, in der Dora als sexuelles Tauschobjekt fungieren soll zwischen Herrn K. und ihrem Vater, der laut Dora eine Affäre mit Frau K. hat.

Morrisseys feministische Lesart der Fallstudie filtert das komische Potential aus Freuds Text und inszeniert eine Komödie, die Freud zum Objekt des Spottes macht. Auch Dora ist in Morrisseys Lesart einem psychischen Wiederholungszwang der traumatischen Missbrauchserfahrungen durch Herrn K ausgeliefert. So wiederholt sie beispielsweise die Übergriffe durch Herrn K. in ihren Alpträumen. Nach Freuds Argumentation – sowohl in der Fallstudie als auch auf der Bühne – sind auch Doras körperliche Symptome wie ihr Hinken, ihr Husten, ihre phasenweise Sprachlosigkeit und ihre Kopfschmerzen Teil ihrer Hysterie, die Freud gemäß seiner neueren Theorien nicht mehr nur als Reproduktion eines Traumas, sondern auch als Mittel der sexuellen Wunscherfüllung sieht.

Morrisseys Drama entzieht diesen Theorien Freuds jegliche Grundlage, indem es betont, dass Doras körperliche Leiden nicht hysterisch, sondern ein organisches Erbe der Syphilis ihres Vaters sind. Dieses Argument konnte Morrissey von Freud selbst übernehmen, der in seinen Fußnoten oft dem Haupttext der Fallgeschichte widerspricht. So entkräftet er durch die Erwähnung der Syphilis und derer Auswirkungen seine Hauptthese, „dass man die Verursachung der hysterischen Erkrankungen in den Intimitäten des psycho-sexuellen Lebens der Kranken finden wird, und dass die hysterischen Symptome der Ausdruck ihrer geheimsten verdrängten Wünsche sind".[4] Freuds Bemühen, den Fall entspre-

---

3 Stephen Katz: „Charcot's Older Women: Bodies of Knowledge at the Interface of Aging Studies and Women's Studies", in: Kathleen Woodward (Hg.): *Figuring Age: Women, Bodies, Generations*, Bloomington and Indianapolis 1999, S. 112–27, hier S. 118.

4 Sigmund Freud: „Bruchstück einer Hysterie-Analyse", in: ders.: *Gesammelte Werke*, Bd. V, Frankfurt a.M. 1999, S. 161–268, hier S. 164.

chend seiner Theorie des Ödipuskomplexes und der inzestuösen Fantasien Doras zu deuten, die sich laut Freud auf den Vater und in Stellvertreterfunktion auf Herrn K. und Freud selbst beziehen sollen, interpretiert Morrisseys Drama so als wissenschaftliche sowie sexuelle Wunschfantasien Freuds.

Terry Johnson: *Hysteria – or Fragments of an Analysis of an Obsessional Neurosis* (1993)

Terry Johnsons *Hysteria* gibt vor, die Fallgeschichte von Freuds Patientin Rebecca S. alias Miriam Stein neu zu verhandeln, als die Tochter der verstorbenen Patientin 1938 Freud in seinem Londoner Wohnsitz aufsucht – und zwar am gleichen Tag, an dem Salvador Dalí den von ihm bewunderten Freud trifft. Während die Begegnung von Freud und Dalí auf Tatsachen beruht, ist der Fall Rebeccas sowie der Besuch ihrer Tochter jedoch eine freie Erfindung Johnsons. Die angebliche Freudsche Fallgeschichte entnimmt aus tatsächlichen Publikationen biographische Elemente und hysterische Symptome der Patientin sowie argumentative Strukturen Freuds und kombiniert sie zu einer fingierten Fallgeschichte.

Wie Furse und Morrissey unterstützt auch Johnson Freuds frühe Lesart der Hysterie als psychische Traumatisierung und kritisiert Freuds Abkehr von der Verführungstheorie. Johnson präsentiert seinen Beitrag zum *Drama of Hysteria* als Farce, die sowohl den Schmerz der traumatisierten Patientin betont als auch die komischen Elemente der Begegnung zwischen Jessica Stein, Freud und Dalí. Die Theaterstücke des *Drama of Hysteria* können daher als theatrale Beiträge zu einer Entwicklung in den Geisteswissenschaften und der Psychologie gewertet werden, die Freuds Reform seiner Verführungstheorie kritisieren und als Leugnung der gesellschaftlichen Verbreitung von Kindesmissbrauch lesen. Der wohl prominenteste Vertreter dieser *seduction theory revivalists* ist Jeffrey Moussaieff Masson, der in seiner Studie mit dem bezeichnenden Titel *The Assault on Truth: Freud's Suppression of the Seduction Theory* für so intensive Diskussion innerhalb und außerhalb der psychoanalytischen Kreise sorgte, dass die bis heute andauernde Debatte als „memory wars" bezeichnet wird.[5]

Die Rückkehr eines Genres

Neben der Rückkehr tatsächlicher oder fingierter Hysterikerinnen bedeutet das *Drama of Hysteria* auch eine genregeschichtliche Rückkehr: Hysterikerinnen kehren nach einer etwa hundertjährigen Abwesenheit als Protagonistinnen auf

---

[5] Jeffrey Moussaieff Masson: *The Assault on Truth: Freud's Suppression of the Seduction Theory*, New York 1984. Frederick Crews and his critics: *The Memory Wars: Freud's Legacy in Dispute*, New York 1995. Richard Webster: *Why Freud Was Wrong: Sin, Science and Psychoanalysis*, New York 1995.

die Bühne zurück. Es geht um eine Neuverhandlung des Genres *Drama of Hysteria* in den genannten zeitgenössischen Stücken. Das zeitgenössische *Drama of Hysteria* steht einerseits in der Tradition des Theaters der *Grande Hystérie*, des Melodrams des 19. Jahrhunderts, dessen Schauspielstil sich an den übertriebenen Gesten der großen Hysterie orientierte. Sarah Bernhard, die wohl berühmteste Schauspielerin dieser Ära, besuchte sogar Charcots öffentlichen Dienstagsvorlesungen und ließ sich von dem gestischen Repertoire der vorgeführten Hysterikerinnen inspirieren:[6]

> By the early to mid-nineteenth century, hysterical women (who were often considered degenerate, duplicitous actresses) became semiotically indistinguishable from actresses playing hysterical fallen women in melodrama. In both we find eye rolling, facial grimaces, gnashing teeth, heavy sighs, fainting, shrieking, choking; „hysterical laughter" was a frequent stage direction as well as a common occurrence in medical asylums.[7]

Ein anderer Vorläufer des zeitgenössischen *Drama of Hysteria* ist der europäische Realismus nach dem Modell Ibsens, den Elin Diamond als das Theater der kleinen Hysterie kategorisiert. Sie argumentiert, dass Ibsens Protagonistinnen, Frauen mit Vergangenheit, als Hysterikerinnen gelesen werden können und dass der neue Schauspielstil des psychologischen Realismus sich der Psychoanalyse als eines Beglaubigungs-Instrumentes bediente: „In deciphering the hysteric's enigma, realism celebrates positivist inquiry, thus buttressing its claims for ‚truth to life'".[8] Die Aufgabe der Bühnenfiguren, aber auch die des Publikums, das Geheimnis der Protagonistin zu lüften bietet „hermeneutic pleasure",[9] das dem melodramatischen Drama der großen Hysterie völlig fehlte, da das standardisierte Zeichenrepertoire des Melodrams sich mühelos entschlüsseln ließ. Die Hinwendung zum analytischen, realistischen Drama der kleinen Hysterie bedeutete auch einen Übergang von einem visuell orientierten Drama des Spektakels und der großen Gesten zu einem Drama, dessen Handlung hauptsächlich in der verbalen Auseinandersetzung besteht.

Die erneute Popularität der Hysterie auf der Bühne in den 1990er Jahren steht einerseits im Zusammenhang mit der Relevanz der Gender-Debatte, durch die auch die Hysterie, die über Jahrtausende als weibliche Krankheit schlechthin galt,[10] erneutes Interesse gefunden hat. Andererseits ist die Rückkehr der Hysterikerinnen auf die Bühne Teil einer Entwicklung im britischen (wie auch im gesamteuropäischen und nordamerikanischen) öffentlichen Diskurs der 1990er, der

---

[6] Vgl. Mark Micale: *Approaching Hysteria: Disease and Its Interpretations*, Princeton 1995, S. 198.

[7] Elin Diamond: „Realism and Hysteria: Toward a Feminist Mimesis", in: *Discourse* 13.1 (1990–1991), S. 59–92, hier S. 63.

[8] Diamond, Realism, S. 60.

[9] Diamond, Realism, S. 69.

[10] Vgl. zum Genderdiskurs der Hysterie z.B. Elaine Showalter: *The Female Malady: Women, Madness, and English Culture 1830 – 1980*, London 1985.

Thematisierung des sexuellen Kindesmissbrauchs. Diese Debatte machte das Wissen um kindliche Traumatisierungen und deren Folgen zumindest schlagwortartig zum Allgemeinwissen. Lynne Segal bezeichnet das Schicksal des missbrauchten Kindes sogar als „the most culturally ubiquitous narrative available for explaining all manner of social problems and individual failures and misfortunes today" and „one of the central moral tales of our time"[11], und Jenny Kitzinger agrumentiert, dass die „Entdeckung" des sexuellen Kindesmissbrauchs „an extraordinary cultural transformation in public and private knowledge"[12] bewirkte, durch den Missbrauch und Traumatisierung sich „from cultural vacuum to multiple media mediation" entwickelte.[13] Eine große Gruppe von englischsprachigen Dramen befasst sich in einem zeitgenössischen Setting mit dem Thema;[14] neben dieser fast tagesaktuellen Beschäftigung mit dem Phänomen, die sich auch auf bestimmte, durch die Medien bekannte Fälle von Missbrauch bezieht, verfolgen die Dramatiker und Dramatikerinnen des *Drama of Hysteria* Kindesmissbrauch geschichtlich zurück und untersuchen mit der Hysterie des ausgehenden 19. Jahrhunderts die Grundlagen unseres heutigen Trauma-Konzepts.

II. Verschwinden

In den Inszenierungen ist der Modus des Verschwindens der Hysterikerinnen, so meine These, kennzeichnend für den jeweiligen Zugriff der Dramen auf das Phänomen der Hysterie. Meine Untersuchung des Verschwindens widmet sich sowohl der innerfiktionale Ebene der Dramenhandlung – der Frage, warum und zu welchem Zeitpunkt die Hysterikerin den Therapeuten verlässt – als auch der außerfiktionalen, stilistischen Ebene der Inszenierung. Dabei kann die im Titel dieses Beitrags formulierte Frage: „Zurückgekehrt, um dramatischer zu verschwinden?" auch als Strukturprinzip der Stücke gelten, denn nach dem durch die Fallstudie vorgegebenen Verschwinden aus der therapeutischen Behandlung kehren die Hysterikerinnen in den drei Stücken immer noch mindestens einmal zurück, um noch einen zweiten, alternativen Abgang zu erproben.

---

11   Lynne Segal: *Why Feminism? Gender, Psychology, Politics*, Cambridge 1999, S. 119.
12   Jenny Kitzinger: „Transformations of Public and Private Knowledge: Audience Reception, Feminism and the Experience of Childhood Sexual Abuse", in: *Feminist Media Studies* 1.1 (2001), S. 91–104, hier S. 91.
13   Kitzinger, Transformations, S. 92.
14   In meiner Studie *Hysteria, Trauma, and Melancholia: Performative Maladies in Contemporary Anglophone Drama* (Basingstoke and New York 2007) untersuche ich diese Dramengruppe als „Trauma Drama".

Anna Furse: Augustine (Big Hysteria) (1991)

Augustine verlässt erst in den letzten Minuten der Aufführung zum ersten Mal die Bühne. Ihr erstes Verschwinden praktiziert, den historischen Tatsachen entsprechend, die heimliche Flucht der Hysterikerin aus der Salpêtrière, eine Flucht, die unbemerkt bleibt von den Ärzten und möglicherweise auch vom Publikum, die das Stück durch seine Vorlesungsstruktur und die Adressierungen Charcots ebenfalls zum ärztlichen, rein männlichen Fachpublikum deklariert. Unbemerkt deshalb, weil Augustine die Bühne in einem visuell und akustisch überladenen Moment der Inszenierung verlässt, während einer fast stroboskopisch schnellen Montage der historischen Photographien von Augustine und einem Crescendo des Soundtracks. Die Entflohene kehrt aber noch einmal auf die Bühne zurück und reflektiert ihr Verschwinden verbal in einem Schlussmonolog, in dem sie das Publikum und die Ärzte Charcot und Freud direkt adressiert – allerdings trägt Augustine nicht mehr ihr weißes Nachthemd sondern die Kleidung von Charcot und Freud. Furse bezieht sich hier auf die historische Vorlage, denn Augustine floh in Männerkleidung aus der Salpêtrière. Optisch ist die paradigmatische Hysterikerin Augustine also bereits verschwunden, denn das Aussehen der Figur auf der Bühne entspricht nicht mehr den Fotografien aus der Salpêtrière, die Furse wiederholt auf den Körper der Schauspielerin von Augustine projiziert hatte.

Augustines Crossdressing symbolisiert nicht nur den Ausbruch aus der ständigen Re-Inszenierung von Charcots Modell der *Grande Hysterie*, sondern auch aus dem vestimentären Code von Weiblichkeit. Hysterie und Weiblichkeit waren in der wechselhaften Geschichte der Hysterie als Krankheitskonzept und kulturelles Konzept immer eng verknüpft und im späten 19. Jahrhundert nahezu synonym. Augustine zitiert daher in ihren hysterischen Symptomen immer schon die damalige Weiblichkeitsnorm, allerdings in übertriebener Weise: So übersteigern beispielsweise ihre Ohnmachtsanfälle den von der Frau erwarteten Machtverzicht und ihre Unterordnung, ihre Katalepsien übertreiben die der Frau zugeschriebene Passivität und ihre Lach-, Wein- und Wutanfälle übertreffen die als typisch weibliche geltende Emotionalität und Labilität. Auch Augustines Schlussmonolog verknüpft Weiblichkeit und Hysterie, indem er den Ausstieg verkündet aus kulturellen Mustern welche die Wahrnehmung von Hysterie und Weiblichkeit prägen. Furse macht in ihrer Einleitung zu *Augustine* deutlich, dass sie ihre Auseinandersetzung mit der Hysterie auf diejenige feministische Theoriebildung stützt, wie sie etwa von Hélène Cixous in *La Jeune Née* vertreten wird.[15] Sie sieht die Hysterikerin als Rebellin gegen den Phallogozentrismus. Augustines hysterische Körpersprache verspricht in dieser Denkart den Zugang zu einer alternativen, genuin weiblichen Ausdrucksform, wie Furse betont: „such

---

[15] Hélène Cixous und Catherine Clément: „The Untenable", Ausschnitt aus *The Newly Born Woman*, in: Charles Bernheimer und Claire Kahane (Hg.): *In Dora's Case: Freud – Hysteria – Feminism*, New York 1990, S. 267–93.

unboundaried utterance is also a rebellion against (patriarchal) Civilisation and a return to a savage (feminine) Nature".[16]

Augustine zelebriert in ihrem Schlussmonolog eine Rhetorik des Verschwindens, welche die Explosion und anschließende Neuzusammensetzung des weiblichen hysterischen Körpers diesem Muster gemäß ankündigt. Augustines letztes Statement (in einem an Artauds Pathos erinnernden Duktus[17]) lautet:

> I'm leaving your stage! The masterpiece has been stolen! [...] You will see my body fly away in a thousand sparks [...] I will disappear. Dismembered. I will return. Re-membered. I will come together again in a form you won't recognise. Me and my magical body! [...] Then I will tell everything, as I remembered myself. And you, you will put your tools down, you will listen, really listen, and you will believe every word I say...[18]

Diese Predigt des explosiven Verschwindens wird vom Bühnengeschehen allerdings nicht praktiziert: Als Abschlussbild der Theateraufführung verlässt Augustine die Bühne zaubertrickartig durch ein Lichtfenster. Dieser Abgang betont gerade das Artifizielle und Nicht-Authentische der theatralen Repräsentation statt einen Vorgeschmack zu geben oder geben zu können auf diese „new stage" (d.h., diese neue Bühne oder diese neue Phase) der Authentizität jenseits der „tools" der kulturell, und damit patriarchalisch, geprägten Wahrnehmung.

Umso weniger ist das verbal angekündigte Comeback des hysterischen Körpers auf der jetzigen Bühne, in der jetzigen Phase, praktizierbar. Furse verschiebt diese Ankunft des neuen Körpers Augustines, der nur mit einer neuen Wahrnehmung der anderen, also des Publikums, einhergehen kann, auf einen unbestimmten Punkt in der Zukunft und auf eine andere Bühne. Aus Sicht der poststrukturalistischen, performativen Gender-Theorie ist dieses explosive Verschwinden des hysterischen Körpers und seine Rematerialisierung als genuin weiblicher Körper undenkbar; die von Furse avisierte neue Bühne würde ortlos, utopisch bleiben. Auf Augustines Sehnsucht nach der Befreiung von den „tools" der kulturellen Wahrnehmung scheint eine Passage aus Judith Butlers *Gender Trouble* demgemäß direkt und desillusionierend zu antworten: „there is no self [...] who maintains ,integrity' prior to its entrance into this conflicted cultural

---

16 Anna Furse: „Introduction", in: dies.: *Augustine (Big Hysteria)*, Amsterdam 1997, S. 1–14, hier S. 10.

17 Vgl. Artaud: „I say it / as I know how to say it / immediately / you will see my present body / fly into pieces / and under ten thousand / notorious aspects / a new body / will be assembled / in which you will never again / be able / to forget me". Antonin Artaud: *Selected Writings*, hrsg. von Susan Sontag, übers. von Helen Weaver, New York 1976 [1913–48], S. 659.

18 Anna Furse: *Augustine (Big Hysteria)*, Amsterdam 1997, S. 49.

field. There is only a taking up of the tools where they lie, where the very ‚taking up‘ is enabled by the tool lying there“.[19]

Kim Morrissey: *Dora – A Case of Hysteria* (1993)

In Morrisseys Theaterstück *Dora* verschwindet die Hysterikerin sogar drei Mal, kehrt aber schließlich am Ende des Stückes zurück, um zu bleiben. In der feministischen Kritik von Freuds Fallstudie nimmt Dora eine ambivalente Stellung ein, wie sie exemplarisch deutlich wird in der Auseinandersetzung zwischen Cixous und Catherine Clement in *La Jeune Née*, in der Cixous Dora als rebellische Heldin feiert und Clement sie als Opfer charakterisiert. Aufgrund der von Cixous vertretenen Interpretation der Hysterikerin als Rebellin gegen bürgerliche Gender-Rollenvorstellungen wurde Dora in der feministischen Forschung oft mit der Titelheldin von Ibsens *Nora oder ein Puppenheim* assoziiert.[20] Morrissey nimmt diese Assoziation in ihrem Stück auf und verknüpft die Rebellions- und Emanzipationsgeschichten Noras und Doras, die beide ihren Kampf um Gleichstellung durch ihr Verschwinden unterstreichen. So nennt Morrisseys Freudfigur Dora wiederholt versehentlich „Nora“ und bezieht sich dabei ausdrücklich auf Ibsen. Da das Theaterstück die retrospektive Erzählstruktur von Freuds Fallstudie teilt, indem es als Vorlesung Freuds für das Publikum konzeptionalisiert ist, die von den Besuchen Doras als Anschauungsmaterial ergänzt wird, lässt sich Freuds Freudscher Versprecher als Verweis auf sein Wissen lesen, dass Dora die Therapie eigenmächtig abbrechen und ihn am Ende wie Nora verlassen wird. Während Morrisseys Beitrag zum *Drama of Hysteria* so auf der Figurenebene eine Parallele zu seinem Intertext *Nora* schafft, distanziert er sich stilistisch von Ibsen, denn Morrisseys Emanzipationsgeschichte bedient sich der Parodie. Als Dora beispielsweise ihr früheres idealisiertes Bild von Herrn K. als Repräsentant der Ehrlichkeit beschreibt, vergleicht Freud ihre Replik mit Ibsens Pathos, den er verabscheut:

> Dora: [...] The old Herr K would rather have died than tell a Lie, because Life must be lived Truly, in spite of the Small, Cowardly, Stupid, Nasty, Vindictive, Ungenerous, Mean-Minded of the world. Without truth, there

---

[19] Judith Butler: *Gender Trouble: Feminism and the Subversion of Identity*, London and New York 1999 [1990], S. 185.

[20] Vgl. zum Beispiel Lena Lindhoff: *Einführung in die feministische Literaturtheorie*, Stuttgart 1995. Steven Marcus: „Freud and Dora: Story, History, Case History“, in: Charles Bernheimer und Claire Kahane (Hg.): *In Dora's Case: Freud – Hysteria – Feminism*, New York 1990, S. 56–91. Lis Møller: „The Analytical Theatre: Freud and Ibsen“, in: *Scandinavian Psychoanalytic Review* 13 (1990), S. 112–28. Liliane Weissberg: „Dora geht: Überschreitung des Hysterieparadigmas“, in: Katharina Baisch, Ines Kappert, Marianne Schuller, Elisabeth Strowick und Ortrud Gutjahr (Hg.): *Gender Revisited*, Stuttgart und Weimar 2002, S. 269–88.

is nothing. *When Freud can't stand the speech any longer, he whispers ‚Ibsen‘.*[21]

Doras Abgänge sind für die intertextuellen Referenz zu Ibsen besonders aufschlussreich. Vor ihrem erstem Verschwinden teilt Dora Freud mit, dass sie seine fortwährenden sexuellen Anspielungen verabscheut und verlässt anschließend Freuds Arbeitszimmer nach dem Modell Noras, wie der Nebentext definiert: „Dora exits, like ‚Nora‘, with dignity; Ibsenite sound of door closing".[22] Die Würde und Ernsthaftigkeit dieses Abgangs wird allerdings nachträglich als nur posenhafte Imitation von Ibsens Emanzipationspathos entlarvt, als Dora zu einer weiteren Sitzung zurückkehrt und so Freuds selbstsichere Vorhersage nach Doras entrüsteten Abgang wahr werden lässt: „Widerstand ... Don't worry... She will come back. They always do".[23]

Der stilistisch ibsenhafte Abgang ist somit noch nicht der Moment, in dem Dora Freuds Therapie verlässt. Doras tatsächlich emanzipatorischen, zweiten Abgang gestaltet Morrisseys Drama entsprechend seiner parodistischen Strategie als Triumph über Freud. Dora verkündet, unerwartet für Freud, das Ende der Therapie und bezahlt Freud für seine Dienste. Dabei spitzt sie durch ihre spöttischen Bemerkungen die vom Stück praktizierte Umkehrung der geschlechtlich semantisierten Machtpositionen zu: Dora ist der Freier, der die Prostituierte Freud bezahlt, Dora ist der Arbeitgeber, der die Gouvernante Freud bezahlt. Doras eigenes Lachen und das des Publikums, das sie provoziert, ist Doras effektivste Waffe im Kampf gegen Freuds autoritäre Zuschreibungen und Bevormundungen. Das Stück kündigt Freuds Verletzbarkeit durch diese Waffe zu Beginn an, indem Freud Dora und mit ihr dem Publikum versichert: „I know you have been accustomed to laugh at doctors, but you will not laugh at me".[24]

Nach Doras zweitem Abgang streichelt Freud nostalgisch die Couch auf der Dora lag und zitiert die Fallstudie fast wörtlich. Dort heißt es über die letzte Sitzung: „Sie hatte zugehört, ohne wie sonst zu widersprechen. Sie schien ergriffen, nahm auf liebenswürdigste Weise mit warmen Wünschen zum Jahreswechsel Abschied und – kam nicht wieder".[25] Morrisseys Freud sagt: „I still remember her that [last] day, listening so quietly, hardly contradicting me at all. And then taking my hand in hers, smiling and wishing me well. She smiled, and wished me well, and came no more!".[26] Morrissey kontrastiert Freuds Beschreibung allerdings mit dem vorhergehenden Verschwinden Doras, die, nachdem sie Freud mehrfach widersprochen hat („I didn't imagine!"; „what do you mean, ‚supposed attack‘?"; „It must be the wrong conclusion, Herr Professor"[27]), Freud verlässt,

21 Kim Morrissey: *Dora – A Case of Hysteria*, London 1994, S. 17.
22 Morrissey, Dora, S. 30.
23 Morrissey, Dora, S. 31.
24 Morrissey, Dora, S. 7.
25 Freud, Bruchstück, S. 272.
26 Morrissey, Dora, S. 36.
27 Morrissey, Dora, S. 33.

ohne seine Hand zu schütteln, wie eine explizite Regieanweisung deutlich macht: „Note: Dora must not shake Freud's hand".[28] Freud leidet also nicht nur an Symptomhandlungen (indem er gedankenverloren die Couch alias Dora streichelt), sondern auch an Erinnerungstäuschungen, die er zuvor bei Dora als hysterische Symptome diagnostizierte.[29]

Noch während Freud sich seinen sehnsüchtigen Gedanken an Dora hingibt, kehrt Dora allerdings erneut auf die Bühne zurück. Wie im Nachwort der Fallstudie beschrieben, sucht sie Freud zwei Jahre nach dem Ende der Behandlung auf und bittet ihn um eine Wiederaufnahme der Therapie. Da sie Freud aber zugleich erzählt, sie habe die Familie K. mit ihrem Wissen um die Affäre zwischen Frau K. und ihrem Vater sowie den sexuellen Übergriffen von Herrn K. auf Dora konfrontiert, und die K.s hätten erstmalig die Realität dieser Erinnerungen zugestanden, weist Freud die Behandlung zurück und Dora verabschiedet sich freundlich von ihm. In einem Epilog des Stückes lässt Freud als Konklusion seiner Vorlesung den Fall Revue passieren und endet, unbeeindruckt von Doras nachträglichen Informationen, mit der Bekräftigung der These, mit der er begonnen hat: Hysterische Symptome entstammen den sexuellen Wunschfantasien der Patienten. Während er diese im Laufe des Stücks demontierte These verteidigt, betritt Dora ein letztes Mal, unbemerkt von Freud, die Bühne und betrachtet ihn wortlos. Diese Rückkehr, die nicht mehr dem Skript der Fallgeschichte entstammt, verstärkt den Rollenwechsel zwischen Dora und Freud, da Dora nun Freuds Worten zuhört, die das Publikum gemeinsam mit Dora unschwer als Wunschphantasie deuten kann. Da jetzt Freud die Position des Patienten und Dora die Position der Analytikerin einnimmt, kehrt Dora zurück, aber die Hysterikerin ist verschwunden.

Terry Johnson: *Hysteria – or Fragments of an Analysis of an Obsessional Neurosis* (1993)

Noch entschiedener als Morrisseys *Dora* unterzieht Johnsons *Hysteria* den Analytiker selbst einer Analyse. Dies verdeutlicht bereits das Titelbild des Skripts, das unter der Überschrift *Hysteria* ein Porträt Freuds präsentiert. Johnsons Anmerkungen im Nebentext machen zudem klar, dass die Handlung des Stückes als eine Emanation des Bewussten und Unbewussten des todkranken Freuds zu verstehen ist: „Freud's last thoughts, recent memories and suppressed anxieties dictate the action".[30] Diese Information steht dem Publikum bei Aufführungen von *Hysteria* nicht zur Verfügung, aber das Stück macht durch stilistische Mittel diese Perspektive zunehmend deutlich. Das detaillierte realistische Bühnenbild wird

---

[28]   Morrissey, Dora, S. 35.
[29]   Vgl. Morrissey, Dora, S. 11 und 24; Freud, Bruchstück, S. 174.
[30]   Terry Johnson: *Hysteria or Fragments of an Analysis of an Obsessional Neurosis*, London 1994 [1993], ohne Seitenangabe.

im zweiten Drittel des Stückes den surrealistischen Gemälden Dalís angepasst – so schmelzen beispielsweise die Zimmerwände, Uhren zerlaufen, das Telefon verwandelt sich in einen Hummer – und auch auf der Handlungsebene verläuft das Theaterstück zu einem „camembert of time and space".[31] Dass diese Verwandlung ein Hinweis darauf ist, dass sich *Freuds* Unbewusstes manifestiert, wird umso deutlicher, als Freuds nackte Tochter Matilde erscheint und versucht, den Vater zu verführen und als der halbverweste Leichnam seines Vaters Freud bestrafen will. Auch die Rückkehr der Hysterikerin in Johnsons Beitrag zum *Drama of Hysteria* ist als Fantasie des Analytikers inszeniert, und zwar als Schuldfantasie und Verfolgungswahn Freuds, der kurz vor seinem Tod sein Leben inklusive seiner möglicherweise falschen theoretischen Entwürfe Revue passieren lässt.

Zu Beginn des Stückes verschafft sich eine junge Frau nachts durch das Fenster Zugang zum Arbeitszimmer des todkranken Freud und zwingt ihn zu einer psychoanalytischen Sitzung, in der sie ihre Lebensgeschichte erzählt und körperliche hysterische Symptome in Szene setzt. Freud entlarvt diese bald als die Imitation und Re-Inszenierung einer seiner bereits Jahrzehnte zurückliegenden Fallgeschichte: „I was very explicit in my descriptions. You were very accurate in your impersonation".[32] Im Laufe der Handlung gibt sich Jessica als die Tochter dieser ehemaligen Patientin zu erkennen und konfrontiert Freud mit den katastrophalen Auswirkungen, die seine Revision der Verführungstheorie auf ihre Mutter hatte: Nachdem Freud Rebecca S. durch seine *talking cure* zunächst von ihrem hysterischen Symptomen geheilt hatte, indem er die verdrängten Erinnerungen an den Missbrauch durch ihren Vater freilegte, deutete er später Rebeccas Missbrauchserinnerungen als inzestuöse Wunschfantasien. Durch diese Revision verschlechterte sich Rebeccas psychische Verfassung und schließlich beging sie nach der Zwangseinweisung in eine Klinik Selbstmord.

Während ihres ungebetenen Besuches bei Freud ist Jessica – den Genrevorgaben der Farce gemäß, die verwechslungskomödiantische Elemente enthält – wiederholt dazu gezwungen, sich in Freuds Wandschrank zu verstecken. Das mehrmalige Verschwinden und Wiederauftauchen der Hysterikerin bedient sich nicht nur der Rhetorik der Farce, sondern auch der psychoanalytischen Rhetorik der Bekenntnis, der Artikulation des Verdrängten, wenn Jessica wiederholt aufgefordert wird *to remain in or to come out of the closet*. Nach der beschriebenen surrealistischen Verwandlung des Bühnebildes und -geschehens, die Freuds halluzinatorische Schuldfantasien auf die Spitze treiben, kehrt das Bühnenbild zu seinem ursprünglichen Realismus zurück. Als Freud im anschließenden Gespräch mit Jessica insistiert, Rebecca habe den Missbrauch durch ihren Vater ausschließlich imaginiert, konfrontiert Jessica ihn mit der Erinnerung, dass sie selbst ebenfalls von dem Vater ihrer Mutter missbraucht wurde und verlässt anschlie-

---

[31] Johnson, Hysteria, S. 72.
[32] Johnson, Hysteria, S. 16.

ßend Freuds Arbeitszimmer. Freud bittet sie, ihre Geschichte weiter zu tragen und so zur Revision seiner falschen Theorie beizutragen, Jessica aber antwortet, „Because I can articulate these things does not mean I am able to bear them".[33] Obwohl Jessica in der Lage ist, von ihren Missbrauchserfahrungen zu erzählen, hat sie ihr Trauma nicht überwunden. Sogar ihre Abschiedsworte tragen so zur Demontage von Freuds Theorie und Therapiemethoden bei, da sie die kathartische und heilende Kraft der *talking cure* in Frage stellen.

Freud bittet schließlich seinen Arzt um die verabredete tödliche Morphiumüberdosis, die ihn von seinen unerträglich gewordenen Schmerzen befreien soll. Nachdem der Arzt Halluzinationen als mögliche Begleiterscheinung angekündigt hat, schläft Freud ein und das Stück beginnt von vorn: Im letzten Bild klopft Jessica wieder an die Scheibe, begehrt erneut Einlass. Das zirkuläre Ende enthält so einen Nachträglichkeitseffekt, der Jessicas anklagenden Auftritt zuvor als Freuds moribunde Halluzination und möglicherweise sogar schon als postmortales Fegefeuer charakterisiert. Da sie die Rückkehr des Verdrängten in Freuds Theorie und Biographie repräsentiert, ist Jessica also immer nur verschwunden, um zurückzukehren.

Die theatralen Rhetoriken des Verschwindens in den drei ausgewählten Dramen, die über rein verbale Rhetoriken hinausgehen und sich aller Kommunikationskanäle der Theateraufführung bedienen, können also als bezeichnend für den jeweiligen Zugriff der Theaterstücke auf die hysterischen Fallgeschichten betrachtet werden. In *Augustine* erproben die zwei Abgänge der Hysterikerin den Ausstieg aus kulturellen Mustern, die die Wahrnehmung von Hysterie und Weiblichkeit prägen. Aus gendertheoretischer Perspektive ist Augustines verbale Rhetorik des Verschwindens und der Rückkehr die Verhandlung einer feministischen Utopie des Ausstiegs aus dem Phallogozentrismus, einer „new stage", einer neuen Stufe der kulturellen Wahrnehmung. Auf der medialen Ebene der theatralen Vermittlung verlangt diese Rhetorik des Verschwindens allerdings auch eine „new stage" – eine neue Bühne, eine andere Art von Theater. Die Aufführung von *Augustine* kann das gepredigte Verschwinden daher nicht praktizieren, sondern verweist die Zuschauer auf eine erneute Rückkehr der (vermeintlichen) Hysterikerin auf einer bisher noch u-topischen, ortlosen Bühne. Morrisseys *Dora* parodiert sowohl die Fallgeschichte Freuds als auch Ibsens Emanzipationspathos, wie es für das realistische Drama der kleinen Hysterie kennzeichnend war. Die Rhetorik des emanzipatorischen Ausstiegs nach dem Modell von Ibsens Nora wird als hohle Geste ausgestellt, während Doras parodistische Aneignung von Freuds Methoden ihr ein alternatives Modell ermöglichen, die Hysterikerin verschwinden zu lassen: Dora kehrt als analytische Beobachterin Freuds zurück. In Johnsons *Hysteria* ist der Auftritt der missbrauchten Hysterikerin als Rückkehr des Verdrängten in Freuds Theorie und in seinem Bewusstsein präsentiert: Jessica wird nachträglich als Schuldfantasie Freuds inszeniert, die Freud zyklisch

---

[33] Johnson, Hysteria, S. 91.

heimsucht. In Freuds halluzinogenem Sterbeprozess kehrt Jessica alias Rebecca nicht nur zurück, um zu verschwinden, sondern sie verschwindet immer nur, um umso dramatischer zurückzukehren.

Autorinnen und Autoren

HANJO BERRESSEM ist Professor für Amerikanische Literatur und Kultur an der Universität zu Köln. Er ist der Autor von *Pynchon's Poetics: Interfacing Theory and Text* (University of Illinois Press) und *Lines of Desire: The Novels of Witold Gombrowicz* (Northwestern University Press) sowie von zahlreichen Aufsätzen, insbesondere zum Poststrukturalismus und zur amerikanischen Literatur des 20. Jahrhunderts.

GEREON BLASEIO ist Wissenschaftlicher Mitarbeiter am Institut für Theater-, Film- und Fernsehwissenschaft der Universität zu Köln. Er hat zu verschiedenen medien- und filmwissenschaftlichen Themen gearbeitet, darunter Filmton und -synchronisation, Genretheorie, Gender Studies. Jüngste Publikationen: Revenge is a dish best served cold – World Cinema und Quentin Tarantinos KILL BILL (gemeinsam mit Claudia Liebrand). In: Unfinished Business. Hrsg. von Achim Geisenhanslüke und Christian Steltz, Bielefeld 2006, S. 13–34.; Popularisierung und Popularität (hrsg. mit Hedwig Pompe und Jens Ruchatz). Köln 2005; Widescreen. In: Joanna Barck/Petra Löffler (Hg.): Gesichter des Films, Bielefeld 2005, S. 323–336.

MATEI CHIHAIA ist derzeit Heisenberg-Stipendiat der DFG am Romanischen Seminar der Universität zu Köln. Studium der Komparatistik, Romanistik und Philosophie an den Universitäten München und Oxford, Promotion 2000 mit einer kulturanthropologischen Untersuchung über die Tragödie der französischen Klassik, die 2002 veröffentlicht wird *(Institution und Transgression. Inszenierte Opfer in Tragödien Corneilles und Racines)*, 2006 Habilitation in Romanischer Philologie zum Thema *Filmische Fiktionen. Zur Poetik der Metalepse in den Erzählungen Julio Cortázars.*" Vertretungsprofessuren in Regensburg und Köln.

LUTZ ELLRICH ist Professor für Medienwissenschaft an der Universität Köln. Arbeitsschwerpunkte: Allgemeine Kommunikations- und Medientheorie, Computersoziologie und Konfliktforschung. Publikationen u.a.: Verschriebene Fremdheit, Frankfurt/New York 1999; „Die Tragikomödie des Skandals", in: F. Schößler/I. Villinger (Hg.): Politik und Medien bei Thomas Bernhard, Würzburg 2002, S. 148–190; „Theatralität und Souveränität", in: M. Karmasin (Hg.) Kulturwissenschaft als Kommunikationswissenschaft, Opladen 2003, S.189–222; „Diesseits der Scham. Notizen zu Spiel und Kampf bei Kafka und Plessner", in: C. Liebrand/F. Schößler (Hg.): Textverkehr. Kafka und die Tradition, Würzburg 2004, S. 243–272.

KAY E. GONZALEZ-VILBAZO, geb. 1968 in Marburg a.d.Lahn studiert Philosophie, Allgemeine Sprachwissenschaft und Germanistik in Barcelona, Köln und Bonn. Promoviert in germanistischer Linguistik in Köln. Von 2000 bis 2006 wissenschaftlicher Mitarbeiter am Institut für deutsche Sprache und Literatur in Köln und seit 2006 *Assistant Professor* an der *University of Illinois at Chicago* (UIC). Forschungsschwerpunkt ist Mehrsprachigkeit und ihre syntaktischen, morphologischen, phonologischen und semantischen Eigenschaften. Veröffentlichungen auch zur Wissenschaftsphilosophie und -geschichte, Epistemologie und Kognitionswissenschaften.

DETLEF HABERLAND lehrt zur Zeit als apl. Professor an der Universität zu Köln. Seine Arbeits- und Forschungsschwerpunkte sind in den Bereichen Reiseliteratur und -kultur der Frühen Neuzeit, Buch- und Druckgeschichte der Frühen Neuzeit, Literatur- und Kulturgeschichte im östlichen Europa, Romantik, 50er Jahre.

TORSTEN HAHN ist Akademischer Oberrat a.Z. an der Universität zu Köln. Letzte Veröffentlichungen: Das schwarze Unternehmen. Zur Funktion der Verschwörung im Literatursystem um 1800. Heidelberg 2008 (im Druck). Kontingenz und Steuerung. Literatur als Gesellschaftsexperiment 1750–1830, hg. v. T.H./Erich Kleinschmidt/Nicoals Pethes. Würzburg 2004. Freund, Feind & Verrat. Das politische Feld der Medien, hg. v. Cornelia Epping-Jäger/T.H./Erhard Schüttpelz. Köln 2004.

STEFFEN NEUBURGER studierte Kunstgeschichte, Philosophie und Psychologie in Tübingen, Köln und Bonn. Mitarbeiter der Galerie Gabriele Rivet, Köln von 1998–1999. Kurator für zeitgenössische Kunst am Rheinischen Landesmuseum Bonn von 2001–2003. Seit 2004 als freischaffender Künstler tätig.
Sukzessive Entwicklung einer eigenständigen künstlerischen Position seit 1996. Seitdem konsequente Ausarbeitung dieser Strategie sowie Kreation weiterer Ansätze mit zumeist konzeptionellem Hintergrund. Beispiele von Arbeiten, Texten und Informationen über aktuelle Projekte finden sich auf der Webseite: www.steffen-neuburger.de

TINA-KAREN PUSSE studierte Germanistik und Philosophie in Freiburg i.Br. sowie Komparatistik und Philosophie in Paris, und promovierte 2003 in Köln (Dissertationsschrift: *Von Fall zu Fall. Lektüren zum Lachen.* Freiburg i.Br.:Rombach 2004). Publikationan u.a. zu Kafka, Hans Henny Jahnn, zur Autobiographieforschung und zum Textbegriff der *Cultural Studies*. Sie war Assistentin am Lehrstuhl für Allgemeine Literaturwissenschaft und Medientheorie am Institut für deutsche Sprache und Literatur in Köln und lehrt seit 2008 German Literature and Film an der *University of Ireland*. Sie ist Redakteurin der *Freiburger Geschlechterstudien*.

STEFAN RIEGER studierte Germanistik und Philosophie und war Stipendiat im Graduiertenkolleg *Theorie der Literatur* (Konstanz), im Anschluss daran Mitarbeiter im Sonderforschungsbereich *Literatur und Anthropologie*. Promotion über barocke Datenverarbeitung und Mnemotechnik, Habilitationsschrift zum Verhältnis von Medien und Anthropologie (*Die Individualität der Medien. Eine Geschichte der Wissenschaften vom Menschen*, Frankfurt/M. 2001). Heisenberg-Stipendiat der DFG. Seit 2007 Professor für Mediengeschichte und Kommunikationstheorie an der Ruhr-Universität Bochum.

FRANZISKA SCHÖSSLER ist Professorin für Neuere deutsche Literaturwissenschaft an der Universität Trier. Studium der Germanistik, Philosophie und Kunstgeschichte in Bonn und Freiburg. Studienaufenthalte in Paris, London, Brisbane. Dissertation über Adalbert Stifter, Habilitation über Goethes Lehr- und Wanderjahre (Francke 2002). Neuere Publikationen: Einführung in das Trauerspiel und das soziale Drama (Darmstadt 2003); Augen-Blicke. Erinnerung, Zeit und Geschichte in Dramen der neunziger Jahre (Tübingen 2004, Forum Modernes Theater); Literaturwissenschaft als Kulturwissenschaft. Eine Einführung (Tübingen 2006, UTB). Dreijährige Theatererfahrung (Dramaturgie und Regie) an den Städtischen Bühnen Freiburg und der Volksbühne am Rosa-Luxemburg-Platz Berlin. Forschungsschwerpunkte: Drama und Theater, insbesondere Gegenwartsdramatik; bürgerliche Moderne; kulturwissenschaftliche Literaturtheorie; Gender Studies.

LINDA SIMONIS ist Professorin für Komparatistik in Bochum und lehrte zuvor in Köln und Amsterdam. 1995 promovierte sie in Köln (Dissertation: *Genetisches Prinzip. Zur Struktur der Kulturgeschichte bei Jacob Burckhardt, Georg Lukács, Ernst Robert Curtius und Walter Benjamin.* Tübingen: Niemeyer 1998) 2000 folgte in Köln die Habilitation (Habilitationsschrift: *Die Kunst des Geheimen. Esoterische Kommunikation und ästhetische Darstellung im 18. Jahrhundert.* Heidelberg: Winter 2002. Ihre jüngsten Publikationen sind *Luzifer als ästhetisches und anthropologisches Paradox. Am Beispiel der Illustrationen zu Miltons Paradise Lost*, in: Manfred Beetz und Jörn Garber (Hg.), Physis und Norm. Neue Perspektiven der Anthropologie im 18. Jahrhundert, Göttingen: Wallstein 2007, S. 433–458 sowie *Familien-Intrigen. Zur Störung intimer Kommunikationsverhältnisse in Kleists "Die Familie Schroffenstein" und Mozarts "Mitridate"*, in: Christiane Kanz (Hg.), Zerreisproben/Double Bind. Familie und Geschlecht in der deutschen Literatur des 18. und des 19. Jahrhunderts, Bern/Wettingen: eFef-Verlag 2007, S. 21–42.

VOLKER STRUCKMEIER, geboren 1973. 1994–2001 Studium der Germanistik, Anglistik, Musikwissenschaft und Allg. Sprachwissenschaft in Köln. Studium Comparative Literature, Linguistics, Brain & Cognitive Science in Rochester, New York 1997–1998. Wissenschaftliche Hilfskraft am Institut für deutsche

Sprache und Literatur 2001 – 2002. DFG-Stipendiat am Graduiertenkolleg „Satztypen: Variation und Interpretation" in Frankfurt a.M., 2002 – 2003. Seit 2003 wissenschaftlicher Mitarbeiter am Institut für deutsche Sprache und Literatur der Universität zu Köln. Promotion 2005 über „Attribute im Deutschen".

BARBARA THUMS studierte Germanistik und Geschichte in Tübingen und Berlin; Promotion in Tübingen zu Ilse Aichinger; ihre Dissertation ist in Freiburg 2000 unter dem Titel *„Den Ankünften nicht glauben wahr sind die Abschiede." Mythos, Gedächtnis und Mystik in der Prosa Ilse Aichingers* erschienen. Von Oktober 1999 bis September 2001 Postdoktorandin am Gießener Graduiertenkolleg „Klassizismus und Romantik", 2001–2005 Wissenschaftliche Angestellte an der Universität Tübingen, Habilitation 2005 in Tübingen, seit Oktober 2006 Akademische Rätin an der Universität Tübingen. Mitherausgeberin der Sammelbände *„Was wir einsetzen können, ist Nüchternheit." Zum Werk Ilse Aichingers*, Würzburg 2001, *Ästhetische Erfindung der Moderne? Perspektiven und Modelle 1750–1850*, Würzburg 2002 und *Herkünfte. Historisch – ästhetisch – kulturell. Beiträge zu einer Tagung aus Anlaß des 60. Geburtstages von Bernhard Greiner.* Heidelberg 2004. Arbeitsschwerpunkte: Literaturgeschichte und Ästhetik vom 18. bis 20. Jahrhundert, Literaturtheorie, Ethik und Ästhetik, Anthropologie und Literatur, Klassizismus und Romantik, Kultur- und Wissensgeschichte der Literatur, Mythos- und Gedächtnistheorien, Literarische Mystik der Moderne.

CHRISTINA WALD ist wissenschaftliche Mitarbeiterin am Lehrstuhl für Englische Literaturwissenschaft der Universität Augsburg. Ihre Promotion zu Hysteria, Trauma and Melancholia: *Performative Maladies in Contemporary Anglophone Drama* erschien 2007 bei Palgrave Macmillan. Neben Aufsätzen zum zeitgenössischen Drama hat sie zur feministischen und Gender-Theorie, zum Theater der frühen Neuzeit und zu Film-Adaptionen von Jane Austens Romanen publiziert sowie zusammen mit Svenja Flaßpöhler und Tobias Rausch einen interdisziplinären Sammelband zur rhetorischen Figur der Wiederholung, *Kippfiguren der Wiederholung* (Frankfurt 2007), herausgegeben. Ihr derzeitiges Forschungsprojekt widmet sich der Prosa der frühen Neuzeit.